L'ex de mes rêves

Carole Matthews

L'ex de mes rêves

Traduit de l'anglais par Sylvie Del Cotto

•MARABOUT•

Publié pour la première fois aux au Royaume-Uni sous le titre *For Better, for Worse*.

© Carole Matthews, 2000.

© 2007 Marabout (Hachette Livre) pour la traduction et l'édition française.

À Kevin
Pour être entré dans ma vie et m'avoir montré
que l'amour que j'avais toujours espéré existe…

1

— Je pense toujours à toi.

Silence. Josie présuma qu'elle était censée répondre quelque chose.

— Souvent, ajouta Damien, puisqu'elle ne disait rien.

Josie s'étonna de découvrir des taches rouges à l'intérieur du combiné. Elle ferma les yeux en soupirant.

— Moi aussi je pense souvent à toi, Damien. Principalement dans le but de trouver la meilleure façon de te faire du mal.

Lui planter une hache dans la tête, gagner au Loto, ou Ewan McGregor qui tomberait fou amoureux d'elle étaient ses rêves les plus fréquents.

— Oh, tiens, c'est un peu ce que tu m'as fait. Marrant, non ? reprit-elle.

Elle enroula une mèche de ses cheveux châtain terne autour de son doigt en envisageant de les colorer. Ce n'était pas la première fois qu'elle avait envie d'adopter l'une de ces teintes vibrantes dont les mérites sont vantés par tous les programmes de relooking. Est-ce qu'un « châtain rougeoyant » lui irait bien ? Possible. Mais elle aurait plus d'éclat avec une tout autre coupe de cheveux, car son carré lui donnait un air encore plus classique que Dan Quayle, représentant du parti conservateur. Et pourquoi pas « brune explosive » ? Est-ce que passer à un « ébène effronté » changerait sa vie ? Qu'elle opte pour l'une ou l'autre de ces couleurs, ses cheveux avaient grand besoin d'être lavés. Une tâche de plus à ajouter à la longue liste de ce qu'elle devait faire ce soir et qui n'incluait pas de perdre son temps à discuter avec Damien. Elle remua ses orteils pour se soulager du poids mort de son chat avant d'avoir des fourmis dans les pieds. « Le chat anciennement connu sous le nom de Prince » lui lança un regard capable de changer dix merles en statues. Josie lui envoya un baiser tandis qu'il s'éloignait avec dédain en direction de la cuisine, la queue dressée en signe d'indignation.

— Je n'ai jamais voulu te faire de mal, poursuivit Damien qui semblait décidé à s'exprimer.

— Entendre « j'aime quelqu'un d'autre, salut » fait rarement plaisir.

— On aurait dû en parler.

— Damien, la première fois que tu as abordé le sujet, c'est quand tu es descendu avec ta valise déjà prête. J'ai cru que tu allais à une conférence sur l'informatique à Margate, ou je ne sais où. Je ne m'attendais pas à ce que tu mettes fin à notre mariage à neuf heures du matin. (Et encore moins après que nous eûmes fait l'amour la nuit précédente, atteignant un orgasme simultané, deux éléments aussi inhabituels l'un que l'autre pour un dimanche.) Tu as refusé d'avoir une quelconque conversation. Même pas pour organiser la garde du chat. Tu es sorti aussi tranquillement que si tu allais chercher du pain.

— Je ne sais pas ce qui m'a pris. J'étais heureux, et la minute d'après je ne l'étais plus, dit son mari.

— C'est « Machine » qui t'a pris. Machine avec son décolleté 90 D et ses strings en peau de léopard. (Oui, je suis allée l'espionner par-dessus le mur de son jardin. Je sais qu'elle a un étendoir rouillé avec deux tiges manquantes et des pinces à linge dépareillées, ce qui prouve une défaillance du service de blanchisserie que tu n'aurais jamais tolérée de ma part !)

— Ce n'est pas uniquement à cause de Melanie.

« Melanie », imita Josie en faisant une grimace pleine d'amertume à l'appareil.

— Même si je dois admettre qu'elle a servi de catalyseur, poursuivit Damien.

(Un catalyseur ? Mon œil ! Une briseuse de ménage, oui !)

— J'ai l'impression d'avoir commis une terrible erreur. Une énorme et terrible erreur, affirma Damien.

— Et ça devrait m'aider à me sentir mieux ? Je suis en train de refaire ma vie ! Je n'ai plus besoin d'une tonne de Kleenex pour regarder *EastEnders*. Je ne ressemble plus à un fantôme qui aurait attrapé une maladie mortelle. Dans la rue, les gens ne s'enfuient plus sur mon passage. Mes amis ont cessé de me dire que je devrais sérieusement songer à consulter un médecin. Je suis heureuse à présent.

— Vraiment ?

— Oui.

Son affirmation était sortie avec trop d'arrogance pour être honnête.

— Pas moi.

Il y eut un autre silence tout aussi désagréable.

— Comment va Le-chat-anciennement-connu-sous-le-nom-de-Prince ? reprit-il avec plus de légèreté.

— Follement bien. Il avale son Kit et Kat comme s'il avait peur qu'on lui vole sa gamelle. Il s'est très bien fait à son statut de félin vivant dans un foyer monoparental.

— Bon.

Damien n'avait pas la voix de quelqu'un de sincèrement ravi.

— Et être un père de substitution, ça fait quoi ?

Damien soupira longuement.

— C'est plus difficile que je ne le croyais.

Josie eut un petit sourire satisfait.

— Les mômes mettent leurs Lego dans des endroits que tu n'imagineras jamais. J'ai dépensé une fortune pour faire extraire des bouts de gâteaux de mon ordinateur. Et ils laissent des miettes partout dans le lit. J'ai l'impression de passer la plupart de mes nuits dans la litière de Prince.

(Je parie que cela perturbe vos séances de sexe déchaînées qui ont fait l'objet de tant d'éloges au début de votre histoire !)

— Est-ce que Machine sait que tu m'appelles ?

Elle entendit Damien se ronger les ongles. Il faisait toujours ça quand il réfléchissait à l'éventualité de mentir.

— Non.

— Où est-elle en ce moment, alors ?

— Au supermarché. Elle fait ses courses pendant la nocturne.

(Ha, ha ! Et moi qui trouvais que ma vie n'était pas très folichonne !)

— Tu lui as dit que les papiers du divorce étaient prêts ?

Et un ongle en moins.

— Non.

— Tu ne les as pas encore renvoyés ?

— Non.

Posté à l'entrée de la cuisine, Le-chat-anciennement-connu-sous-le-nom-de-Prince poussa un gémissement franchement plaintif. Josie couvrit le combiné avec sa main.

— Je n'en ai plus que pour deux minutes. Tu ne vas pas mourir de faim, murmura-t-elle.

Le-chat-anciennement-connu-sous-le-nom-de-Prince la regarda l'air de dire : « Si je savais me servir d'un ouvre-boîte, je ne serais plus là depuis longtemps. »

— Est-ce vraiment ce que tu veux ? du fond de ton cœur ?

Damien venait d'avoir recours à sa voix la plus mielleuse. Celle dont il se servait pour la faire sortir du lit le week-end en lui demandant de préparer des sandwichs au bacon.

— Pendant que nous discutons, mes papiers languissent dans les bureaux de « Vivre à fond, Vivre la tête haute et Vivre avec », ou un truc comme ça. Chez les avocats pour les derniers des fauchés. Signe-les, Damien.

— Je crois que nous devrions prendre notre temps.

— C'est le contraire de ce que tu as fait.

— Je ne mérite pas ça, Josie. Tu ne peux pas tirer un trait sur cinq années de mariage.

(Si tu l'as fait, je peux le faire aussi.)

— Puis-je passer te voir ? demanda-t-il.

— Je vais sortir.

— Où vas-tu ?

— Ça ne te regarde pas.

— Je suis toujours ton mari.

— Seulement en raison d'une formalité administrative de rien du tout.

Josie sifflota pour faire taire son chat qui pleurnichait au point de former des flaques de bave sur le sol. De l'écume ne devrait plus tarder à s'échapper de sa bouche.

— Bon, il faut que je te laisse.

— Pourquoi ?

— J'ai refait ma vie, Damien.

— Tu vois quelqu'un d'autre ?

Feignant bravement l'indifférence, Josie examina le vernis à ongles rouge pute qui ornait ses doigts de pieds. Il fallait qu'elle le refasse avant demain. Le rouge pute coordonné à la mousseline lilas qui était au programme ne correspondait pas aux règles de l'élégance. Le-chat-anciennement-connu-sous-le-nom-de-Prince s'était à présent jeté à terre de désespoir.

— Oui.

— C'est sérieux entre vous ?

— Nous passons pas mal de temps ensemble.

— Il est beau ?

— Oui.

— Ah.

— Il faut que j'y aille. Je dîne avec lui ce soir.

— Ah.

Il laissa un blanc dans la conversation avant de poursuivre.

— Tu l'aimes ?

— Je n'ai aucune envie de parler de ça avec toi, Damien.

Cela plombait son cœur déjà lourd.

— Il a de l'argent ?

— Damien, je pense qu'il vaudrait mieux que tu ne m'appelles plus.

— Je ne veux pas que tu sortes de ma vie.

Elle se mordit la lèvre en repoussant les émotions qui menaçaient de refaire surface à la première seconde d'inattention.

— J'en suis déjà sortie.

Elle raccrocha et serra un coussin contre sa poitrine. Les coussins étaient un luxe autorisé maintenant qu'elle pouvait choisir chaque élément de décoration. Damien les avait classés parmi les accessoires interdits, tout comme les paniers suspendus, les panières à linge en osier et les cardigans. « Ils puent la quarantaine », insistait-il dans sa peur d'atteindre ce cap. En conséquence de quoi elle avait dû supporter un canapé inconfortable pendant trop longtemps. Désormais, il accueillait les sans-abri qui l'avaient récupéré.

La sonnerie du téléphone retentit de nouveau, stridente et insistante. Le-chat-anciennement-connu-sous-le-nom-de-Prince était en train de se tordre dans tous les sens sur le tapis du salon, dans son incarnation de l'animal mourant de faim digne d'un Oscar. Si Kenneth Branagh avait été là pour le voir, il aurait certainement tremblé pour sa carrière. Le téléphone continua de sonner et Josie mordilla un coin du coussin, les sourcils froncés par l'indécision. Elle en avait marre de Damien. Ces jours-ci, l'affronter lui semblait aussi facile que d'avaler un éléphant. Il n'était vivable que par petits bouts. Le-chat-anciennement-connu-sous-le-nom-de-Prince la regarda d'un air de dire : « Pour l'amour du ciel, tu vas répondre oui ou merde ? »

Josie arracha le combiné de son support.

— Da...

— Comment se fait-il qu'il te faille autant de temps pour répondre ?

Josie relâcha sa prise sur l'infortuné coussin et retomba sur le canapé. Cette discussion ne pouvait être menée qu'en position horizontale, et de préférence avec un grand verre de gin à portée de main.

— Bonjour maman.

— Tu n'as pas reparlé avec cette espèce de sale crapaud manipulateur, j'espère ?

— Mon banquier ?

— Non, ce minable qui te sert de mari.

— Maman...

— Vous êtes restés fiancés pendant très longtemps.

— Nous avons été mariés pendant cinq ans.

— Tu as très bien compris ce que je voulais dire.

Sa mère pesta dans le téléphone.

— Je te connais. Il n'a que trois petits mots à dire pour que tu coures vers lui la jupe retroussée et la culotte sur les chevilles. Si jamais tu en portes une.

— Maman !

— Il n'était pas assez bien pour toi.

— Maman. Personne ne l'a jamais été à tes yeux. Tu as détesté tous mes petits copains.

Un silence blessé s'éternisa à l'autre bout du fil.

— J'aimais bien Clive.

— Clive ?

— Clive était très gentil. À sa façon, c'est-à-dire sans prétention.

— Je ne suis jamais sortie avec un Clive !

— Bien sûr que si ! Il était charmant. Il portait toujours un foulard, dit sa mère en émettant des petits sons d'approbation.

— Je ne suis jamais, jamais sortie avec un garçon prénommé Clive.

— Il conduisait une Austin Allegro. Orange. Qui appartenait à son père.

— Tu dois confondre avec quelqu'un d'autre.

— Tu aurais peut-être dû épouser Clive. Il n'avait pas l'air d'être du genre à t'abandonner au premier claquement d'élastique d'une petite culotte.

(Il n'y a jamais eu de Clive. Ni de foulard. Ni d'Austin Allegro.)

— Remarque, ton père était pareil. Du sexe, encore du sexe et toujours du sexe. Matin, midi et soir. Il ne pensait qu'à ça.

Son père ne s'était jamais aventuré à quitter son abri de jardin en trente ans et avait toujours eu l'air plus préoccupé par ses pélargoniums que par les plaisirs charnels. Malgré tout, grâce à son calme naturel, il avait réussi à refréner les pires excentricités de sa mère, qui se déchaînait depuis son décès.

— Je maudis toutes ces femmes qui ont brûlé leur soutien-gorge. Il n'a plus jamais été le même homme après ça.

Josie compta jusqu'à quatre, parce que dix c'était trop long.

— J'étais en train de préparer le dîner.

— De quoi ?

— Quand ça a sonné. J'étais en train de faire à manger. La minuterie du micro-ondes est détraquée. Je ferais mieux d'aller voir, sinon tout va brûler, ou fondre, ou se désintégrer.

— Tu ne vas pas encore manger des cochonneries au poulet, j'espère ?

— Non, j'ai fait des folies. C'est cochonneries italiennes, ce soir.

— Je m'inquiète tellement pour toi, ma chérie.

— Je sais. (Mais il faut dire que tu t'inquiètes pour toute la partie occidentale de la planète et quatre-vingt-dix pour cent de ses habitants.)

— Es-tu prête pour demain ?

Josie lança un regard nerveux vers sa valise. Pour rien au monde, sa mère ne devait apprendre qu'elle songeait à annuler son départ. Pour la première fois de sa nouvelle vie de femme presque divorcée, elle allait voyager seule. Dans son estomac la peur se mêlait à l'enthousiasme. Elle allait devoir se charger des billets, des passeports et de l'argent au lieu de se reposer sur Damien. Et elle se demanda comment faire avec sa valise avant de décider qu'il valait mieux s'en remettre à un chariot d'aéroport plutôt qu'à un homme sans cervelle.

— Je crois que oui.

— Tu ne vas rien oublier quand même ?

— Je vais faire de mon mieux pour ne rien oublier.

— Ce n'est pas la peine de me parler sur ce ton. Tu sais que je devais attacher tes gants à ton imperméable avec un élastique quand tu étais petite parce que tu les oubliais toujours quelque part. Si on m'avait donné une livre sterling à chaque paire de mitaines que tu as perdue, je serais la voisine de Barbara Streisand à l'heure qu'il est.

— Oui, maman.

Le-chat-anciennement-connu-sous-le-nom-de-Prince l'observait comme s'il regrettait de l'avoir incitée à répondre au téléphone. Elle lui envoya un regard signifiant : « Je te l'avais bien dit. »

— Il faut que je te laisse. Le chat réclame son dîner.

— Tu gâtes trop cet animal.

— Je n'ai personne d'autre sur qui déverser mon amour.

— Tu m'as, moi.

— À part toi.

— J'espère fortement que tu vas bientôt te trouver quelqu'un. Je ferais une adorable grand-mère.

— Maman ! C'est le dernier de mes soucis pour l'instant. Je ne suis pas du tout prête à m'engager dans une autre relation amoureuse.

— Un peu de sexe serait déjà un début...

— Maman !

— Je sais tout sur le préservatif. Mme Kirkby m'a tout expliqué pendant que j'attendais ma préparation H à la pharmacie. Ne sors jamais avec un homme qui achète la petite taille.

— Je dois y aller, sinon mon dîner va s'autodétruire.

— J'aurais tellement aimé venir avec toi.

— C'est trop tard maintenant, maman.

— Je devrais y assister. Je ne sais pas pourquoi Martha était si pressée d'organiser ce mariage.

— C'est tout Martha. Elle a peut-être eu peur que son fiancé change d'avis.

— Elle est restée au placard pendant très longtemps, concéda sa mère.

— Je ne pense pas que Martha ait besoin de s'inquiéter de prendre la poussière.

— Peut-être qu'après avoir attendu aussi longtemps elle va tomber sur le bon du premier coup.

(Touché, chère mère !)

— Je te raconterai tout à mon retour.

— N'accepte pas de transporter quoi que ce soit pour qui que ce soit. Surtout si ça ressemble à du talc. Il pourrait s'agir d'héroïne et tu finirais en danseuse du ventre dans une prison turque. Ils en parlent tout le temps dans *Women's Realm*. Vous, les jeunes filles, vous vous ne rendez absolument pas compte à quel point vous êtes vulnérables.

— Je ne suis plus une jeune fille. J'ai trente-deux ans. Je suis un pilier de la communauté et je suis sensée et responsable depuis l'âge de douze ans. Que disaient tous mes bulletins scolaires ?

— Que tu étais sensée et responsable, lui accorda sa mère.

— Il n'y a rien d'autre à ajouter.

— Et dans l'avion, ne parle pas aux hommes que tu ne connais pas. Si tu es assise à côté de quelqu'un d'un peu bizarre, demande qu'on te change de place. On ne peut pas te le refuser. C'est dans le règlement.

— Il faut que je te laisse.

Fin de la conversation amorcée. Lancement du compte à rebours. Cinq. Josie approcha le combiné de son socle.

— Embrasse tout le monde pour moi.

— Je n'y manquerai pas.

Quatre. On progresse.

— Appelle quand tu arrives. Sinon je risque de me faire du souci.

— Je t'appellerai.

Trois. Encore plus près. Ça s'annonce bien.

— Jure-le.

— C'est juré.

Deux.

— Je t'aime Josephine Ellen.

— Moi aussi, maman, je t'aime.

Un. Mission accomplie. Téléphone raccroché. Amarrage achevé. Programme de dénouement de la conversation passé avec succès. Josie jeta un œil sur l'horloge. Pas mal. Elle avait frôlé le record du monde. En s'extirpant du canapé, elle aperçut le chat lâchement allongé près de la porte de la cuisine.

— Après ton numéro de chat mourant de faim, ton

estomac doit maintenant penser qu'on t'a coupé la gorge.

Son misérable miaulement confirma cette idée. En entendant le téléphone sonner de nouveau, le chat défaillit littéralement.

— Je savais bien que c'était trop beau pour être vrai.

Nouvelle sonnerie.

— Je n'ai pas eu droit au compte rendu de l'état de santé de tous les voisins ni aux derniers rebondissements de la vie amoureuse du laveur de carreaux.

Le téléphone continua de sonner et le chat continua de supplier silencieusement.

— Je dois répondre. Elle sait que je suis là, dit Josie.

Il sonna, sonna et sonna encore.

— Juste une minute !

Josie décrocha.

— Maman.

— Quel modèle de voiture conduit-il ?

— Damien !

— Il a une voiture utilitaire ? ou alors un véhicule plus sportif ?

— Damien, laisse-moi tranquille !

— Tu es restée en ligne une éternité. Tu parlais avec lui ?

— C'était ma mère. Et puis, zut, ça ne te regarde pas.

— Est-il plus important que moi à tes yeux ?

— Damien, mon fil dentaire compte plus que toi à mes yeux.

Elle entendit son ex-mari soupirer lourdement.

— Oh. Josie, je...

— Je raccroche, Damien. Salut.

— Josie...

Josie raccrocha violemment, au grand soulagement du chat.

— Toi et moi, on va se prendre une cuite, lui annonça-t-elle.

Josie alluma les bougies posées sur la table. Elle avait choisi les rouges achetées pour la Saint-Valentin, et qui n'avaient jamais servi parce que, ce jour-là, Damien avait prétexté un dossier difficile pour rentrer tard. Enlever ce minuscule string en peau de léopard du gros derrière de Machine n'avait effectivement pas dû être chose facile. Il avait fini par débarquer vers deux heures du matin, ivre et empestant le parfum. (« L'équipe a été contrainte d'aller prendre un verre dans un hôtel après le boulot », s'était-il excusé le lendemain matin malgré sa gueule de bois.) Et elle avait dégusté seule son dîner préparé avec amour.

Ce soir, c'est une portion individuelle de lasagnes décongelées sans matières grasses et sans saveur qu'elle déposa au milieu de la table. Le micro-ondes avait légèrement brûlé les coins, leur conférant une appétissante touche de noir, et les rendant aussi mangeables que du béton armé. En revanche, le centre était toujours aussi blanc, imbibé d'eau et à peine tiède. La laitue, dont la date de péremption était dépassée depuis deux jours, n'était plus très fraîche. Josie voulait vider le frigo avant son départ car elle éprouvait une aversion pathologique à l'idée de gaspiller la nourriture.

— Et voilà, machine à bouffer, dit-elle affectueusement.

Elle vida une boîte de Suprême aux morceaux de viande dans une assiette en porcelaine Royal Doulton posée sur la table. Au milieu, batifolaient des jeunes mariés entourés de cœurs dorés et d'un foisonnement de fleurs.

— C'est l'heure de ton petit dîner.

Le-chat-anciennement-connu-sous-le-nom-de-Prince se frotta avec amour autour de ses chevilles, recouvrant de poils son pantalon noir.

— Ton amour est purement intéressé, le réprimanda Josie en enfonçant une fourchette dans les lasagnes avec autant d'enthousiasme que possible face à quelque chose qui avait l'air aussi savoureux que du papier peint mouillé. C'était signe que son appétit revenait et qu'elle se lassait des plats préparés. La prochaine étape de sa résurrection était de cuisiner des vrais repas mangeables. Peut-être même que ses seins envolés allaient finir par réapparaître.

Elle détestait que Damien lui téléphone. L'entendre faisait ressurgir tout ce qui commençait à se décanter, comme une lame de fond ramenant tout à la surface d'une mer apparemment calme. Il trouvait toujours le moyen de la mettre sur la défensive, même si c'était lui qui avait choisi de rompre. De plus, qu'elle voie ou non quelqu'un d'autre ne le regardait pas. Elle pourrait aussi bien être en train de se faire toute l'équipe de football d'Angleterre, et de s'en délecter, que cela ne concernerait pas plus Damien Flynn. Elle but une gorgée d'un vin rouge au goût âpre et amer. Parvenir au bout d'un seul verre aussi mauvais allait être un dur combat. Boire seule n'avait rien d'amusant.

Le-chat-anciennement-connu-sous-le-nom-de-Prince sauta sur la chaise et posa ses pattes sur la table. Josie soupira avec mélancolie. Le seul mâle de sa vie émit un ronronnement de reconnaissance pour montrer qu'il savait qui gagnait l'argent du pain, ou du Kit et Kat en l'occurrence. Il plongea son nez dans l'assiette et mangea avec sa ferveur habituelle, comme s'il s'agissait de son dernier repas.

Josie alluma le lecteur de CD. La voix de George Michael se fit entendre. Désormais elle parvenait à écouter les chansons les plus sentimentales sans avoir la larme à l'œil, ce qui constituait un autre signe positif. « Careless Whisper ». « Guilty feet have got no rythm ». Elle et Damien avaient toujours bien dansé ensemble.

Elle se sentait tellement lessivée. Parler à son ex-mari virtuel et à sa mère dans la même soirée avait épuisé ses batteries de secours. Demain, elle pourrait dormir dans l'avion au lieu de regarder les vieux navets qu'ils programmaient toujours avec suffisamment de retard pour qu'elle fût sûre de les avoir déjà vus. Repoussant sa chaise, elle plia sa serviette avec un soin inutile avant de se rasseoir. Le chat leva les yeux de son repas.

— Alors ? lui dit-elle, toi qui comptes pour moi, lui ai-je vraiment menti ?

À sa façon de la regarder, Le-chat-anciennement-connu-sous-le-nom-de-Prince acquiesçait, probablement.

2

— Vous êtes assis à ma place.

Josie vérifia de nouveau le numéro de siège inscrit sur sa carte d'embarquement. L'homme qui occupait son siège avait un lecteur de minidisques branché dans les oreilles. Il agita vigoureusement la tête, probablement en rythme avec la musique. À moins qu'il ne soit en colère. Dans un cas comme dans l'autre, il ressemblait au labrador en suédine que son père gardait sur la plage arrière de sa Ford Cortina et qui secouait sa tête bizarrement détachée à chaque virage ou à chaque bosse. Le regarder l'avait rendue malade en voiture pendant des années. Et voilà qu'il était de retour, réincarné sur son siège. Un labrador en suédine avec des cheveux blonds mal coiffés. Elle se demanda s'il corres-

pondait à ce que sa mère rangerait dans la catégorie
« quelqu'un d'un peu bizarre ».

— Madame, pourriez-vous prendre place au plus
vite, s'il vous plaît ? Le capitaine se prépare au décollage et vous bloquez l'allée.

— Mais...

Le steward la poussa pour passer en émettant un tss-
tss. Charmant. Josie ne se sentait pas d'humeur. Le
coup de fil de Damien l'avait perturbée, la laissant particulièrement désarmée. Elle avait passé une nuit agitée
ponctuée de rêves dans lesquels Damien lui faisait des
trucs cruels. Dans la dernière séquence, il l'immobilisait
sur le lit, ses griffes acérées lui arrachant le cuir chevelu.
Elle s'était réveillée la tête dans l'oreiller avec Le-chat-
anciennement-connu-sous-le-nom-de-Prince assis sur
sa nuque et lui donnant des coups de pattes pour lui
rappeler l'heure du petit déjeuner. Tous les hommes
étaient pareils, égoïstes sur toute la ligne.

De la pointe de sa carte d'embarquement, Josie
tapota la tête de « l'homme qui occupait son siège ». Il
leva enfin les yeux.

— Siège. Mien, dit-elle en indiquant l'objet de dis-
corde. (Bouge.)

Il ôta l'un de ses écouteurs.

— Ça vous dérange ? J'aime bien regarder le décollage, dit-il.

— C'est-à-dire que...

— Nous pourrions échanger à mi-chemin.

Sa bouche dessina un sourire enjôleur qui voulait dire «joue avec moi. Lance ma balle et je te laisserai me grattouiller le ventre». Un diplômé de la grande école des chiots de charme, exactement ce qu'il lui fallait.

— C'est-à-dire que..., hésita Josie.

Elle avait envie de s'asseoir près de la fenêtre. Le décollage et l'atterrissage étaient les deux moments les plus dangereux d'un vol et il était toujours rassurant de savoir de quelle altitude on dégringolerait en cas « de problèmes techniques ».

— D'accord, dit-elle en faisant la moue pour qu'il saisisse son manque d'enthousiasme.

— Merci. Vous êtes sympa.

Je ne suis pas sympa. Je suis une voyageuse mécontente qui a plus de bagages que Joan Collins car je dois trimbaler des cadeaux débiles pour ma cousine Martha qui se marie à New York. Tout ça parce que la plupart des membres de ma famille sont trop radins pour se payer un billet d'avion et y aller en personne. Ils ont préféré m'encombrer de saladiers en verre travaillé, de serviettes avec monogrammes, et de divers articles ménagers qui demeureront intacts dans le fin fond des placards de Martha pendant les vingt prochaines années. Parce que s'il y a une fille au monde qui a tout ce qu'il faut, c'est bien Martha.

Et aussi parce que je suis sur le point de divorcer, l'idée d'assister à un mariage ne m'enchante pas.

L'homme-qui-occupait-son-siège replaça son écouteur et se remit à bouger la tête en cadence. Charmant II — la suite. Plus agité que lui, elle ne connaissait que Madonna dans « Get into the groove ». D'une minute à l'autre, il allait nous sortir sa guitare pour jouer quelques accords. Le vol promettait d'être très long s'il s'entêtait à gigoter jusqu'à l'arrivée comme une marionnette du Muppet Show.

Josie souffla en hissant son bagage sur l'épaule. Joan Collins aurait eu un mignon laquais ou un jeune amant à sa suite pour lui donner un coup de main. Tandis qu'elle, Josie Flynn, trente-deux ans et bientôt vieille fille de la commune de Camden, n'avait personne. Personne. Ce qui valait la peine d'être répété. Maintenant qu'elle était entrée dans les statistiques du divorce, elle devait se débrouiller toute seule pour que les parures de draps avec taies d'oreillers assorties achetées par Tati Connie parviennent à bon port et en bon état. Elles provenaient du magasin d'ameublement British Home Stores, car, comme l'avait fait remarquer Constance, les Américains aiment tout ce qui contient le mot « British ». De plus Josie savait pertinemment que des jonquilles jaune soleil sur fond de tourbillons de cerises n'étaient pas le genre de Martha. Pas du tout.

Mais au moins, elle n'avait pas sa mère à se trimbaler avec elle. Josie se bagarra pour faire entrer son sac dans le casier sans écraser les myriades de babioles étiquetées Royal Doulton avant de s'affaler sur le siège libre. Elle espérait aussi avoir ôté toute trace de Kit et Kat du Chat-anciennement-connu-sous-le-nom-de-Prince de l'assiette commémorative du mariage de Tati Freda.

Son compagnon de voyage semblait n'accorder qu'une vague attention au décollage dont il avait parlé avec tant de passion, mais ses yeux s'animèrent considérablement lorsque Bougon-le-steward entra dans son champ de vision avec son bar roulant.

— Un double whisky, commanda-t-il après Josie.

Elle avait eu sa bouteille en plastique d'eau tiède et pétillante de la Vallée Limpide. Que pouvait bien vouloir dire « naturellement gazéifiée » ? Que quelqu'un avait pété dedans ? Pourquoi n'avait-elle pas pris un double whisky elle aussi ? Parce qu'elle ne voulait pas arriver à New York déshydratée, ni avec des pieds d'hippopotame, voilà pourquoi. Josie ouvrit la bouteille et but au goulot. Ça, de l'eau pétillante limpide ? Plutôt du pipi de moucheron, oui. L'homme-qui-occupait-son-siège mit son lecteur de minidisques de côté avant d'avaler son whisky cul sec. Josie l'observait à la dérobée.

— Vous êtes nerveux en avion ?

Il lécha le bord de son verre.

— C'est horrible. Je ne pourrais jamais être l'un de ces reporters qui arpentent le monde, à moins de n'aller que dans des endroits accessibles en bus. Mais la raison de ceci (il porta un toast dans le vide) est que je viens de divorcer et que je n'en suis pas heureux.

Quand il sourit, avec tristesse, elle remarqua qu'il était vraiment mignon sans les câbles reliés à ses oreilles.

— Le jugement définitif ainsi que la note de l'avocat sont tombés juste avant mon départ pour l'aéroport.

— Je suis désolée pour vous.

— Moi aussi, je me sens désolé. Ça fait une éternité pourtant, et je pensais avoir digéré l'idée. Pourquoi est-ce que ça continue à faire aussi mal ?

— Être rejeté fait toujours souffrir. Comme accepter que c'est fini. Mais ça s'arrange avec le temps, dit Josie en buvant une gorgée d'eau à contrecœur.

— Je crois comprendre que vous parlez en connaissance de cause.

— Oh oui. Je suis passée par là, j'ai adhéré au club et troqué la maison individuelle en banlieue contre un appartement sordide à Camden.

Il fronça les sourcils.

— On dirait que vous n'en êtes pas complètement remise.

— Si, ça va, dit-elle en réalisant que ce n'était pas tout à fait le cas.

Sa conversation de la veille avec Damien avait apporté la preuve qu'elle ne dépendait plus de ses tergiversations émotionnelles. Dorénavant, c'étaient ses propres sentiments qui la torturaient. Ce qui devait constituer un progrès.

— Dans ce cas, chère collègue divorcée, je suis Matt Jarvis. À nous ! s'exclama-t-il en approchant son verre vide de sa bouteille en plastique.

— Josie Flynn.

Elle cogna sa bouteille contre son gobelet.

— Qu'est-ce qui vous appelle sur le bon vieux continent américain, Josie Flynn ?

— Le mariage de Martha. Ma cousine, trente-quatre ans, première fois, optimiste éternelle.

— Une naïve.

— Non. Elle est seulement convaincue d'avoir rencontré le bon.

— La veinarde.

Josie haussa les épaules.

— Et je suis demoiselle d'honneur.

Matt eut un petit sourire en coin.

— Ne faites pas cette tête. Je pensais être trop vieille pour tenir ce rôle. La dernière fois, j'avais sept ans et je portais une robe jaune. J'ai reçu une fessée pour avoir joué dans la boue devant l'église et pour avoir souillé mes ballerines en soie pendant qu'ils faisaient les photos.

— Qu'allez-vous porter cette fois-ci ?

Josie fit la moue.

— Une robe en mousseline lilas.

Matt se mordit la lèvre.

— Comme tout change dans le monde de la mode pour demoiselles d'honneur !

— Elle est très jolie cette robe. Simplement, c'est dommage qu'on soit en février. Et qu'elle soit sans manches. Et sans bretelles. Et qu'elle soit dos-nu, protesta-t-elle.

— Elle a l'air d'être très jolie, en effet...

Josie le toisa du regard.

— Et vous alors ?

— Voyage professionnel. Je suis journaliste pour le magazine de musique *Sax and Drums and Rock'n Roll*. John Lennon est mort il y a vingt ans et nous préparons un numéro exceptionnel. J'y vais pour préparer une interview de quatre pages des « nouveaux » Beatles.

Il arqua les sourcils avec cynisme.

— J'imagine, dit Josie.

— Oui, je vous laisse imaginer. Comment un groupe de jeunes garçons grossiers et sans talent avec des casquettes de base-ball et des chorégraphies bien ficelées peuvent se comparer à l'homme qui a bouleversé le rock and roll à lui tout seul ?

— Paul ne l'aurait pas un peu aidé par hasard ?

Matt fit une grimace de dégoût.

— Même pas un tout petit peu ? Ou Elvis ? N'a-t-il eu aucune influence sur lui ? Je crois savoir qu'il était assez populaire à cette époque.

— Aucun d'eux n'avait le génie si authentique de John.

Elle fit semblant de s'intéresser à sa bouteille de Vallée Limpide.

— Vous semblez être fan.

Il fit oui en cherchant le steward du regard.

— Pas vous ?

— J'ai toujours préféré les David. Surtout Essex et Cassidy. Même si j'ai eu un coup de cœur pour David Soul pendant un temps.

— David Soul ?

— Je sais. J'étais adolescente. C'était transitoire, une période difficile de ma vie. En grandissant, j'ai eu peur de devenir trop classique et je suis passée à David Bowie. Si j'avais penché pour John, Paul, George, Ringo et David, ma vie aurait pu être totalement différente.

Peut-être que si elle avait épousé un David à la place d'un Damien, sa vie aurait aussi été totalement différente ? Elle aurait dû faire plus attention à *La Malédiction*[1] au lieu de se casser le cou pour mater le jeune boutonneux du dernier rang dont le nom s'était évaporé avec le temps et qui aurait pu être Clive avec son

---

1. Film d'horreur dont le titre entier est *Damien ou la Malédiction...*

foulard, son Allegro et l'approbation de sa mère, pour autant qu'elle se souvienne. Oui, si elle avait piqué un sprint la première fois qu'elle avait vu Damien, peut-être serait-elle heureusement casée dans une maison de campagne avec deux enfants à tête d'ange. Elle ne serait pas sur le point de divorcer, à gagner un misérable salaire en enseignant les techniques de l'information aux adolescents blasés du minable lycée de Camden. C'était possible. Avec un David, la vie aurait pu avoir un dénouement digne d'un conte de fées. Au lieu de ça, « Damien le beau prince » s'était retrouvé à embrasser quelqu'un d'autre, et dans un flash aveuglant s'était transformé en « Damien le sale crapaud ».

— Quand le vôtre a-t-il été déclaré officiellement ? reprit l'homme.

— Quoi donc ?

— Votre divorce.

— D'un point de vue administratif, il ne l'est pas encore. Je nage toujours dans les procédures de désunion. Il n'y a pas longtemps que j'ai renvoyé le dossier. Même si je vois mal l'intérêt de payer un avocat puisque je n'ai aucune intention de reprendre ce triste statut à l'avenir.

— Ma femme se remarie la semaine prochaine. Et dans la même église !

Après cela, ils ne purent qu'observer un moment de silence.

— Elle n'a connu aucune période de deuil. Elle a tellement hâte, marmonna-t-il.

— Il y a des gens qui aiment bien dire « pour toujours ».

— Je crois que ça va plus loin que ça. Elle est enceinte, dit-il après avoir avalé une autre gorgée de whisky.

Josie fit la grimace.

— Elle attend des jumeaux.

— Waouh.

Chacun se commanda un autre verre.

— Au moins, on est sûr qu'elle ne portera pas la même robe.

Ils risquèrent un sourire. Josie appuya sa tête contre le dossier.

— On dit que l'amour a meilleur goût au deuxième essai.

— Vous y croyez ?

— Je ne demande qu'à en avoir la preuve. Peut-être qu'en fait il s'agit de tirer des leçons de ses erreurs afin de choisir quelqu'un de différent. De préférence mieux adapté que le premier.

Matt haussa les épaules.

— Peut-être que vous comme moi allons avoir assez de chance pour rencontrer quelqu'un d'autre, un jour, et que cette personne vaudra la peine de prendre le risque de souffrir.

— Peut-être.

Ils se regardèrent avec scepticisme.

— Un autre whisky ?

Matt acquiesça tristement.

— Je vais prendre la même chose que vous, dit Josie.

3

Josie avait quitté la grisaille londonienne sobre. À présent, il faisait chaud et beau et elle était ivre. À New York en février, il faisait dix-huit degrés. Les chiffres rouges du thermomètre électronique clignotaient lentement en face d'elle, encourageant ses yeux à se fermer. L'intensité du soleil lui donnait la nausée et elle était ravie de porter son gros manteau d'hiver. Et d'avoir apporté son écharpe et ses gants. Elle n'aurait jamais dû écouter sa mère la régaler de ses histoires sur les signes annonciateurs de blizzard et sur les moins vingt-deux degrés qu'elle avait lus par hasard en cherchant des fiches tricots sur Internet. Si le temps se maintenait, elle ne devrait pas mourir d'hypothermie dans sa robe de demoiselle d'honneur. Et elle serait heureuse pour Martha s'il ne pleuvait pas sur son cortège.

À l'extérieur de l'aéroport John F. Kennedy, la file d'attente pour les taxis jaunes faisait le tour du terminal. Matt se faufila à ses côtés.

— On partage un taxi ? suggéra-t-il en s'efforçant de ne pas trop bafouiller sous l'effet de l'alcool.

Josie acquiesça en silence de crainte que sa langue ne bute sur la difficulté d'un oui.

— Que faites-vous cet après-midi ?

Si Josie avait eu l'intention de hausser les épaules, son corps sembla exprimer autre chose.

— Du shopping. Appeler ma mère. Appeler Martha. Qu'elles sachent toutes les deux que je suis arrivée en un seul morceau. Et du shopping.

— On devrait faire quelque chose ensemble, dit Matt tandis qu'ils montaient dans une voiture cabossée qui empestait l'encens après avoir été sifflés par l'employé en charge du service.

Le chauffeur coupa la route pour s'engager dans la circulation en ignorant les Klaxon.

— Comme quoi ?

— La statue de la Liberté, pendant qu'il fait encore beau. Elle est adorable avec une petite étincelle dans les yeux.

Il y en avait une autre dans l'œil de Matt. Josie sourit en guise de consentement, sans être certaine que sa bouche fût bien à sa place.

— Pourquoi pas ?

Ils se détendirent sur la banquette tandis que le taxi s'enfonçait dans les embranchements goudronnés de la voie express de Van Wyck en direction de Manhattan. Le soleil matinal chauffait la façade des bâtiments qui s'étiraient vers le ciel.

Josie aimait New York. Cette ville avait tellement d'énergie que les trottoirs semblaient chargés d'électricité. L'air vibrait. C'était la ville la plus vivante du monde. Elle était déjà venue une douzaine de fois avec Damien et Martha, l'un des avantages à avoir de la famille de l'autre côté de l'Atlantique. Elle ne s'en était jamais lassée. Il y avait toujours quelque chose de nouveau et d'intéressant à faire dans ce melting-pot de gens et d'expériences. Ici tout était plus gros, plus rapide, plus haut, plus bruyant, plus voyant et plus Technicolor que partout ailleurs.

La tête de Matt bougeait au rythme des trous de la chaussée. Il s'assoupissait dans l'oubli du rythme exalté de la vie autour de lui. Le taxi se faufila dans les rues encombrées pour s'enfoncer dans le cœur de la ville où l'on se déplace plus vite à pied qu'en voiture. Si c'était la première fois qu'elle se rendait seule à Manhattan, elle ne ressentait cependant pas la boule d'angoisse qu'elle avait tant redoutée. Peut-être était-ce parce qu'elle avait trouvé Matt ? Non pas qu'il fît grand-chose pour l'aider mais sa présence la réconfortait.

En regardant le corps assoupi de Matt, elle se demanda s'il était un voyageur aguerri ou s'il était simplement très très soûl. Malgré tout ce qu'il avait dit sur son ex-femme, il ne semblait pas avoir quelqu'un en tête. Elle l'avait trouvé très tranquille, du genre à rendre fou quiconque essayait de le presser à aller quelque part ou à monter une étagère pour la veille. Josie se sentait à l'aise avec lui, pour employer un langage de couple, et d'ailleurs elle devait cesser de le voir comme un éventuel poseur d'étagère. S'habituer à l'idée d'être seule lui prenait un temps fou et elle se demanda combien de temps il faudrait encore pour que cet état devienne naturel.

Matt se réveilla et, les yeux bouffis de sommeil, regarda le paysage rendu familier par tant de séries policières. La circulation était contrainte à l'arrêt.

— Mon hôtel est dans le coin, après la prochaine intersection, je crois. Vous pourriez me déposer là et on se rejoint à Battery Park pour prendre le ferry jusqu'à la statue de la Liberté ? Disons dans une heure et demie, lui proposa-t-il en regardant sa montre.

Josie consulta sa propre montre, ce qui ne servait à rien puisqu'elle était toujours réglée sur l'autre côté de l'océan.

C'est parfait.

Matt se pencha en avant.

— Je vais descendre là, dit-il au chauffeur qui fit une légère embardée pour lui permettre de sortir.

— À plus tard, dit Matt.

Il lui fit un signe de la main avant de sortir en chancelant, la laissant affalée sur le siège arrière, avec la note à régler.

L'hôtel de Josie était un établissement anonyme accueillant des hommes d'affaires tout aussi anonymes. Ceux-ci traversaient le hall en costume bleu marine, de toute évidence pour se rendre à des rendez-vous importants. Cette ambiance lui rappela Damien. Il aimait porter des costumes bleu marine avec l'élégance d'un mannequin de catalogue. Elle avait espéré le voir se lâcher un peu, ne serait-ce qu'en gardant, à l'occasion, une barbe de trois jours ou un soupçon de bouc au menton. Mais Damien n'avait jamais été connu que pour ses coiffures modelées au gel, jusqu'à ce que, bien sûr, il se sauvât avec Machine, façonnée sur un modèle plus jeune. Il avait alors réalisé ses erreurs et investi dans des sweat-shirts Tommy Hilfiger, des boots Timberland et une coupe de cheveux à la César. Jusqu'à ce que Josie découvre que ses rendez-vous importants étaient certes donnés dans des petits hôtels, mais plus précisément dans les chambres desdits établissements. Y repenser ne la faisait plus soupirer de détresse. Enfin, plus trop.

Elle suivit le groom jusqu'à sa vaste chambre occupée par deux doubles lits, et qui était des plus fonctionnelles, comme dans tous les hôtels ordinaires. Elle se dirigea vers la fenêtre pour ouvrir le double rideau décoloré. Elle sentit le soleil cogner contre les vitres. Parmi toutes les vues magnifiques qu'offrait le fameux paysage de Manhattan, sa fenêtre donnait sur les bouches d'aération de l'air conditionné du bâtiment d'en face.

Josie referma le rideau. C'était mieux voilé. Manhattan était toujours spectaculaire, en particulier vue d'en bas ou vue du ciel. La distance permettait d'en apprécier toute la grandeur. Ici, coincée entre les deux, elle ne distinguait que des rangées de bâtiments serrés à la hauteur oppressante.

N'ayant pas de monnaie, elle tendit un généreux pourboire au chasseur. À la seconde où il ferma la porte, elle s'écroula sur le lit le plus proche. Même si la plus vibrante des villes s'étendait à ses pieds, elle n'était pas loin de fermer les yeux pour s'abandonner au monde des rêves. Mais elle avait promis à sa mère de l'appeler dès son arrivée. Pourquoi était-elle allée lui dire ça ? Probablement parce qu'il était bon de savoir que quelqu'un s'inquiétait pour elle, même s'il s'agissait de sa mère et que c'était sa principale raison d'être. Qui en premier ? Maman ou Martha ? La douleur ou le plaisir ?

Débarrassons-nous de la douleur. Martha pouvait attendre.

Dans l'ère moderne de la technologie, le téléphone mit une éternité à se connecter. Elle imaginait sa mère s'agitant en tout sens, éliminant toute trace de son dîner pris de bonne heure sur la table du salon où, bien qu'étant seule, elle s'installait toujours pour manger.

— Allô ?

— Salut, maman. Je me suis dit que tu aimerais savoir que je suis bien arrivée.

— Oh, ma chérie ! Je commençais justement à m'inquiéter.

Josie sourit avec indulgence.

Eh bien c'est inutile. Je vais très bien.

— Quel temps fait-il ? Y a-t-il du blizzard ?

— Il fait chaud et beau.

— En février ? Je ne te crois pas !

— Je crains que si.

— N'épouse jamais un météorologue, ma chérie. On ne peut pas leur faire confiance. Et ton vol ? Tu n'as parlé à personne de bizarre ?

— Seulement à un tueur en série, à deux psychopathes, et à quelqu'un qui m'a dit que son passe-temps préféré était de manger des petits enfants.

— Ça t'amuse de dire des méchancetés, Josephine Flynn ? Tu ne tiens pas ça de moi.

— J'étais assise à côté d'un homme très gentil.

— Gentil comment ?

— Il n'était pas avocat, tu l'aurais détesté.

— C'est toujours pratique d'avoir un avocat dans la famille. On va au tribunal pour un rien de nos jours.

— J'essaierai de m'en souvenir.

— Ce matin, je lisais le *Daily Mail* en mangeant mes Special K. Attends, je l'ai là...

Josie entendit les bruissements du papier journal.

— Tu connais un homme qui s'appelle Bill Gates ?

— Oui...

— Pourquoi ne lui passerais-tu pas un coup de fil pendant que tu es en Amérique ?

— Je voulais dire que j'ai entendu parler de lui. Je ne le connais pas personnellement. Nous ne nous sommes jamais retrouvés dans la même pièce, ni dans le même pays, pour autant que je sache. Ni même croisé du regard.

— Est-ce important ?

— Éventuellement.

— Il est célibataire.

— Il est marié.

— Ce n'est pas ce que dit le *Mail*.

— Il est à la tête de Microsoft.

— Il doit bien connaître les ordinateurs alors. Il peut-être utile comme mari. Mon PC a toujours la grippe.

— Il a un virus, pas la grippe.

— À chaque fois que je l'allume, j'ai une Pamela Anderson sans soutien-gorge qui apparaît en fond d'écran. Remarque, Kevin, le jeune homme d'à côté, est toujours ravi de passer voir s'il peut me rendre service.

— C'est marrant que...

— Tu vas l'appeler alors ?

— Bill Gates ? Je ne pense pas, non. Je ne suis même pas certaine qu'il vive à New York.

— Ils ont bien des annuaires, non ? Regarde si tu le trouves.

— Maman, c'est l'homme le plus riche du monde.

— Et qu'y a-t-il de mal à ça ? Peut-être que tu juges bon d'avoir un autocollant Greenpeace sur ton frigo, mais il fut un temps ou tu n'avais rien contre un peu de luxe.

— Disons que tout change et que je dois vivre en fonction de mes moyens. Je crois simplement que Bill Gates n'est pas pour moi.

— Je ne comprends pas pourquoi tu as une si mauvaise opinion de toi-même, Josie.

— Moi non plus. (Ça pourrait avoir un rapport avec le fait que mon mari m'a quittée pour une autre, quand même.)

— Tu as toujours été la meilleure de ton cours de danse classique.

— J'ai arrêté à l'âge de cinq ans.

— Tu as peut-être eu tort, dit sa mère sur un ton énigmatique.

— Bon, ce petit appel à l'agence de rencontres et conseils en vie amoureuse Lavinia va me coûter une fortune. Je vais devoir te laisser pour aller profiter de Manhattan.

Lancement du programme de fin de la conversation. Compte à rebours déclenché. Cinq.

— Tu as raison. Qu'as-tu prévu de faire ? roucoula sa mère.

— Du tourisme, euh, du shopping... euh du tourisme, du shopping. Du shopping, ça c'est sûr.

Elle n'avait aucune intention de faire allusion à Matt Jarvis. Quatre.

— Du tourisme ou du shopping ?

— Un peu des deux, dit-elle d'un air gêné.

Trois.

— Comme c'est bien. J'aimerais tellement être là-bas.

(Et je suis ravie que tu ne sois pas là.) Deux.

— Embrasse Martha pour moi. Et n'oublie pas, Bill serait peut-être content que tu l'appelles...

Un. Josie raccrocha. Était-elle perturbée par le décalage horaire ou sa mère essayait-elle sérieusement de la caser avec Bill Gates ?

Josie se passa les mains dans les cheveux et ferma les yeux en étouffant un bâillement. Elle avait terriblement besoin de dormir mais elle avait accepté de rejoindre Matt et l'heure approchait à grands pas.

Pourquoi ? Pourquoi avait-elle accepté de changer son programme en fonction de quelqu'un avec qui elle avait simplement partagé quelques verres de convenance alors qu'elle s'était juré de ne plus jamais laisser un homme diriger sa vie ? Qu'il s'agisse de Bill Gates ou de Billy Bunter, de Bill Bailey, de Wild Bill Hickock ou de n'importe quel autre Bill. Pourquoi ? Parce que ses projets se résumaient à errer seule dans les environs et que penser pour elle seule ne l'avait jamais rendue heureuse.

Si faire du shopping non accompagnée signifiait n'avoir personne pour lui dire si elle était sublime comme Gwyneth Paltrow ou bien si elle était assez grosse pour remplir tout un département, alors visiter seule la ville était pire. Comment pousser des oooh ! et des aaah ! devant des chefs-d'œuvre d'architecture ou un panorama à couper le souffle sans témoin ? Émettre des sons gutturaux en public risquerait de la conduire en prison, même si Benny Hill avait fait carrière grâce à ce type de comportement. Quelle joie y avait-il à faire le tour du monde sans personne avec qui tout partager ? Dans la salle des profs, ses collègues risquaient de vite se lasser en l'entendant répéter « Manhattan » à chaque phrase.

On en était donc à la statue de la Liberté. Comme ils se retrouvaient l'après-midi, et non pas le soir pour dîner, est-ce que cela comptait comme un rendez-vous galant ? Cela ne se présentait pas comme tel. Elle était seule depuis six mois et les rituels de séduction ne lui étaient pas devenus plus familiers pour autant. À vrai dire, elle ne les avait jamais testés. Depuis l'âge de quatorze ans, elle était passée naturellement d'une relation à une autre. Quand l'un s'éloignait, un autre arrivait. Avec plus de régularité que les trains anglais. Elle n'avait traversé aucune de ces périodes où l'on peut goûter autant de chocolats que l'on souhaite avant de jeter à la poubelle ceux qui ne correspondent pas aux promesses annoncées sur la boîte. Elle n'avait jamais été du genre à grignoter, préférant manger la friandise en entier, avec tous les petits morceaux à l'intérieur. Le terme monogame en série était fait pour elle.

Changer l'habitude d'une vie en une nuit n'était pas facile. À mesure qu'elle avait acquis plus d'assurance dans sa vie professionnelle, son manque de confiance n'avait fait que croître dans tous les autres domaines. D'où provenaient ces inquiétudes ? De Damien qui, malgré son air débonnaire, ne lui correspondait vraiment pas et avait saisi chaque occasion de la remettre discrètement en question ? Elle avait fini par se reposer sur lui pour tellement de choses qu'aujourd'hui elle peinait à se retrouver.

Ce n'était pas une question d'aspect physique. Au contraire, elle ne manquait pas de charme. Avec un trait d'eye-liner, les cheveux tirés en arrière et séparés par une raie en zigzag, elle parviendrait à plaire à n'importe quel présentateur d'émission de télé matinale. La preuve étant ses quelques sorties avec des collègues qui pourraient être éventuellement classées comme galantes, ainsi qu'avec des « vieux potes » sortis du sous-bois en entendant sonner la cloche du divorce. Aucune n'avait jamais atteint les sommets enivrants d'une fin de soirée chez l'un ou chez l'autre « pour prendre un dernier café » et qui s'achève, pardon mon Dieu, en se réveillant en compagnie d'un homme, les membres emmêlés et la raie involontairement en zigzag.

Être de nouveau seule était effrayant, mais d'une façon étrangement libératrice. Personne ne l'avait fait craquer récemment, si ce terme pouvait encore s'appliquer à quelqu'un qui a dépassé la trentaine. Ainsi, elle n'avait pas vécu cette confusion émotionnelle ressentie lorsqu'on tombe amoureux et que l'on espère être aimé en retour. Elle n'avait pas non plus envie de l'un de ces hommes qui n'attendent que ça. Il n'y avait qu'à regarder dans la salle des profs, au lycée. Tous les célibataires perdaient leurs cheveux et arboraient des bedaines qui auraient beaucoup de charme sur un cochon vietnamien, mais pas sur des enseignants d'un certain âge. Parmi les hommes libres, aucun n'avait un physique acceptable. C'était officiel : le nouveau millénaire s'annonçait vide de toute friandise. En dehors de Damien, qui était bien trop séduisant pour l'ignorer. Et de Matt Jarvis, qui avait un charme d'un genre dépenaillé, négligé, ce dont il n'était absolument pas conscient. Peut-être était-ce la raison pour laquelle il l'attirait.

Josie s'efforça de garder les paupières ouvertes malgré le poids du décalage horaire. Elle avait juste le temps de prendre une petite douche froide, mais pas assez pour s'habiller avec soin. De plus, Matt était totalement ivre et ne remarquerait sûrement rien si elle faisait un quelconque effort vestimentaire. Et elle se demanda, en tanguant malgré elle, s'il se souviendrait de l'avoir invitée.

4

Damien tenait mal l'alcool. Boire ne lui donnait pas envie de pousser la chansonnette, ni de devenir ami avec tout le monde. Damien avait le vin triste, et c'est dans cet état d'esprit qu'il assistait au pot de départ d'Alison Williams.

La jolie mais passablement ivre Alison avait, jusqu'à ce jour, travaillé au service des relations humaines à Power Connect, où Damien était directeur du marketing. Depuis le début de la soirée, elle avait tout fait pour que Damien comprenne que les relations humaines occupaient l'essentiel de ses pensées. Ses dispositions plutôt décolletées l'avaient aidé à comprendre qu'elle se tenait à sa disposition pour satisfaire tous ses caprices. Elle avait les mots « prends-moi » tatoués en plein milieu du front. Pour sa part, Damien avait toujours affiché « intéressé » et « disponible », mais voilà où ça l'avait mené. Désormais, il rêvait plutôt d'être perçu comme « totalement désintéressé » ou « injoignable ».

Alison lui fit signe d'un air désespéré, une bouteille de Budweiser dans chaque main. Damien se rendit compte avec inquiétude qu'elle était la première fille de dix-neuf ans à jeter son dévolu sur lui et qu'il n'avait pas la moindre envie de la repousser.

Il avait déjà rencontré le problème dans son enfance. Tout le monde avait un camion Tonka et pas lui. Il convoitait tellement le modèle noir qu'en rentrant de l'école il passait régulièrement par le magasin de jouets pour l'admirer. Jusqu'au jour enfin où on lui en offrit un pour son anniversaire. Le camion l'avait royalement amusé pendant deux semaines. Puis il avait commencé à se lasser de la vue de l'engin rutilant et super-motorisé. Malgré tous ses efforts, il ne parvenait pas à s'en débarrasser. Le jouet était indestructible, argument sur lequel se fondait toute la campagne publicitaire de Tonka. Alors qu'un Action Man pouvait être détruit en quelques secondes grâce à un pétard bien placé, ce monstre terriblement résistant ne faisait que revenir à la charge. Comment aurait-il pu passer à un autre jouet, plus gros, puisque le sien fonctionnait à merveille ? Et quel intérêt y avait-il à posséder un jouet indestructible ?

Les choses ne changeaient pas beaucoup à l'âge adulte. L'herbe était toujours plus verte ailleurs, mais elle finissait toujours par développer une mauvaise graine, puis toute une poignée, avant de mourir sous vos yeux si vous n'étiez pas suffisamment vigilant.

— Détends-toi. Il ne se passera peut-être jamais rien.

Mike lui donna une tape dans le dos. Damien approcha sa bouteille de sa bouche.

— C'est bien ce qui m'inquiète.

Mike était chef d'exploitation. Et le collègue de Damien, son partenaire de squash, son alibi d'adultère – ce qui avait été réciproque à plus d'une occasion –, et aussi proche de lui que Damien le permettait. Mike se posa sur le tabouret de bar voisin.

— Où est la belle Melanie et sa moue boudeuse ce soir ?

— Elle a dû rentrer directement à la maison. Pas de baby-sitter.

— Pas de bol. Tu vas devoir aller seul à la soirée mousse d'Alison ! compatit Mike.

— Une soirée mousse ? Que pourrais-je bien aller faire dans une soirée mousse ?

— Tu y es déjà allé ?

— Non.

— Alors tu dois essayer, mon ami triste et seul, juste parce que l'occasion se présente.

— Je n'ai jamais sauté d'une falaise et je n'ai pas l'intention d'essayer même si un jour « l'occasion se présente ».

— Sauf que tu ne peux rien te casser à une soirée mousse.

— Oh si, si Melanie apprend que je suis sorti sans elle.

Mike secoua la tête.

— Cette jeune femme te tient par une laisse très courte. Comment aurais-tu pu créer des liens si étroits avec elle si ta femme t'avait laissé aussi peu de liberté ?

— Je ne sais pas, mon pote, mais je commence à regretter qu'elle m'ait laissé faire.

Pourquoi fallait-il qu'il attende de se retrouver dans ce bar poisseux pour regretter les soirées paisibles passées avec Josie, sur le canapé ? Et pourquoi maintenant ? Alors que ça aurait pu se produire n'importe quel soir ? Alors que, détestant l'éventualité d'être seul face à lui-même, il avait passé tout ce temps et toute son énergie à éviter ce moment de lamentation. Que les hommes pouvaient être tordus !

— Il paraît que les pipes et les pantoufles assorties sont devenues très bon marché, mon vieux Damien. Peut-être pourrais-tu envisager ces achats dans un avenir pas très lointain ? Si tu veux mon avis, l'imprimé écossais t'irait à ravir.

Damien prit un air méprisant.

— Je pense que je ne suis pas encore prêt pour ce genre de soirée.

— N'oublie pas que le temps a une fâcheuse tendance à nous prendre par surprise. Il n'y a pas si longtemps que ça, j'étais un homme qui avait de l'argent à dépenser en plaisirs divers. Aujourd'hui, je dépense tout en fournitures scolaires, en baskets Reebok, en PlayStation et en VTT avec suspension active. Comme j'aimerais aller me prendre une bière le dimanche midi ! Au lieu de ça, je tonds la voiture et je lave la pelouse, et mes seules activités physiques sont celles qui requièrent ma boîte à outils.

Mike retourna sa bouteille de bière vide pour faire couler les gouttes restantes sur sa serviette en papier.

— Allons à la soirée mousse, ne serait-ce que pour m'empêcher de perdre la boule. J'ai envie de savoir comment c'est de faire le zouave dans la rue quand on a plus de cinq ans.

— Très bien, céda Damien à regret, en se demandant si le nouveau mec de Josie était du genre à aller aux soirées mousse. Mais il faut d'abord que je passe un coup de fil. Pour dire qu'une présentation de dernière minute m'est tombée dessus et que mon avenir professionnel en dépend.

Mike lui fit un clin d'œil d'encouragement.

— Voilà ce que j'aime entendre.

— Et arrête de me faire des clins d'œil. Je ne veux pas qu'Alison-la-disponible fasse courir une rumeur sur mon homosexualité, juste parce que je n'ai pas envie de coucher avec elle.

La musique hurlait à provoquer des saignements d'oreille. L'endroit était une sorte d'horrible bâtisse ou de garage dont la sono vous balance le cerveau contre le crâne avant même d'être à l'intérieur. Des femmes à demi nues tournaient sur des podiums suspendus au-dessus de la piste de danse, ce qui remontait un peu la cote d'intérêt de ce trou à rats. Il pouvait au moins se distraire en levant les yeux en dessous de leurs jupes. Les femmes n'ont-elles jamais froid de nos jours ? Damien regretta de ne pas avoir apporté des bouchons d'oreilles. Il possédait un million de ces trucs jaunes rigides offerts par les compagnies aériennes, dont il ne s'était jamais servi. Son regard se posa sur sa montre. Il avait obtenu sa Rolex en platine en dépassant toutes les cibles de vente grâce à l'excellente campagne promotionnelle de l'an dernier. C'était après le bilan des célébrations de ladite promotion que Damien et Melanie avaient commencé à s'échanger de longs regards, puis leurs langues, moments qui n'avaient jusqu'alors appartenu qu'au royaume des fantasmes. Une fois le champagne bu et les rabat-joie envolés, cet instant avait paru inévitable. Damien aimait beaucoup regarder sa montre car elle lui rappelait qu'il était un jeune cadre dynamique, sauf quand les aiguilles avançaient avec une telle lenteur. Mike, dont la barbe avait dû pousser depuis le temps qu'il était parti au bar, apparut en plaçant deux bouteilles de bière dans les mains de son ami.

— Je me suis dit que ça nous éviterait de retourner faire la queue.

Damien approuva avant de boire une gorgée. La bière était chaude et sans bulles, et le goulot avait un goût de poussière. La Rolex platinium indiquait vingt-trois heures trente. Il était beaucoup trop vieux pour faire la fête à cette heure-là. Il aurait dû être en train de grimper les escaliers de Bedfordshire, s'apprêtant à échanger des plaisirs sensuels avec un corps chaud et doux. Mais dans sa tête, il était très loin du corps chaud et doux qui l'attendait en ce moment même et qu'il espérait trouver endormi à son éventuel retour.

Où était Josie ? Il espéra qu'elle ne fût pas en plein dîner avec l'homme-mystère, ni sur le point de se glisser dans des draps bien propres avec lui. Comment avait-il pu s'imaginer qu'il serait plus heureux sans elle ? Serait-ce un acte trop désespéré que d'aller s'asseoir sous ses fenêtres simplement pour être près d'elle, et peut-être apercevoir des ombres s'animer dans sa chambre ? Oui, décida Damien. Beaucoup trop désespéré.

— Allons danser ! Alison nous attend ! cria Mike.

Alison était effectivement en train d'attendre. Elle agitait son petit derrière plein de jeunesse d'une façon séduisante. La voir ainsi déprima Damien au plus haut point. Le volume de la musique augmenta, rendant ses tempes douloureuses. Des bulles de mousse blanche commencèrent à s'échapper d'orifices invisibles placés autour de la piste, enveloppant les jambes de ceux qui étaient trop inconscients pour danser devant. Les lumières aveuglantes passèrent du rose au vert puis au jaune, faisant de la mousse répandue un bassin de vomis en Technicolor.

Peter, du service des achats, levait ses mains pleines de mousse au-dessus de la poitrine en saillie d'Alison, alors qu'elle enrobait Damien d'un regard direct et plein d'espoir. Ses pieds étaient plombés au point qu'il crut que rien ne les ferait plus jamais bouger. Même pas l'éventualité de caresses qui n'engageraient à rien. Mike plongea dans la mousse, sa bouteille à l'abri sur sa tête, ignorant le fait qu'il était le seul à danser comme un idiot.

Autour de lui, des filles très légèrement vêtues et des hommes ivres et dépenaillés fumaient des joints. Damien baissa les yeux vers ses chaussures de marque ainsi que vers ses chaussettes de marque, son costume de marque et sa montre de marque. Minuit était à peine passé. Il fut saisi d'un sentiment d'abattement soudain. Il ne savait plus de quoi il avait envie, mais il était certain que ce n'était pas d'avoir les jambes enfoncées dans la mousse.

5

Prendre le métro à New York était toujours une aventure angoissante. Ce lieu semblait accueillir plus de tarés au mètre carré que le meilleur des asiles. Josie tenait nerveusement sa *Metrocard* en réfléchissant à ce qu'elle devait faire. Son hôtel se trouvait à l'angle de la 51e Rue et de Lexington, et il fallait avoir perdu la raison pour tenter d'attraper un taxi dans ce quartier, bouché à cette heure-ci. Pour rejoindre Matt à l'heure, ce qui lui parut très important, elle devait prendre le métro.

En dehors des cas cliniques, Josie rencontrait un autre problème dans le métro. Elle avait toujours du mal à définir si elle allait vers le nord ou vers le sud, ou si elle ne descendait pas au mauvais arrêt et de préférence pour débouler dans un quartier malfamé où même les touristes initiés n'avaient rien à faire. Sans compter que déambuler avec un plan déplié devant soi revenait à hurler « AGRESSEZ-MOI ! ». Lors de ses précédentes visites, elle avait toujours eu le bras de Damien ou celui de Martha auquel s'accrocher. C'était la première fois qu'elle prenait seule le métro et il lui apparaissait comme un labyrinthe métallique bourdonnant, grinçant et cliquetant faisant passer le *Tube* londonien pour un gentil petit jouet.

Non sans soulagement, elle arriva enfin à la station Bowling Green en gardant son sac à main contre son cœur. Malgré son mal de tête grandissant, elle était toujours en un seul morceau. Son autre sujet d'angoisse était que Matt n'ait pas joué le jeu et qu'il ait sombré dans un sommeil d'ivrogne en arrivant à l'hôtel. Elle poussa les tourniquets afin d'accéder à l'air plus frais du dehors. Visiter seule la statue de Liberté lui irait très bien.

Les vendeurs de tee-shirts qui ne s'étaient pas envolés pour la Floride à l'automne étaient alignés sous les arbres squelettiques de Battery Park. Un groupe plein d'optimisme jouait « Meet me in St. Louis, Louis » avec des instruments de fortune, mais à un rythme trop rapide pour qu'on pût leur accorder un quelconque talent.

Comme promis, Matt l'attendait devant le guichet, battant vaguement la cadence du pied. Josie ne s'était pas attendue à éprouver un tel soulagement en le voyant. (On peut généralement faire autant confiance à un homme qu'à un lave-vaisselle.) Il portait un long manteau de style militaire typique d'un critique de rock, et une écharpe négligemment enroulée autour du cou. Les mains profondément enfoncées dans les poches, il semblait regretter de ne pas avoir un quelconque support contre lequel s'appuyer. Son visage s'éclaira en la voyant.

— Vous êtes venue, dit-il avec un sourire incertain.

— Vous aussi.

— Je me suis dit que vous changeriez peut-être d'avis.

— En effet, j'ai changé d'avis quatre cents fois. Et je me suis dit que vous vous étiez peut-être écroulé.

— Oh, étais-je si ivre que ça ? Je suis désolé. Je tiens mal l'alcool, dit-il avec embarras.

— Vous aviez pourtant l'air de bien vous en sortir. J'ai pensé que vous alliez soit vous écrouler, soit oublier.

— Je n'oublie jamais rien. Même sous l'effet d'une forte dose d'alcool, j'ai la mémoire d'un... euh... d'un é...

— D'un éléphant ?

— C'est ça.

— Vous devez avoir un gros mal de tête.

— Un violent, oui, avoua Matt, tandis que les derniers traînards montaient à bord du bateau en partance pour la statue.

— La navette va partir. Je n'ai pas osé acheter les billets au cas où la poisse vous aurait empêchée de venir. Vous avez toujours envie d'y aller ?

— Oui, dit Josie.

Il lui prit la main, en la pressant légèrement.

— Alors, il va falloir courir.

Matt acheta rapidement les billets, juste à temps pour attraper le prochain départ. Ils traversèrent l'embarcadère en courant, main dans la main, tandis que le capitaine se préparait à relever la passerelle. Il les attendit en souriant avec indulgence.

— Allez, les tourtereaux. L'homme n'a aucune prise sur le temps et les marées, même pas pour des jeunots comme vous !

Matt guida Josie jusqu'à l'arrière du bateau. Il la maintint par la taille tandis qu'ils s'enfonçaient dans les eaux grises et agitées de la baie. Le bruit du vent les empêchait de parler sans crier. Ils gardèrent donc le silence sur le pont désert, en regardant Battery Park disparaître au gré du mouvement et Manhattan prendre une taille plus humaine.

La gueule de bois de Matt semblait s'être sérieusement installée. Le vent froid qui soufflait sur le ferry les fouettait méchamment, faisant rosir ses joues pâles et ébouriffant ses cheveux déjà bien en pétard. Ses yeux étaient cerclés d'un trait rouge dû au mélange de la fatigue du voyage et de la quantité substantielle de whisky ingurgitée. Ils apparaissaient bleu scintillant, de la couleur irréelle du ciel. Matt était très grand et élancé – trop fin pour être athlétique, mais pas maigre –, et sa posture trahissait un certain malaise. Peut-être avait-il dépassé d'une tête tous ses camarades d'école et en gardait-il une conscience accrue de sa différence.

Josie se demanda avec crainte de quoi elle avait l'air. En temps normal, elle était blanche de peau, mais un coup d'œil dans le miroir de l'hôtel lui avait révélé une nouvelle pâleur malsaine à la Morticia Addams, plus que probablement due à l'heure tout aussi malsaine de son départ. En dépit des couches de crème hydratante qu'elle s'était appliquées à la hâte, sa peau lui donnait l'impression d'avoir rétréci. Comme prévu, ses mollets avaient pris le volume de ceux d'un hippopotame. Le vent, agitant ses cheveux, présentait l'avantage de raviver le maintien de son carré aussi mou au naturel que celui d'une vieille laitue. Son nez avait probablement viré au rouge sous l'effet du froid. Attirante. Pas vraiment...

D'une certaine façon, le fait qu'ils étaient tous les deux aussi bien coiffés que Björk dans ses plus mauvais jours importait peu. Josie sourit à Matt qui, tel un chiot plein d'audace, lui offrit un plissement de nez rougi en retour. Isolés à l'arrière du bateau, dans leur petite bulle à l'écart du monde, ils formaient un duo émouvant. S'ils ne se touchaient pas, quelque chose les reliait malgré tout. Peut-être s'agissait-il d'électricité statique comme celle que l'on obtient en frottant une balle contre un pull en laine jusqu'à ce qu'elle tienne toute seule ? Même après avoir éloigné la balle, toutes les fibres du vêtement restent dressées pendant un moment. Il en allait de même pour chaque partie de son être, attirée vers Matt comme par une volonté propre. Elle était presque certaine qu'un élan identique le faisait graviter autour d'elle. Ce sentiment à la fois effrayant et excitant, elle ne l'avait jamais ressenti auparavant.

D'un geste inutile, elle repoussa une mèche de son visage pour la millième fois tout en promenant son regard sur le bateau à moitié vide. En cette période de l'année, il n'y avait pas trop de touristes, en dehors du traditionnel groupe de Japonais heureux de se prendre en photo. Ne sont-ils pas indispensables à toute capitale digne de ce nom ? Quelques écoliers indisciplinés échappés du Bronx pour l'après-midi jouaient à épuiser leur professeur déjà mal en point. Josie savait bien ce qu'elle ressentait. Elle était excitée.

Une main devant les yeux pour se protéger du soleil bas de l'hiver, elle tourna son regard vers l'eau. Malgré l'absence de monde pour en apprécier la beauté, la statue de la Liberté ne perdait rien de sa magnificence.

Sa robe d'un vert cuivré contrastait avec le bleu incroyablement profond du ciel, son superbe pied s'avançant sous les plis comme si elle s'apprêtait à marquer un but pour la liberté dans la cage d'un goal invisible. Un jour, Josie avait tenté de rendre visite à l'Amazone. C'était en plein été et l'attente au guichet était de deux heures. Ensuite il fallait faire trois heures de queue sous un soleil brûlant avant de pouvoir visiter l'intérieur de la dame elle-même. Elle avait laissé tomber, principalement pour éviter d'entendre Damien se plaindre pendant des heures. Aujourd'hui, elle s'amuserait beaucoup plus.

Au moment où le bateau toucha le quai, Matt la prit par le bras.

— Devançons-les, dit-il à bout de souffle dans le vent.

Ils passèrent devant les Japonais en courant. Ces derniers gâchèrent leur plaisir en se rendant directement à la boutique de souvenirs. Toujours au pas de course, ils atteignirent le monument seuls et amusés. Ensemble et seuls. Josie regarda Matt. Les pans de son manteau ouvert battaient dans le vent. Il lui offrit son froncement de nez de jeune labrador avant de la faire passer devant lui. Être ensemble et seuls, il n'y avait rien de meilleur.

Les ascenseurs du premier étage étaient en panne. Évidemment. En bas des escaliers un panneau prévenait sur un ton sec typiquement américain : NE PAS MONTER SI VOUS AVEZ LE VERTIGE, SI VOUS ÊTES CLAUSTROPHOBE OU SI VOUS SOUFFREZ D'UNE MALADIE MENTALE. Très rassurant.

— Vous êtes sûre de vouloir monter ? demanda Matt.

— Je n'ai pas de maladie mentale, si c'est ce qui vous tracasse.

Et cela bien que sa mère continuât de l'interroger sur les raisons qui l'avaient poussée à épouser Damien, alors que tous les habitants du monde civilisé l'avaient jugé mauvais pour elle.

— Je suis heureux de l'apprendre.

Ils levèrent les yeux vers l'escalier qui semblait s'étirer par-delà l'infini.

— Je pense que souffrir de troubles mentaux aurait pu nous aider.

— Quand vous voulez. Je suis prêt.

— Allons-y, acquiesça Josie.

En dépit d'une étrange appréhension, ils commencèrent à grimper. Josie était complètement lessivée avant d'avoir approché les orteils gargantuesques de la Liberté.

— Toutes ces douloureuses soirées à faire du step ne m'ont servi à rien du tout, dit-elle en soufflant.

Constater que Matt n'était pas en meilleure condition physique qu'elle lui fit chaud au cœur. Encore quelques paliers et ses mouvements respiratoires seraient plus bruyants que les râles de fin de conversation chère payée sur une hot-line porno.

À la hauteur de l'ourlet de la robe de la Liberté, les marches partaient en tire-bouchon pour adopter une forme triangulaire, chacune étant encore plus instable que la précédente. Le cœur de Josie battait au rythme violent et lourd du *heavy metal*.

— Ça va ? demanda Matt, essoufflé, les sourcils plissés par l'effort.

Josie grimaça un oui.

— Je n'ai pas servi de guide pendant cinq ans dans un camp de scouts pour me défiler aujourd'hui.

Pour gagner son badge d'hôtesse, elle avait dû donner son sang, des larmes et de la sueur, et endurer dix tentatives ratées pour faire un gâteau au yaourt. Était-elle du genre à baisser aussi facilement les bras devant le petit défi que représentaient ces marches traîtres qui s'enroulaient vers le ciel jusque dans les ténèbres ? Non. En particulier parce qu'elle avait Matt pour témoin. Une mentalité de pionnière. Pouvoir aux femmes. Josie leva les yeux. Elle s'arrêta une seconde, le cœur cognant contre sa cage thoracique.

— Ayez pitié.

Que ce soit vers le haut ou vers le bas, la route était très longue. Toujours sans faire de pause, ils poursuivirent plus loin, plus haut.

Depuis sa séparation d'avec Damien, elle semblait avoir gagné en insouciance. Comme si le besoin de se prouver qu'elle pouvait se montrer intrépide était arrivé en même temps que la lettre à Mme J. Flynn sur son paillasson. Sa « nouvelle vie » impliquait de prendre des leçons de plongée à la piscine municipale (là où tous les pansements sont voués à mourir), de rejoindre des associations qu'elle n'avait eu le courage de visiter qu'une fois (comme la ThéCéUL – La Thérapie des célibataires unis par les loisirs – où elle pouvait instantanément dire pourquoi la plupart de ces personnes étaient divorcées), d'entrer seule dans des bars branchés et d'affronter les regards interrogateurs le temps de prendre au moins un verre. Elle était allée jusqu'à chercher des moto-écoles dans les pages jaunes. À présent, elle en était à escalader des très grandes statues alors que tout son entourage connaissait sa peur pathologique des hauteurs. Le seul avantage du mariage est que l'on peut toujours accuser l'autre de nos défaillances. Désormais, elle était seule.

Les plis de la robe de plus en plus tortueux rappelaient l'intérieur d'un cerveau humain. Les rivets et les superpositions d'échafaudages qui assuraient la cohésion de toute cette confusion semblaient scandaleusement fragiles. Il n'y avait aucune rampe, la rembarde de protection n'arrivant qu'aux genoux, et surtout beaucoup d'air frais entre elle et quoi que ce soit de vaguement rassurant.

Elle mesurait un mètre cinquante-neuf en se mettant sur la pointe des pieds. Elle pesait quarante-neuf kilos après avoir ingéré deux Mars d'affilée et remplissait à peine un chemisier taille 34 grâce au douloureux régime Damien Flynn, ce qui était un peu léger. Comment faisaient les Américains élevés au hamburger ? La paume de ses mains était moite et même si elle parvenait à garder un rythme régulier, ses genoux tremblaient sous l'effort.

Protecteur, Matt se tenait derrière elle. Il avançait d'un pas tranquille et détendu en lui murmurant des encouragements entre deux halètements.

— On n'est plus très loin.

Inspiration.

— On a passé le plus dur.

Expiration.

(Comment le savait-il ?)

— Il faut y aller doucement.

Respiration.

(Avait-elle le choix ?)

Elle n'avait jamais eu aussi peur de sa vie. Sa bouche était sèche et ses mains trempées de sueur. Ses poumons commençaient à lui faire mal. Le simple fait de respirer devait être accompli avec prudence, et non plus comme quelque chose de naturel et d'aisé. De plus, elle avait perdu la parole. Dans cet état de pétrification, le fait que Damien serait passé devant elle pour lui prouver sa force de mâle lui vint progressivement à l'esprit. Il se serait moqué d'elle au lieu d'essayer de la réconforter et de l'encourager comme le faisait Matt. Cette idée ne changeait pas grand-chose mais l'essentiel était d'y penser.

Comme il n'y avait aucun repère stable, les plis cuivrés se mirent à danser devant ses yeux. Une sueur froide lui coula dans le dos. Son œsophage était dur comme une barre de fer traversant son estomac pour s'enfoncer dans la masse tremblante de ses intestins. Cette expérience était profondément déplaisante. Elle avait ressenti la même chose quand Damien lui avait annoncé qu'il la quittait.

— Voulez-vous faire une pause ? lui demanda Matt en arrivant à un minuscule palier qui ponctuait l'envolée perpétuellement tire-bouchonnée.

— Non, s'efforça-t-elle de dire en couinant.

— Sûre ?

— Non...

Si elle s'arrêtait, elle ne bougerait plus jamais. Elle en était certaine. Il n'y avait qu'une seule route vers le haut, et une seule vers le bas. Ainsi se sont organisés les Américains. Excellent principe en théorie, mais en l'occurrence il signifiait qu'il était impossible de faire demi-tour. Une fois lancé, il n'y avait plus qu'une seule solution, et elle consistait à aller jusqu'au bout.

Les touristes japonais, qui visiblement n'avaient pas été perturbés par leur shopping frénétique, commençaient à les rattraper. Elle n'avait aucune envie de se retrouver prise en sandwich entre eux et le groupe d'écoliers. Son ascension lui causait assez d'émotions sans courir le danger de se faire renverser par un troupeau de gens qui lui arrivaient au genou. Josie accéléra le pas.

Le soulagement qu'elle éprouva en atteignant la plate-forme panoramique était visible mais il fut de courte durée. Les fenêtres, qui semblaient offrir une vue imprenable en les regardant d'en bas, étaient aussi grandes et aussi sales qu'un pare-brise de voiture. Personne n'était venu passer un coup de chiffon depuis un certain temps. L'une d'elles était légèrement ouverte. Par l'ouverture de la largeur d'une fente, un souffle d'air frais pénétrait dans la chaleur étouffante de l'espace exigu. En plein été, on devait avoir l'impression de se retrouver dans un four à tandoori avec une doudoune sur le dos.

— C'est vraiment magnifique, dit Matt en haletant de façon séduisante.

Ça l'était. Elle avait eu du mal mais elle avait réussi. Comme pour se libérer de Damien. La Liberté.

Matt se tenait derrière elle, les mains posées sur ses épaules. Elles étaient chaudes et apaisantes. Fortes. Il embrassa le sommet de sa tête.

— Tu as été fantastique. Je n'y serais pas arrivé sans toi.

(C'est maintenant qu'il me dit ça ! Et qu'il me tutoie...)

Dans le fond, la vue sur Manhattan était spectaculaire. Un village de Lego à taille humaine. Dommage qu'elle n'ait pas pu apprécier pleinement l'instant, tant ses jambes tremblaient. Elle se passa la langue sur les lèvres. Dire qu'il allait falloir redescendre !

6

Matt posa le plateau chargé de gobelets et de hot-dogs tout aussi plastifiés juste devant elle, comme si elle était invalide. La cafétéria était également en plastique, mais dans des tons pastel, et vaguement délabrée à la façon d'un hôpital mal tenu. Ils étaient les seuls clients. Le vent soufflait de plus en plus fort, envoyant des poignées d'emballages de fast-food à travers la terrasse déserte. Quelques mouettes égarées picoraient dans les déchets d'un air franchement mécontent.

— Ça va mieux maintenant ? demanda-t-il.

— Oui. Merci.

Le sourire de Josie était aussi fade que le thé. (Non. Pas vraiment.)

C'est Matt qui avait eu l'idée de ces hot-dogs,

convaincu qu'ils calmeraient son estomac. Il n'avait pas expliqué son choix, ni en quoi il s'agissait de nourriture. Il poussa son verre de thé devant elle.

— C'est moyen, dit-il en regardant le contenu d'un œil critique.

Josie tremblait de partout, de l'extérieur comme de l'intérieur. La main qu'elle tendit vers son thé était si agitée qu'elle préféra la remettre dans sa poche pour lui accorder quelques minutes de sursis.

— C'est une expérience à vivre, dit Matt.

— Si tu veux dire par là que je ne revivrai plus jamais cette expérience de toute mon existence, même si je vis jusqu'à cent dix ans, alors oui, c'est vrai. Je crois que la maladie mentale devrait être une condition nécessaire à l'ascension de la statue de la Liberté.

Matt éclata de rire.

— En novembre, j'ai suivi une formation pour les enseignants qui ne se passait qu'à l'extérieur, au fin fond du pays de Galles. Alors je sais exactement ce qu'avoir de l'endurance signifie. J'ai fait des descentes en rappel, de l'escalade et du canoë avec les meilleurs d'entre eux. J'ai même traversé Euston Road à l'heure de pointe sans prendre le passage pour piétons. Une fois, et seulement une fois, je suis allée à un *blind date* en répondant à l'une de ces annonces sordides que l'on trouve dans le journal. Aucune de ces expériences ne m'a autant terrorisée, confia-t-elle.

Après avoir évalué le hot-dog, elle fut certaine de ne pas vouloir faire subir une telle horreur à son estomac.

— Tu n'es pas contente de l'avoir fait ? Tu n'as pas le sentiment d'avoir accompli quelque chose ?

— Si tu veux savoir si je suis contente que ce soit fini, alors oui.

Josie sourit. Une légère vague d'excitation commença à poindre sous la terreur persistante. Au moins, ils n'avaient pas eu à faire la queue.

— C'est comme un accouchement. Tu verras quand tu raconteras ça à tes amis en rentrant. Tu vas vite oublier toute l'horreur du moment, assura-t-il.

Un peu comme la douleur de la séparation, qui s'estompait progressivement avec le temps.

— Et tu t'y connais en accouchement, toi ?

— Absolument pas. Mais je sais ce que ça fait de surmonter des obstacles et je crois que venir à bout de ce thé pourrait représenter un défi du même ordre.

— Surmonter des obstacles ? reprit Josie d'un air songeur.

Ce sujet ne lui était pas totalement inconnu. À un moment donné, elle avait cru ne pas réussir à survivre seule. Désormais, il lui arrivait souvent de se demander comment elle avait réussi à vivre avec Damien.

Ses mains s'étaient un peu calmées. Leurs tremblements seraient à peine enregistrables sur l'échelle de Richter, ce qui valait mieux que le *delirium tremens* qui les secouait un peu plus tôt. Elle espérait que ses genoux ne tarderaient pas à faire de même. Progressivement, elle revenait à un état normal. Elle jeta un œil au liquide beige pâle qui se trouvait devant elle.

— Tu as peut-être raison, dit-elle.

Ils se baladèrent dans le musée situé au sous-sol de la statue de la Liberté, bras dessus bras dessous. Ils purent ainsi s'émerveiller de la capacité qu'ont les Américains à donner au plus banal des objets le statut de pièce de collection quant il s'agit de remplir une vitrine. Quant à la boutique de souvenirs, elle débordait de cochonneries à dix cents étiquetées à vingt dollars.

— Laisse-moi t'offrir ça en souvenir de ton énorme victoire, dit-il en brandissant la plus kitsch des reproductions en plastique vert de la statue, ornée de sa couronne peinte en doré.

— Merci bien.

Ce souvenir était d'un mauvais goût incroyable et elle sut instantanément qu'elle le traiterait comme un trésor.

— Et ça pour aller avec ? poursuivit-il en plaçant une grosse couronne en mousse sur la tête de Josie.

Elle posa aimablement.

— Tu es vraiment belle comme ça, dit-il.

— Menteur, répondit-elle.

Matt rit et la lui acheta malgré tout. Il lui prit la main d'un geste amical et asexué, et ils retournèrent sur le quai. Elle ressentit de la joie et de la chaleur sous sa couronne en mousse.

Quand ils montèrent à bord du dernier ferry, le crépuscule brouillait les angles des buildings. Ils restèrent sur le parapet à regarder Manhattan s'allumer tandis qu'ils traversaient tranquillement Upper New York Bay. Une fois le soleil couché, il faisait extrêmement froid. Froid à vous transpercer les os. Matt l'attira vers lui et passa ses bras autour d'elle pour lui tenir chaud. Elle avait envie de se réfugier à l'intérieur de la cafétéria, mais elle n'osa pas bouger de peur que Matt ne trouve pas d'autre occasion de la serrer contre lui.

— Merci pour cette belle journée. Je me suis bien amusé, dit Matt dans son cou.

C'était le moment désagréable, celui qu'elle détestait. Tergiverser en attendant le moment de se dire au revoir. À bientôt, adieu, *auf wiedersehen*, *good bye*. C'était génial mais il faut que j'y aille maintenant. Tu m'appelles. Ou non, mieux, c'est moi qui t'appellerai. Un jour ou l'autre. Bientôt. Cours toujours. Puis venait le pire des dilemmes : on s'embrasse ou pas ? S'embrasser sans exprimer trop d'ardeur ? S'embrasser sans avoir l'air triste ?

Quoi qu'elle fît, elle devait mal s'y prendre parce qu'elle n'entendait plus jamais parler des hommes en question. Pourquoi ne sont-ils pas assez honnêtes pour dire : « Écoute, c'était sympa mais tu n'es pas mon genre. Je préfère les filles plus grandes/plus petites/plus grosses/plus minces/plus blondes/plus comme ma mère. En gros, quelqu'un qui n'est pas toi » ? Pourquoi les adultes jouent-ils plus facilement que les enfants ?

— Josie..., soupira Matt.

Oh non. Elle espérait qu'il ne dise pas qu'elle n'était pas son genre. Elle espérait qu'il lui donne son numéro de portable et qu'accidentellement fait exprès un des chiffres soit faux, afin qu'elle puisse s'en prendre aux caprices de la technologie pour sa malchance avec les hommes plutôt qu'à une défaillance inhérente à sa technique de drague. Parfois, il vaut mieux se montrer gentil même quand on est quelqu'un de cruel.

— Je me sens très... à l'aise avec toi, soupira Matt.

— À l'aise ? Comme dans des vieux chaussons ? demanda Josie en fronçant les sourcils.

Les yeux de Matt survolèrent l'horizon.

— Non. Comme dans des beaux gants de cuir.

— Et c'est bien ?

Il la tourna vers lui.

— Oui. C'est même très bien.

— Ah.

— Enfin, c'est déjà mieux que des pantoufles.

Josie ricana comme une gamine.

— J'ai envie qu'on se voie ce soir. Tu as des projets pour le dîner ? lui demanda-t-il à l'oreille.

(Oh, oui, je voudrais profiter que je suis à New York pour voir quelques vieux potes : Donald Trump, Woody Allen, Sylvester Stallone, et peut-être même Bill Gates.)

— Rien que je ne puisse annuler, dit-elle.

Matt consulta sa montre.

— Je dois rencontrer ce groupe de garçons bourrés d'hormones.

— Qui se font appeler... ?

— Headstrong.

(Headstrong ? Les fortes têtes ?)

La consternation figea ses traits.

— Je sais. Je suis peut-être trop vieux pour ce genre de trucs. Je me souviens de Neil Sedaka. J'aime bien Neil Sedaka ! Même si je ne suis pas fier de l'avouer, dit-il en soupirant. Les studios sont en bas de Lower East Side. Autant les écouter me jouer du violon tant que je suis dans le coin, sans mauvais jeu de mots.

Josie rit.

— On se retrouve quelque part ? De quoi as-tu envie ?

Elle fut ravie de découvrir que son sens de la repartie était en action.

— Tu aimes la cuisine mexicaine ? Je connais un bon endroit sur la 48e Rue. Ça s'appelle L'Alamo.

— J'adore la cuisine mexicaine. On se dit à vingt heures ? proposa Matt en fouillant ses poches. Je ferais mieux de le noter. C'est l'âge, je crois. Je n'ai plus la mémoire d'un... euh...

— D'un éléphant ?

— C'est ça.

Il brandit un stylo et un bout de papier froissé sur lequel il nota le lieu de rendez-vous. Le papier retourna dans les profondeurs de son manteau. Il attira Josie contre lui pour la faire également disparaître dans les profondeurs de son manteau.

Josie avait les lèvres sèches. Un rendez-vous. Un vrai, le soir, pour dîner. Et pas avec quelqu'un qu'elle connaissait d'avant. (Alors, Josie Flynn, vieille fille de la commune de Camden, ce n'était pas si difficile, n'est-ce pas ?)

Matt sourit en l'enlaçant. Un petit frétillement nerveux s'aventura dans l'estomac de Josie. Cette fois-ci, elle savait que ça n'avait rien à voir avec l'ascension de la Liberté.

7

Il s'agissait de quatre adolescents au teint frais. Sur leur visage, on voyait à peine la trace d'un bouton. Fait injuste si l'on considère qu'à quinze ans Matt avait le teint aussi brouillé qu'une pizza. Il s'enfonça dans son siège, sa gueule de bois bourgeonnant au gré des vibrations de la musique. Dans le sous-sol d'une bâtisse rénovée, les Headstrong exhibaient leur truc jeune et funky, chantant des textes plats sur l'amour qui tourne mal, et sur une musique tout aussi plate. Les nouveaux Beatles ? Pas tout à fait. Où était le lyrisme tragique de « Eleanor Rigby » ou de « She's leaving home » ?

Ooh, ooh, baby, reviens vers moi, ooh, ooh, etc. etc. Boîte à rythmes, clonk, clonk, clonk. *Mon cœur est en émoi, ooh, ooh.*

C'est ça. Et que pouvaient-ils bien savoir des tragédies de l'amour à leur âge ? Ils avaient à peine dépassé l'âge de se tripoter, pour l'amour du ciel ! Même si en tant qu'idoles ado-pop ils avaient plus de chance de se former à l'art de la séduction que l'ado moyen. Dans sa jeunesse, il n'avait connu que les garages à vélo et les Abribus. Il avait failli se faire dépuceler dans une laverie embuée, mais le responsable les avait virés trop tôt. Qu'ils attendent plutôt d'avoir la trentaine. Ils se seront pris quelques claques et, là, ils pourront parler de ce que ça fait de perdre l'être aimé. Les Headstrong, des fortes têtes ? Ne l'avons-nous pas tous été à leur âge ?

Matt laissa ses paupières se fermer pour ne plus voir les quatre héros de la pop à la tignasse déprimante sautiller dans tous les sens tels des athlètes. À peine écoutables. Il ne se rappelait pas que les Beatles eussent eu besoin de mettre des chorégraphies au point pour donner envie de courir chez le disquaire. Et pourtant, les Headstrong allaient remplir quatre pages d'un magazine, par ailleurs plein de vide, dont le spectre du gros titre dansait devant ses yeux.

Il avait espéré que l'air du large ferait disparaître sa migraine, mais le brouillard causé par l'usage de substances illicites dans le studio d'enregistrement avait redonné de la vigueur à celle-ci. Ou peut-être était-ce la compagnie de Josie qui l'avait aidé à oublier temporairement sa douleur ? À la fois physique et émotionnelle, d'ailleurs. Les maux de tête peuvent normalement être soulagés avec deux Advil et un café noir. Les peines de cœur sont largement plus compliquées à dompter.

Pourquoi avait-il autant souffert en voyant arriver les papiers du divorce ? Était-ce parce que ça lui rappelait le moment où il avait trouvé Nicolette en pleins ébats dans le lit conjugal avec quelqu'un d'infiniment plus gras, plus petit, plus chauve et plus inintéressant que lui ? Ou était-ce simplement parce que, malgré tous ses gros défauts, elle était sur le point de retourner devant le maire avec tout l'enthousiasme d'un chiot sans laisse alors que l'encre de sa signature était encore humide ? Tandis que lui n'avait toujours rencontré personne qui éveillât sa curiosité et fît accélérer son pouls ?

Il fallait avouer que Josie Flynn avait réussi à raviver quelques cellules. C'était une femme avec laquelle il était envisageable de partager une pièce montée.

Ooh, ooh, baby, tu me fais de l'effet, ooh, ooh...

Matt ouvrit les yeux pour observer les garçons avec cynisme. Tout juste. Josie était féminine et sexy, d'une façon un peu garçonne qui dit « faut pas m'embêter », et elle avait des petits regards indéfinissables. Quelque chose en elle disait qu'elle ne couchait pas le premier soir, ce qui était attirant car il en avait plus que marre de faire des galipettes chez des femmes qu'il ne connaissait pas et qu'il n'avait pas vraiment envie de connaître.

Et elle était capable de faire des phrases, ce qui semblait rare chez les célibataires, ou du moins chez celles qu'il avait rencontrées. Et elle avait de belles jambes, interminables. Et de jolies petites fesses gigotant avantageusement quand elle montait un escalier. Comme il les avait observées sur un million et quelques marches, et que ce mouvement était resté gravé dans sa mémoire, il pouvait se considérer comme un expert en la matière. En résumé, le bilan était assez impressionnant.

Pour couronner le tout, il avait rendez-vous avec elle. Tout était noté sur un bout de papier qui se trouvait quelque part dans le fond de la poche de son manteau. S'il semblait avoir fait vœu de célibat, ce n'était pas une question de morale. C'était plus lié au fait qu'il n'avait rien vécu d'un tant soit peu sexuel depuis des mois. Il pourrait éventuellement rompre son vœu pour Josie Flynn. Matt croisa les bras avec contentement et s'autorisa un petit sourire en coin. Globalement un bon jour, malgré la prétendue musique qui l'agressait.

— Martha ? C'est Josie. Je suis arrivée. L'aigle a atterri.

Josie considéra son haut multicolore dans le miroir de sa chambre d'hôtel qui était décoré de traces de doigts. Trop voyant pour un premier rendez-vous.

— Jo ! Tu as fait bon voyage ?

Le cri de Martha avait de quoi rendre sourd.

— Excellent. Je me suis soûlée avec mon voisin. Nous avons aussi fait l'ascension de la statue de la Liberté ensemble. Et il m'a invitée à dîner.

— Tu vas y aller ?

Josie toucha tendrement la couronne de mousse de la Liberté qu'elle portait toujours sur la tête.

— Est-ce qu'on demande à un aveugle s'il veut voir ? Évidemment que je vais y aller !

— Il est mignon ?

— Il est très séduisant !

Elle se sourit bêtement dans le miroir.

— Je veux tout savoir ! À quelle heure viens-tu ?

Josie sortit un pull noir. Trop triste, surtout avec sa pâleur à la Morticia.

— Quand as-tu besoin de moi ?

— On a rendez-vous avec l'esthéticienne et la manucure à dix heures et demie. Ensuite toutes les demoiselles d'honneur me rejoignent pour déjeuner à midi chez Ginelli. La répétition du mariage est à dix-huit heures, retour à la maison à dix-neuf heures trente et tout le monde au lit pour une nuit de sommeil réparateur à vingt-deux heures pile.

— Tu viens de me lire ton agenda ?

— Ce mariage est planifié avec une précision militaire qui ferait la fierté du Pentagone. Rien, je dis bien rien, n'est laissé au hasard.

— Tu as mes chaussures ?

— Je les ai. Tu n'as pas oublié la robe ?

— Je l'ai prise.

Quinze mètres de chiffon en mousseline lilas écrasés dans sa valise.

— Tu l'as pendue sur un cintre ?

— Je l'ai accrochée. Comment ça se présente ? demanda-t-elle en pensant au fouillis froissé avec un sentiment de culpabilité. (Je la mettrai sur un cintre dès que j'aurai raccroché.)

— C'est l'enfer.

— Et ton père le vit bien ?

— Pas du tout.

— Et toi ?

— J'ai hâte que tu viennes, Josie.

Bizarrement, sa voix semblait sur le point de flancher.

— Ça va venir vite, dit-elle doucement.

Elle entendit Martha renifler.

— À demain matin alors. Fraîche et en avance.

— Tu as intérêt à faire ce que tu dis, Josephine Flynn. Je n'ai pas envie que tu passes la nuit à te faire dorloter dans la chambre d'un hôtel new-yorkais et que tu arrives les yeux bouffis, avec des suçons et la peau tout irritée. Les salons de beauté ne font pas de si gros miracles.

— C'est promis.

Elle s'empara de son cachemire rose.

— Je ne vais me faire dorloter que pendant la moitié de la nuit, poursuivit Josie.

Parfait. Très femme active. Luxueux mais abordable. Doux mais élégant. Avec une bonne dose de blush, elle pourrait presque avoir l'air humain.

— Ne sois pas en retard.

— Non.

— Amuse-toi bien.

— J'en ai l'intention.

— Et tu me raconteras tout dans les moindres détails !

Josie sourit à son reflet en se demandant si elle devait de nouveau risquer de se blesser en rasant ses jambes douloureuses.

L'attachée de presse était maigre, avec des seins à la Britney Spears. Elle portait un pantalon taille basse et un haut court. Elle avança vers lui, son ventre plat en avant.

— Salut. Holly Brinkman, dit-elle en couvrant le bruit, la triste musique.

— Matt Jarvis.

Il se leva pour lui serrer la main, ce qu'elle sembla trouver amusant.

— Ils sont sympas, non ?

— Euh, oui. Sympas.

Il exprima autant d'enthousiasme que possible pour

les moins que fabuleux. Peut-être devrait-il changer de travail.

— J'ai un dossier de presse et des copies de leurs CD pour toi.

— Super.

Tout cela irait rejoindre sa collection grossissante de quatre cents CD promotionnels qu'il n'avait jamais écoutés. Peut-être les vendrait-il un jour pour se payer un voyage autour du monde en catamaran. Sauf que trois cent quatre-vingts d'entre eux étaient ceux de groupes dont personne n'avait jamais entendu parler. Même pas les gens de mauvais goût. C'était la petite faille de son brillant projet.

— Quand l'article va-t-il paraître ?

— Très bientôt. Dans chaque numéro, on fait des hommages aux Beatles jusqu'à l'anniversaire de la mort de John Lennon...

Elle faisait de son mieux pour avoir l'air intéressé mais ses yeux disaient *John qui* ?

— Nous les comparons à la nouvelle vague de musiciens qu'ils ont influencés.

Il leva les yeux vers les Headstrong.

— Cool, dit-elle en se flattant d'avoir bien fait son boulot d'attachée de presse. Paul McCartney est un vieux retraité à présent ? Pas vrai ?

— Presque, céda Matt à regret.

Sa vision du passage du temps était trop tragique.

Imaginer les légendes de la musique allant chercher leur carte Vermeille avant de laisser leur place à ce groupe curieusement assorti !

— J'aimerais bien arriver au même âge, ricana Holly.

— J'aimerais écrire d'aussi belles chansons que lui, contre-attaqua Matt.

— C'est bien d'être doué pour quelque chose.

Elle avait raison, bien qu'il ne soit pas sûr de découvrir un jour pour quoi il était fait. Holly interrompit ses pensées avant qu'il sombre dans la dépression.

— Tu es déjà venu à New York ? demanda-t-elle.

— À de nombreuses reprises.

— Tu n'as pas besoin d'une guide alors.

— Pas vraiment.

— Je vais emmener les gars dîner avant d'aller en boîte. Tu veux venir avec nous ?

(C'est la dernière chose au monde que j'ai envie de faire.)

— J'ai déjà des projets pour ce soir.

(J'ai rendez-vous avec une fille tellement sexy !)

— Ah bon, dit-elle d'un air déçu.

Il lui sourit avec douceur. Elle était gentille, jeune, et elle ne faisait que son boulot. Et lui se montrait revêche.

— Merci pour l'invitation. Peut-être une autre fois ? dit Matt.

— Tu veux boire quelque chose ? Jack Daniel's, dit Holly en agitant une bouteille devant ses yeux.

— Non merci.

— Un petit ?

— Non, vraiment.

— Les gars vont jouer leur nouveau morceau. Reste pour l'écouter.

— Je ne vais pas tarder à y aller.

— Un petit pour la route ? demanda Holly avec des yeux suppliants.

— Un tout petit alors.

Elle versa le whisky dans un verre qu'elle lui tendit. Rien qu'en le regardant Matt eut mal à la tête. Il parvint malgré tout à en apprécier le goût.

Ce verre fit passer la gueule de bois et tout ce qui n'allait pas.

Deux heures, deux verres et vingt-deux répétitions de « I want you for my lover, baby » plus tard, Matt réalisa qu'il était passablement ivre et qu'il aurait dû y aller depuis un moment.

— Il faut que j'y aille, bafouilla-t-il.

— Prends mon numéro. Tu peux m'appeler n'importe quand, dit Holly en le fixant avec des yeux faussement timides.

— Je crois que j'ai tout ce qu'il faut, dit-il en tapotant le dossier de presse pour faire celui qui n'a rien compris. Je reviens demain pour les interviewer.

— J'essaierai d'être là.

— Moi aussi, dit-il en titubant en direction de la sortie.

L'Alamo était plein de jeunes New-Yorkais branchés. Des hommes en tee-shirt rayé et bretelles, et des femmes en minijupe qui se parlaient en hurlant et en ricanant par-dessus les tables. De l'autre côté de l'allée, un groupe célébrait quelque chose sous la houlette d'une femme au charme engageant qui faisait tout pour être le centre d'intérêt des autres fêtards. Josie la détesta d'emblée. Quelques tables plus loin, un couple se tenait les yeux dans les yeux, les doigts entrelacés. Le désordre général les indifférait totalement, tout comme le serveur qui versait de l'alcool flambé pour agrémenter leurs desserts. Très impressionnant. Se laissaient-ils perturber ? Pas le moins du monde. Le pauvre homme aurait pu être invisible. Une fois qu'il eut terminé, Josie l'applaudit en silence. Il lui exprima sa gratitude d'un mouvement de sourcils.

À sa table, en plein milieu du restaurant et offerte aux regards de tous, Josie restait seule. Matt avait une heure de retard. Elle le savait puisqu'elle regardait sa montre à chaque minute et qu'elle en était à la soixantième. Elle arriva au bout de sa troisième Margarita à la fraise. Si le premier verre avait un goût divin, elle avait bu le dernier avec autant de plaisir que s'il s'agissait d'avaler de l'acide de batterie. Elle avait joué avec sa paille, sa montre, ses boucles d'oreilles et ses cheveux, mais il est impossible de conserver un air nonchalant plus de dix minutes sans avoir l'air perdue.

Où pouvait-il être ? Elle n'avait pas douté un seul instant qu'il viendrait. N'avaient-ils pas passé une très belle journée ensemble ? Toutes ces marches, les hot-dogs en plastique, le thé insipide, la couronne en mousse verte. Tout cela ne suffisait donc pas à constituer une épreuve de séduction concluante ? Il l'avait comparée à des pantoufles et à des gants, à sa façon, c'est-à-dire pour tout ce qu'ils ont de désirable. Il avait dit se sentir bien avec elle. (Très à l'aise.) Assez à l'aise pour la laisser poireauter seule comme un joli pétunia dans un sac d'oignons, pour faire dans l'imagé.

En passant avec son plateau chargé de délicieux plats épicés, le serveur la regarda avec pitié. Josie but une gorgée de l'eau minérale qu'elle avait commandée pour atténuer l'effet des trois cocktails. L'eau avait perdu sa fraîcheur et ses bulles. Ce qu'elle pouvait haïr les hommes. Tous les hommes. En rentrant à la maison, elle deviendrait lesbienne. Son amie Catherine s'était mariée quatre fois avant de se tourner vers les femmes. Ce n'était sûrement pas sans raison. Si la Trewin « trois fois par nuit » de Catherine parvenait à assurer la transition, tout le monde en était capable. Il suffisait de penser aux avantages : quelqu'un qui puisse repasser vos vêtements, arroser les plantes, et qui n'oublie pas de payer les factures pendant que vous êtes en voyage. Plus elle y pensait, et plus elle trouvait de sens à cette solution. Elle avait besoin d'une épouse, pas d'un mari.

Elle se demanda si elle devait appeler Matt pour voir s'il était toujours à l'hôtel. Elle se demanda si elle parviendrait à se souvenir du nom de son hôtel. Peut-être y était-il retourné après avoir rencontré le groupe et était-il tombé dans un coma dû à l'alcool et au décalage horaire, oubliant l'heure et le fait qu'il posait un lapin à quelqu'un de potentiellement plus amusant que Pamela Anderson ? Peut-être agonisait-il dans une allée après s'être fait agresser ? C'était fréquent ici. Elle le savait puisqu'elle regardait *New York One*. Josie termina son eau minérale dénuée de bulles. Ou peut-être était-il tout simplement un salaud.

Elle lui accorda quinze minutes supplémentaires et ce serait sa dernière limite.

Au bout d'une demi-heure, le serveur repassa.

— Pensez-vous que votre ami va venir, madame ?

— Je ne pense pas, non.

Il devait avoir besoin de la table pour d'autres gens heureux, des couples pleins d'amour et pas pour une triste divorcée à l'abandon.

— Désirez-vous commander quelque chose ?

Elle ne pourrait rien avaler. Son estomac s'était fermé et elle s'étoufferait en essayant de faire passer une *enchilada* entre ses lèvres.

— Non merci.

— Une autre Margarita ?

Si elle en buvait une de plus, elle n'arriverait plus à se lever. Elle devait être fraîche et souriante pour aider Martha dans ses préparatifs de mariage.

— Non, je ferais mieux d'y aller. Il essaie peut-être de me joindre à l'hôtel.

Le serveur sembla en douter. Elle aussi.

Quand Matt émergea du studio d'enregistrement, le vent soufflait fort dans Canal Street. Dans la nuit claire et étoilée, l'air pinçant l'aida à sortir de sa torpeur. Il devrait être en train de dîner avec Josie. Qu'est-ce qui lui avait pris de rester et de boire à ce point ? Il allait devoir trouver une explication judicieuse. Quel que soit son domaine de prédilection, ce n'était pas les femmes. Quelle espèce d'idiot il était ! Il était en train de tout foutre en l'air avec la seule fille qui ait réussi à l'émouvoir depuis bien longtemps.

Un taxi, vite, il avait besoin d'un taxi. Est-ce qu'on en trouve quand on en a besoin ? Chère lectrice, évidemment, il n'y en avait pas. Comme les policiers, ils deviennent curieusement invisibles au moment où on en a le plus besoin.

Matt fouilla dans ses poches à la recherche du nom et de l'adresse du restaurant. Par une suite d'événements inconnus, le papier était en boule. En le dépliant, le vent, dans toute sa malveillance, l'arracha à l'emprise de ses doigts pour l'envoyer valser de l'autre côté de la rue.

— Non ! hurla Matt en zigzaguant entre les voitures.

Il descendit du trottoir, prêt à le poursuivre mais le flot de voitures était trop constant. Il se fit méchamment klaxonner.

— Reviens ! cria-t-il.

Le papier n'avait aucune envie de se faire attraper. Il pouvait presque l'entendre s'exclamer *je suis libre, je suis libre* !

Matt se frotta les cheveux. Il avait envie de donner des coups de pied dans un objet inanimé. N'importe lequel. Un taxi s'arrêta devant lui. Perplexe mais reconnaissant, Matt s'y engouffra.

— Je voudrais aller à... à...

Où voulait-il aller ?

— À un restaurant mexicain.

— *Mericano ?* demanda le chauffeur.

— Vous êtes mexicain !

— *Qué ?*

— *Mexicano ?*

— *Sí.*

— Je veux aller à un restaurant mexicain !

— *Qué ?*

— *Sí, sí !*

— *Qué ?*

— Où iriez-vous manger ?

— Manger ? Big Mac ?

(Crie si tu veux, mais doucement.)

— Non. Non. Dans-quel-res-tau-rant-mexi-cain-iriez-vous ?

— *Mericano ?*

Réfléchis Matt. Réfléchis. Sous cette rivière de Jack Daniel's, il y a un cerveau.

— C'est un truc en rapport avec une bataille. Little Big Horn, le dernier siège de Custer, le massacre à la tronçonneuse du Texas...

— *Quién ?*

— Non, le général Custer ! Et merde. Vous êtes mexicain, vous devriez connaître les bons restaurants ! s'emporta Matt en retombant dans son siège.

— Big Mac ?

Matt serra sa tête dans ses mains. Réfléchis. Réfléchis. Réfléchis. Aucun éclair ne lui traversa l'esprit. Le chauffeur attendait toujours une réponse.

— *Dónde ?*

Matt haussa les épaules.

— Ramenez-moi à l'hôtel, soupira-t-il.

— *Qué ?*

— Oh, on ne va pas recommencer.

Matt lui indiqua l'adresse de son hôtel.

Une fois apaisé, le chauffeur s'enfonça dans la circulation et Matt se reposa contre l'appuie-tête. Imbécile. Imbécile. Imbécile. Une belle femme était en train de l'attendre patiemment (ou sûrement très impatiemment à l'heure qu'il était) quelque part dans cette ville impersonnelle et il était trop ivre ou trop bête pour se souvenir de l'adresse. Ce serait faire insulte aux passoires que de comparer ses capacités intellectuelles aux leurs. Il n'avait pas son numéro, et il ne savait pas dans quel hôtel elle résidait. Autant chercher une aiguille dans une botte de foin. Dans la ville qui ne dort jamais, il s'apprêtait à aller se coucher. Seul. Demain soir, il en aurait sûrement terminé avec les Headstrong et il reprendrait l'avion pour l'Angleterre. Une occasion en or lui aurait filé entre les doigts. Bien joué, Matthew.

— L'Alamo ! C'est le putain d'Alamo ! cria-t-il.

— Ah, *si, señor*, L'Alamo !

— Ça m'est revenu ! s'exclama-t-il, soulagé.

— L'Alamo.

Matt joignit ses mains en prière.

— Dieu existe.

— *Sí*.

— Vite, vite, faites demi-tour. Conduisez-moi làbas. *Pronto ! Arriba ! Arriba !*

Elle avait fait erreur en optant pour le cachemire rose. Une grosse erreur. Il était mouillé au niveau des aisselles et ça la grattait de partout. Comment avait-elle pu se tromper à ce point au sujet de Matt ? Elle avait cru voir le mot « honnêteté » tamponné sur son front. Seule depuis peu de temps, elle succombait déjà à celui qu'il ne fallait pas. Une fois de plus. Comment pourrait-elle trouver un homme gentil avec tous ses neurones mal reliés qui l'empêchaient de faire la différence entre convenable et infâme ? Il ne lui était même pas venu à l'esprit que Matt pourrait ne jamais venir, et elle hésitait entre la colère et l'inquiétude.

Tout bien pesé, la colère faisait du bien.

Elle n'aurait jamais dû annuler son dîner imaginaire avec Donald Trump pour Matt Jarvis. Elle aurait dû écouter sa mère et appeler Bill Gates. Il devait être dans sa piaule au coin de la rue, misérable avec sa pizza et sa bière, à regarder des absurdités à la télé en attendant qu'on l'invite à sortir. Contrairement à la croyance populaire, être millionnaire n'est sûrement pas si exaltant que ça. Elle laissa un pourboire avant de traverser la foule des gens heureux pour atteindre le trottoir.

Il faisait froid désormais, mais d'un vrai froid, pas celui que les restaurants entretiennent artificiellement en laissant l'air conditionné allumé même en hiver. Devait-elle essayer d'attraper un taxi ou allait-elle rentrer à pied en prenant le risque de se faire harceler, poignarder ou abattre ? Elle opta pour le harcèlement suivi d'une balle en pleine tête. Malgré toutes les histoires de crimes commis à New York, elle s'y sentait plus en sécurité qu'à Londres. Cette pensée lui redonnant vaguement le moral, elle se lança, pestant contre Matt Jarvis et le fait qu'il était une ordure de premier ordre.

Le taxi jaune pila devant L'Alamo quelques mètres derrière Josie qui se retourna avec l'envie de se laisser tenter.

Matt regarda l'endroit à travers la vitre embuée de la voiture. Il n'y avait pas d'erreur possible. Sa décoration mexicaine se démarquait dans cette rue globalement grise.

Oui, oui, oui, chantonna Matt.

Josie hésita. Devait-elle prendre la place de son occupant dans ce taxi ? Indécision. Indécision. Non, elle avait pris sa décision. Elle marcherait. Brûler toutes les calories qu'elle n'avait pas ingérées lui ferait le plus grand bien. Elle remonta la rue avec vivacité.

Matt bondit hors du taxi, paya le chauffeur et dans un élan de tendresse l'embrassa sur la bouche.

— Je vous aime, dit-il en regardant l'homme perplexe dans les yeux.

Et il entra précipitamment dans le restaurant.

8

Lavinia ? Comment allez-vous ?

— Tout à fait bien. Qui est à l'appareil ?

Damien plia un trombone en deux.

— C'est Damien.

Calé contre le dossier de son siège, Damien posa ses pieds sur le bureau. Il avait toujours détesté la mère de Josie. Après tout c'était elle qui avait commencé en le détestant, lui. À la minute où elle avait posé les yeux sur lui, elle s'était fait un devoir de le mépriser. Ce qui voulait dire que lui et Josie avaient vécu des moments difficiles à leurs débuts et que le mariage n'avait pas été non plus une partie de rigolade. Dès le premier jour, elle avait clairement affirmé qu'il n'était pas assez bien pour sa fille adorée. En fait, elle aurait sûrement eu la même attitude avec n'importe quel prétendant. Même le mieux loti des célibataires n'aurait pas réussi à briser la glace avec Lavinia. Le prince charmant en personne aurait manqué de charme à ses yeux.

Damien avait toujours été apprécié, à l'école comme au travail. Il n'avait jamais été rejeté par personne. Mais, comme pour toutes les nouveautés, l'attrait de la situation avait fini par se dissiper. Par la suite, lui et Lavinia se voyaient le moins possible, ne se croisant que dans le cadre d'obligations familiales, ou quand Josie l'imposait. Pour les mariages, les enterrements, les baptêmes, Noël, et la fête des Mères. Bien qu'il eût volontiers associé Halloween à Lavinia. Même quand le devoir lui tombait dessus, il s'arrangeait pour travailler tard. Sauf le jour de Noël où il n'avait jamais réussi à échapper à la dinde façon Lavinia. Le rôle de son gendre était de découper l'animal aussi sûrement que celui des invités rabat-joie était d'arborer des chapeaux en papier de mauvais goût. Il avait toujours voulu passer Noël aux Maldives, mais Josie n'avait jamais voulu en entendre parler. Pour elle, il n'y avait pas de Noël sans les guirlandes, la dinde, les saucisses enroulées dans du bacon, et la souffrance.

L'an dernier avait été pire que tout. Avec Melanie, il fallait ajouter deux enfants, se lever aux aurores pour faire comme si le Père Noël existait vraiment, et globalement être encore plus mis à l'écart que par le passé. D'énormes sommes d'argent avaient été englouties dans le gouffre appelé « NOËL » pour acheter les dernières nouveautés en plastique sans intérêt. Les Maldives n'étaient plus qu'un vieux rêve.

— Vous parlez comme un vendeur de fenêtres à double vitrage, dit Lavinia.

— Lavinia, je cherche Josie.

— Peut-être n'a-t-elle pas envie d'être trouvée.

Damien enroula un élastique autour du cou d'une peluche qui traînait sur son bureau. Un cadeau des enfants de Melanie, avant qu'ils se mettent à le détester, eux aussi.

— Lavinia. Nous songeons à nous remettre ensemble, dit-il sans chercher à cacher sa lassitude.

— Plutôt mourir !

C'était tentant.

— Elle vient de signer les papiers du divorce, lui rappela sa belle-mère.

Damien eut un mouvement de recul. Ç'avait été un de leurs problèmes : Josie racontait tout à sa mère. Pas seulement des exagérations, mais vraiment tout. Même quand il avait eu ce tout petit problème d'éjaculation précoce lié au travail, elle avait directement appelé sa mère. Et Lavinia s'en était mêlée, pas seulement parce qu'elle le détestait et qu'elle adorait l'idée qu'il fût dans le pétrin, mais parce qu'elle se prenait pour un docteur en sexologie.

— Je crois qu'elle le regrette à présent, dit tranquillement Damien.

— Elle le regrettera si je l'attrape !

— J'ai essayé de la joindre toute la journée, mais elle n'est pas là. À l'école, on m'a dit que c'étaient les vacances et qu'elle était partie en voyage.

— S'ils le disent...

— Alors, où est-elle ?

— Je crois que ça ne vous regarde pas.

— Est-elle vraiment partie en voyage ?

Un lourd silence s'installa. Damien posa ses pieds au sol et se redressa.

— Lavinia, j'ai besoin de lui parler au plus vite. Est-ce que vous comprenez que l'avenir de votre fille en dépend ?

— Ma fille est plus heureuse là où elle est. C'est-à-dire, loin, très loin de vous.

— Ce qui veut dire qu'elle est en voyage.

Damien se félicita pour son intelligence, avant qu'une horrible idée ne lui traverse l'esprit.

— Avec qui est-elle partie ?

Il imaginait Lavinia se pincer les lèvres jusqu'à ce qu'elles soient blanches. Elle devait regretter d'avoir lâché le morceau. Il enfonça son coupe-papier dans la peluche à moitié étranglée.

— Est-elle partie avec celui qu'elle vient de rencontrer ?

— De qui parlez-vous ? dit-elle d'une voix serrée par la curiosité.

Damien sourit de satisfaction et lança son souffre-douleur pour l'assommer. (Prends ça Lavinia !)

— Je vais la trouver, Lavinia, et ensuite je la ramè-nerai.

Il raccrocha avant que sa belle-mère ait le dernier mot, comme toujours. Elle devait bouillir de rage. Un autre sourire d'autosatisfaction apparut sur son visage.

Damien passa la pointe du coupe-papier entre ses dents. Josie était donc en vacances avec l'homme-mystère. Et sa mère n'avait pas entendu parler de lui. Le dessin malicieux de sa bouche s'estompa. Il tapota le bord du bureau du bout des doigts. C'était une mau-vaise nouvelle, même une très mauvaise nouvelle. Parce que si Josie n'en avait pas parlé à sa mère, ça voulait dire que leur histoire était sérieuse. Très sérieuse. Extrêmement sérieuse. Ce qui signifiait qu'il fallait l'arrêter. Sans tarder.

9

Dans sa voiture de location, Josie prit tranquillement la route de Henry Hudson Parkway, laissant les buildings de Manhattan et Matt Jarvis derrière elle. Elle avait mal dormi. La chambre était bruyante, le matelas était trop dur et elle était de mauvaise humeur. Elle avait réussi à s'endormir à l'heure de se lever. En se brossant vigoureusement les dents avec du Sensodyne, elle avait maudit l'ignoble désertion de Matt.

Après une tasse de café serré et un muffin aux myrtilles pris à la gargote à l'angle de Bloomingdale, elle se sentait mieux. Le ciel totalement dégagé avait la couleur d'un jean délavé et le soleil tapait fort pour la saison. Et elle n'avait pas oublié la robe lilas, ce qui ferait très plaisir à Martha. Dans son monde, tout allait pour le mieux.

Elle avait hâte de revoir sa cousine. Elles s'arrangeaient généralement pour se voir une fois par an, se relayant dans le rôle d'hôtesse. Leurs factures de téléphone s'alourdissaient à la moindre crise. Et elles en avaient traversé plusieurs ces dernières années. La quête de Martha pour trouver le grand amour n'avait pas été simple. Josie s'était habituée à recevoir des appels très tôt ou très tard, quand Martha, au pire de sa détresse, en oubliait les cinq heures de décalage horaire. La séparation conflictuelle de Josie et de Damien avait enrichi British Telecom jusqu'à cet appel totalement inattendu de l'été dernier. Le décès de la mère de Martha avait surpris tout le monde.

Les mères de Martha et de Josie étaient des vraies jumelles. Lavinia et Jeannie. Le duo terrible. Au début des années 1960, Jeannie avait quitté Liverpool. À l'heure où tout le monde partait pour l'Inde, touchant à la drogue, décrochant, se marginalisant, elle était devenue fille au pair pour une riche famille de New-Yorkais. Seize heures par jour elle avait surveillé une progéniture indisciplinée sans jamais regretter son départ. Elle avait ensuite épousé un riche Sicilien de la troisième génération avant de donner naissance à l'unique héritière, Martha Rossani. Quant à Lavinia, elle n'avait pas quitté la banlieue, se mariant avec un homme de classe moyenne avant de donner naissance à Josie. Malgré une distance de cinq mille cinq cents kilomètres, les deux sœurs étaient restées inséparables.

Elles étaient toutes deux intelligentes, belles et pétillantes de vitalité. À présent, Jeannie était partie. Elle était morte d'un arrêt cardiaque en tapant dans une balle de tennis pendant un match en double à son club. Elle a dû être très en colère parce qu'elle était en train de gagner. Toute la famille était tombée sous le choc, mais Lavinia l'avait encore plus mal vécu. Une partie d'elle-même était morte sur ce court de tennis. Elle n'était pas allée à l'enterrement et ne s'était pas plus sentie capable d'assister au mariage de Martha, sachant que son autre moitié serait absente. Ce qui faisait de Josie l'unique représentante du contingent anglais. D'où la présence de la moitié des magasins d'accessoires et de décoration, et de Marks & Spencer dans son bagage à main.

Josie roulait sur Saw Mill River Parkway, battant du pied au rythme de la musique. Elle dépassa les panneaux désormais familiers de Tarrytown, Pleasantville, Chappaqua et Mont Kisco dont les noms sonnaient faux. Elle quitta enfin la route pour descendre vers Katonah.

Katonah ressemblait à Peyton Place. Un décor bien propre de série télé. Un train démodé mais charmant conduisait les banlieusards à la gare de Grand Central, le cœur de la Grosse Pomme. Un ensemble de demeures en bois entourait la rue principale occupée par son grand magasin d'antiquités, ses boutiques de tissus d'ameublement et ses épiceries fines. Même les petites banques peintes en blanc étaient coquettes.

Martha vivait à la périphérie de la ville, dans une imposante maison rose amande bâtie sur des hectares de terrain qui s'enfonçaient dans un bois. Elle était tout en volets et parquets en bois et sentait le sirop d'érable. Josie aimait bien y aller et regrettait d'habiter si loin. Quand elle était enfant, cet endroit était sa deuxième maison, elle y avait passé de nombreuses vacances avec sa mère.

Elle distingua sa cousine dès qu'elle pénétra dans la longue allée droite. Martha était assise sous le porche de la maison, les jambes repliées sous ses fesses, rentrée sur elle-même. Elle avait l'air minuscule et fragile, jusqu'à ce qu'elle aperçoive la voiture de Josie et qu'elle bondisse en agitant les bras. Elle vint à sa rencontre en poussant des cris aigus caractéristiques des lycéennes dans les films américains pour adolescents. Martha ouvrit sa portière alors que Josie roulait encore. Quand Josie sortit de la voiture, elles s'enlacèrent avec chaleur.

— Tu as apporté la robe ?

Martha avait les yeux cernés.

— Je n'ai pas oublié la robe.

Josie tint sa cousine à bout de bras.

— Que t'est-il arrivé ? Tu n'as plus que la peau sur les os.

— Ce sont les joies d'une future mariée ! Crois-moi, je ne me nourris plus que de *junk food*.

Josie ne la crut pas. En temps normal, le régime de Martha était plutôt éclectique. Elle petit-déjeunait d'une sorte de boue liquide prétendue être des algues vertes faisant fureur de ce côté de l'Océan et censée arriver à Camden au début du printemps. C'était bourré de vitamines et d'autres « merveilleuses » composantes qui resteront sans nom. Elle prenait ensuite des muffins double chocolat ou des *bagels* avec de la crème à la cannelle. Ou les deux. Elle aurait mérité d'être grosse et couverte de boutons mais, tels sont les caprices de dame Nature, elle ne l'était pas. Grande, inexcusablement mince, avec une poitrine d'une fermeté enviable et des jambes de gazelle, Martha aurait été tout à fait à sa place dans *Alerte à Malibu*. Elle avait des cheveux longs dont la blondeur naturelle était soulignée par quelques traitements chimiques, des yeux d'un vert de feuillage en début de printemps et une bouche pleine, constamment souriante, ainsi que des dents parfaites. Damien avait l'habitude de dire qu'elle avait la bouche la plus désirable qu'il ait jamais vue. Le pire de tout étant sa très grande gentillesse. Si elle n'avait pas été sa cousine préférée, Josie l'aurait volontiers détestée.

— Je suis tellement contente que tu aies pu venir, ma Jo. Tu ne sais pas à quel point c'est important pour moi.

— Ne commence pas, Martha. On va toutes les deux faire dégouliner notre mascara.

— Tu n'en portes pas, lui fit remarquer Martha.

Selon elle, apparaître en public avec moins d'une couche de maquillage était un crime abominable.

— Tu m'as l'air de mauvaise humeur, poursuivit-elle.

— Je n'ai pas dormi de la nuit.

— Josie, tu m'avais promis !

— Je ne l'ai pas passée à grimper aux rideaux. (Malheureusement.) Si je n'ai pas dormi c'est pour des raisons sans intérêt.

— Ton rancard n'a pas été à la hauteur ?

Josie sortit ses sacs de la voiture.

— Il n'est carrément pas venu.

— Il t'a posé un lapin ?

— Eh oui !

— Ça ne m'est jamais arrivé. Même pas au lycée !

— Ça ne me rassure pas tellement, Martha.

— Quel salaud !

— Le dernier des salauds, oui.

— Emportons toutes tes affaires à l'intérieur. Tu vas tout me raconter.

Martha passa le gros sac sur ses épaules, faisant tinter ses cadeaux de mariage dans un bruit inquiétant. Elle poussa la porte et alla jusqu'à la cuisine. Elle lança le sac de Josie sous la table, faisant de nouveau s'entrechoquer sa collection de porcelaine Royal Doulton.

Martha ouvrit le frigo géant.

— Tu veux des algues vertes ? C'est très revitalisant.

— Je te crois sur parole.

— Tu as besoin de quelque chose qui te requinque. Ce mariage va nous mettre sur les rotules !

— Je pense qu'une tasse de thé serait très bien.

Martha mit la bouilloire en marche.

— Du thé anglais ? Lavinia nous en a envoyé pour Noël.

— Ah, ma chère mère...

— Comme va-t-elle ?

Josie se laissa tomber à la table de la cuisine.

— Comme d'habitude.

— Je regrette qu'elle ne soit pas venue.

— Moi aussi. Je crois.

Martha se servit une dose de boue qu'elle avala en frissonnant. Elle ébouillanta la théière comme le voulaient Jeannie et Lavinia.

— Maman lui manque toujours ?

— Terriblement. De plus en plus, on dirait.

Martha s'assit en poussant une tasse de thé vers Josie. Peut-être l'incapacité à faire le thé est-elle innée chez les Américains, même quand ils possèdent les bons ingrédients. Son infusion avait l'air tout aussi insipide que le thé qu'elle avait bu avec Matt à la cafétéria de la statue de la Liberté. (Comment oses-tu lui accorder une seule de tes pensées, Josie Flynn ? Tu cours un grand danger !) Martha se servit une tasse de café noir.

— J'ai besoin de faire des réserves de caféine, dit-elle en s'asseyant en face de Josie.

— Ça ne risque pas d'annuler les effets de ta bouillie ?

— Je les laisse se battre dans mes boyaux.

Josie but son thé à petites gorgées. Comparé à la virilité du thé anglais, il était pâle mais il lui fit quand même du bien.

— Et toi ? Comment t'en sors-tu sans Jeannie ?

— Essaie d'organiser seule un mariage. C'est chiant, dit-elle en faisant la grimace.

— Organiser son mariage avec sa mère dans les pattes n'est pas non plus une partie de plaisir. Je me suis battue avec maman au sujet de la robe, du voile, du gâteau, des fleurs, de l'église, du placement des invités, du choix des demoiselles d'honneur et même sur le choix du futur marié. Je dois avouer que, sur ce point, elle n'avait pas tort. On a failli tout annuler parce que Damien voulait absolument porter un gilet clair sous sa veste de costume.

Martha sourit tristement.

— J'adorerais pouvoir me bagarrer avec Jeannie.

— Je sais. Tout va bien se passer, tu verras, dit Josie en lui prenant la main.

— On va bien s'amuser ! Comme des folles ! Bref. Parle-moi de ce beau mec qui t'a plantée.

— J'ai du mal à y croire. Pourquoi faut-il que je craque toujours pour le mauvais ? Je me suis retrouvée à l'attendre pendant une heure et demie. Je devais avoir l'air de la dernière des cloches, toute seule. Il avait l'air si sensible et si attentionné ! Comment a-t-il pu me faire ça ?

— À New York, les seuls garçons sensibles et attentionnés ont déjà un petit copain.

— Il est anglais. Je l'ai rencontré dans l'avion.

— Les Anglais sont pourtant des *gentlemen*.

Josie soupira.

— Ils devaient l'être à l'époque où Rex Harrison[1] foulait les planches mais ils ne le sont plus. Ils ronflent tous, ils portent des slips moches et des chaussettes qui puent.

— Tu veux rire ?

Josie se laissa emporter par le sujet.

— J'aimerais bien. Quand il s'agit de sentiments, la plupart d'entre eux sont moins évolués qu'une amibe.

— Ce n'est pas une grande perte alors.

Josie s'affaissa.

---

1. Sir Harrison a fait sa première apparition au théâtre en 1924. S'il a joué jusqu'en 1990, la race des *gentlemen* avait déjà commencé à s'éteindre...

— J'ai cru qu'il était un peu différent. Bon, au moins un tout petit peu.

— Nan, ils sont tous pareils.

— Il était sympa, drôle, gentil, débraillé. Tout le contraire de Damien, globalement.

— Assez gentil pour te poser un lapin, rétorqua Martha.

— Je l'aimais vraiment bien, Martha. Et je n'ai rencontré personne qui m'ait plu depuis une éternité.

— Bien aimer c'est très bien. Restes-en là. Si tu m'avais dit que tu étais amoureuse de lui, je me serais fait du souci.

Josie se sentit rougir.

— Aimer, c'est beaucoup.

Martha secoua la tête.

— Ce ne sont que cinq petites lettres...

— Oui comme baise, lapin et abruti.

— Il y a six lettres dans abruti.

— Engagement en compte dix, ce qui en fait un bien plus grand mot.

— Tu crois que je ne le sais pas ? Quoi qu'il en soit, les Anglais sont des gros nuls. J'espère que tu t'es trouvé un bon Américain.

Martha termina son café et agita une feuille de papier sous le nez de Josie.

— Il faut qu'on y aille. C'est le programme des préparatifs. La moindre entorse est à nos risques et périls.

Et les aiguilles de la pendule du salon de beauté tournent pendant ce temps. Soins du visage et manucure. Et je crois que je vais me faire épiler le maillot en forme de cœur pour ma lune de miel.

Il y a une chose qu'il faut savoir sur Martha. Avoir une mère anglaise de Liverpool et un père sicilien lui a donné un étrange sens de l'humour.

10

Les Headstrong étaient en train de casser leurs amplis avec leurs guitares, et ils s'amusaient énormément. À leurs côtés, les sous-fifres de la maison de disque leur souriaient avec indulgence. Matt aurait aimé que quelqu'un leur dise que les Who l'avaient fait avant eux, et avec plus de style. À la fin de la journée, ils ne pouvaient que poser devant les photographes, leurs instruments n'étant plus en état de produire une seule note de musique. Un tambour de batterie roula jusqu'à ses pieds. C'était vraiment pénible. Il voulait les interviewer et rentrer chez lui au plus vite.

Holly Brinkman apparut à ses côtés.

— Salut.

Elle avait l'air aussi enthousiaste que Matt était déprimé.

Il aurait aimé se défendre en disant qu'il n'avait pas dormi de la nuit, se retournant dans son lit en se repentant d'avoir ruiné son rendez-vous avec Josie. Mais c'était impossible. La vérité était qu'en rentrant à l'hôtel, accablé par le fait qu'elle n'avait pas cru bon de l'attendre une heure et demie, il était tombé de sommeil aussitôt.

Il ne s'était réveillé qu'à midi, quand la femme de ménage était entrée dans sa chambre, l'aspirateur en marche. Ce n'est qu'après avoir passé la lame du rasoir sur le visage hagard qui le regardait qu'il avait commencé à s'en vouloir.

Il était connu pour être un homme fiable. C'était une des nombreuses choses que sa femme détestait en lui : pour elle, le fait qu'il faisait toujours ce qu'il avait dit était une preuve flagrante de son manque de spontanéité. Il appelait à l'heure où il avait dit qu'il appellerait, il arrivait systématiquement à l'heure dite, et il envoyait une carte pour chaque événement nécessitant l'expression commerciale de sa solidarité. « Ce bon vieux Matt », comme le surnommaient ses amis en lui donnant une tape dans le dos. « Toujours là quand il faut ! » Et pourtant il avait abandonné la seule personne qui eût compté depuis des mois. Pour une fois qu'il s'était laissé aller à une totale spontanéité, il le payait cher. À l'heure qu'il était, Josie devait porter plainte au Bureau des Salauds. À juste titre.

Matt reporta son attention sur Headstrong et leurs actes de destruction gratuite. Holly souriait d'un air stupide. Il fallait absolument qu'il sorte d'ici.

— L'interview n'est pas pour aujourd'hui, n'est-ce pas ?

C'était plus un constat résigné qu'une question.

— J'imagine que non. On repousse à demain ?

(Je n'en ai pas très envie.)

— Oui, parfait.

— Tu en veux ? demanda-t-elle en lui tendant un joint.

— Je ne fume pas.

— On va prendre une bière ?

— J'ai des choses à faire.

De tout son cœur, Matt ne voulait rien faire qui impliquât de l'alcool, de la drogue ou de la musique. Il voulait rentrer à l'hôtel, essayer de se donner un air humain, et faire n'importe quoi qui pût le rapprocher de Josie.

— À demain, dit-il avant de s'enfuir vers le soleil new-yorkais.

Il décida de rentrer à pied en coupant par Broadway. Seul et sans but précis, il dépassa les magasins de discount et les épiceries. Il aurait préféré partager cette promenade avec Josie. Il s'arrêta pour manger un morceau au Bigi's, une cantine aux sièges en chrome et plastique dont le rembourrage ressortait. On y servait des plats italiens merveilleusement exotiques. En s'appuyant sur l'idée qu'un gros apport calorique pourrait éponger ses excès de la nuit dernière, il fit suivre son *pastrami* et cornichons d'une tarte aux noix de pécan assortie d'une glace et d'une tasse de chocolat chaud. (Me revoilà, monde des vivants !)

Que fait Josie en ce moment ? se demanda-t-il. Comment s'appelait sa cousine, déjà ? Maria ? Maureen ? Marian ? Maude ? Martha ! C'était ça. Le mariage de Martha. Elle était venue pour le mariage de Martha. Matt sourit de satisfaction. Si elle n'avait pas été grosse et édentée, et avec une plus grosse moustache que Tom Selleck, il aurait pu exprimer sa joie en embrassant la *mamma* italienne qui l'avait servi. Quelque chose, peut-être le chocolat chaud, avait réveillé ses neurones. Désormais, il avait un plan astucieux. Il n'avait plus qu'à trouver où dans New York serait célébré le mariage d'une certaine Martha. Ça ne devrait pas être trop difficile.

Il y avait quatre demoiselles d'honneur. Felicia, Betty-Jo, Kathleen et Josie. « On dirait les Télétubbies », se dit cette dernière. Elles semblaient avoir été choisies pour apporter une touche « United Colors of Benetton » au mariage de Martha. Felicia était noire, Betty-Jo de parents italiens, Kathleen, chinoise, et Josie était la touche rose de l'Angleterre.

Meilleure amie de Martha au lycée, Felicia était devenue productrice de radio dans le Midwest. Ne supportant aucun des défauts de tous les hommes qu'elle avait connus, elle avait longuement hésité entre l'homosexualité et le féminisme radical. Au bout du compte, elle avait essayé les deux sexes sans jamais trouver satisfaction. Alors elle avait fini par s'acheter un chien, et elle étincelait de bonheur.

Betty-Jo vivait dans l'Arizona. Elle faisait fortune en vendant des appartements aux retraités les plus privilégiés de New York et à tous ceux qui voulaient passer les dernières années de leur vie dans des régions où il ne neige jamais, à se balader sur des terrains de golf en sirotant des cocktails. Dans ce type de résidences, on a l'intelligence d'interdire les enfants de moins de seize ans. Par souci d'équilibre, elle s'entourait de jeunes amants qu'elle changeait aussi régulièrement que ses collants, selon ses dires.

La superbe Kathleen avait épousé un beau spécialiste en informatique d'un genre athlétique. Elle travaillait comme conseillère financière à Boston et passait ses week-ends dans leur maison de Martha's Vineyard[1], en attendant qu'à leur brillante famille s'ajoutent des petits êtres adorables et bien élevés, ce qui normalement ne devait pas tarder.

---

1. Rien à voir avec Martha, la cousine de Josie. Cet endroit hyper-chic se trouve au large de Cape Cod, dans le Massachusetts.

Josie avait essayé, sans y parvenir, de parler avec romantisme de sa vie d'enseignante à Camden. Aux yeux de tous, il était clair qu'elle n'était pas une battante. Elle était plutôt du genre « j'aimerais bien moi aussi si seulement j'avais plus de temps, d'argent, de confiance en moi, etc. ». Elle voyait bien que sa vie ne les impressionnait pas du tout, même en faisant beaucoup d'efforts. Cependant, son accent leur plaisait et elles lui firent répéter certains mots si *british* qu'elles n'avaient pas l'habitude d'entendre.

Elles étaient allongées l'une à côté de l'autre dans une salle aussi rose que les fesses d'un bébé. Drapées dans des serviettes du salon de beauté de Béatrice, elles avaient le visage recouvert d'une mixture malodorante supposée exfolier les cellules mortes et régénérer les couches supérieures de l'épiderme. Ou quelque chose comme ça. Josie n'en pouvait plus. Mais tant que ça lui ferait perdre dix ans et ressembler un peu plus à Sharon Stone, elle était prête à subir cette forme primitive de torture. En tout cas, ça n'avait fait aucun mal à Martha. Loin de là.

— Alors ? Parle-nous de ce beau mec que tu vas épouser ?

— Jack ?

— À moins que tu en aies un autre sous le coude. On ne sait pas grand-chose de lui. Ce n'est pas ton genre de ne rien raconter.

Martha émit un son bizarre, vaguement mécontent.

— Jack... Il est... euh... génial.

Josie souleva une boule de coton qui lui fermait l'œil et se rapprocha de Martha.

— Génial, dit-elle de la même voix atone que Martha.

La boule de coton de Martha ne bougea pas.

— Mmm.

— On pourrait la refaire avec un peu plus de conviction, lui dit Josie à voix basse.

Tandis que « Stand by your man » se faisait entendre dans la salle, Martha garda le silence. Josie libéra son second œil et vint se placer en face de sa cousine. Malgré le masque facial à durcissement rapide, elle voyait les lèvres de Martha trembloter.

— Tu n'as rien de quelqu'un qui a hâte de passer à l'église pour t'enchaîner à cette personne jusqu'à la fin de tes jours.

— Laisse tomber, Josie.

— Quelque chose ne va pas, Martha.

— Tout va bien. Jackie est sympa, très doux...

— Il est génial.

— Oui.

— Alors pourquoi en parles-tu sur le même ton que si tu parlais du dernier traitement contre la cystite ?

Martha arracha ses cotons en s'asseyant.

— Parce que je suis nerveuse, Josie. Demain, je vais

faire quelque chose que je n'ai jamais fait de ma vie. J'ai peur que ma robe n'aille pas. J'ai peur de mal prononcer mes vœux. J'ai peur que les crevettes qui seront servies au buffet ne soient plus bonnes et que tous mes invités aient une intoxication alimentaire...

— Mais ce n'est pas le fait de te marier qui te rend nerveuse, j'espère ?

La porte s'ouvrit sur quatre esthéticiennes identiques, armées de bols d'eau et d'ustensiles conçus pour infliger des blessures graves aux vilaines ayant négligé leur beauté au quotidien.

— Martha ?

— Tais-toi, Josie et prépare-toi à te faire exfolier.

Suite au gommage de l'esthéticienne, une garce sortie de l'enfer, elle avait le visage à vif. Ses joues étaient roses et brillantes et Martha semblait dire que c'était l'effet souhaité sur une demoiselle d'honneur. Assises en rang, les filles se faisaient à présent limer, polir et vernir les ongles de divers tons pastel, selon les choix de l'œil expert de Béatrice, qui n'avait rien d'une débutante dans le monde du vernis à ongles. Josie se dit que ses doigts étaient aussi aseptisés que ceux des gens qui portent en plus une étiquette autour du gros orteil, tout en étant consciente qu'elle n'y connaissait rien en manucure. Elle se félicita d'avoir effacé toute trace du rouge pute qu'elle avait brièvement employé comme un accessoire avec lequel toute célibataire a le droit de jouer.

Elles en étaient à la phase de séchage. Josie et Martha partageaient un gadget à ultraviolets, censé accélérer le processus mais qui semblait se contenter d'émettre des sons soporifiques. Les autres demoiselles « United Colors of Benetton » feuilletaient des revues en rigolant de leurs difficultés à tourner les pages. Soudain, Josie se sentit très vieille.

Martha semblait perdue dans ses pensées. Elle leva les yeux de son peignoir en soie perlée.

— Te posais-tu des questions avant d'épouser Damien ?

— Avec le recul, je me dis que je ne m'en suis pas assez posé.

— Tu comprends ce que je veux dire.

Josie soupira.

— Tu ne connais pas Jack depuis longtemps. Je me trompe ?

— Tu crois que ça change quelque chose ?

— Honnêtement, je n'en sais rien. Je pensais tout savoir de Damien, mais en fin de compte j'avais tort. C'est ça qui t'inquiète ?

— Ce n'est pas de l'inquiétude.

— Je suis ta cousine préférée, Martha Rossani. Ne me mens pas. Nous n'avons pas de secrets l'une pour l'autre, tu te souviens ? J'ai été la première personne à savoir que tu avais perdu ta virginité, après ta petite personne et le *gentleman* concerné.

— Curtis Neill n'avait rien d'un *gentleman* !

— Je crois me souvenir que toi non plus, tu n'as pas été très classe !

Elles pouffèrent dans leurs ongles fraîchement peints.

— Jo, est-ce que tout était plus facile à cette époque ? J'ai l'impression que ça remonte à un million d'années.

— Tu m'as l'air bien mélancolique pour une future mariée.

— Peut-être est-ce un cas d'angoisse aiguë due au mariage. Ou peut-être que Jeannie me manque. Elle aurait les réponses. Elle saurait si Jack est celui que je dois épouser.

— Pas mieux que toi, Martha.

— C'est comme si j'avais besoin qu'elle l'approuve.

— Qu'en pense ton père ?

— Il pense qu'il est temps que je me marie. Moi aussi, je pense que c'est le moment. Mais depuis la mort de Jeannie, il est devenu très amer. Il a l'air de penser que depuis qu'il croule sous le chagrin, personne n'a droit au bonheur. Il ne s'en remet pas. Ils ont été si heureux ensemble. Pendant plus de trente-cinq ans.

— Leur modèle est difficile à suivre.

Béatrice progressait dans la rangée des ongles, vérifiant s'ils étaient assez secs pour retourner sans danger dans la vraie vie. Si seulement il suffisait aux humains de passer une demi-heure sous un séchoir pour se protéger de l'extérieur !

— Aimes-tu Jack ?

— Est-ce que l'amour suffit ?

— Ça peut aider.

— Il est gentil, attentionné. Et la sauce qu'il met dans les pâtes est un régal.

— Le fondement d'un mariage heureux, j'en suis convaincue.

— Ça l'est pour une Sicilienne. Je veux des grands dîners de famille autour de la table de ma cuisine. J'en ai marre de compter les calories, soupira Martha.

— Il y a pire que les lasagnes surgelées, Martha. En fait, il n'y a rien de pire, dit Josie après une pause.

Martha éclata de rire.

— Tu peux rire, mais tu ne m'as toujours pas répondu, dit Josie.

Béatrice s'approcha pour éteindre leur séchoir à ongles.

— Je crois que vous êtes cuites, toutes les deux. Vous allez faire une sacrée belle mariée, dit-elle en se tournant vers Martha. J'imagine que vous avez hâte d'être à demain.

Josie savait que le sourire de Martha était forcé. Elle garda une main sur le bras de sa cousine tandis qu'elle rayait un autre devoir de sa liste militaire de préparatifs de mariage.

— J'ai lu un article un jour, sûrement dans *Marie Claire*. Il disait qu'il est complètement normal de se sentir nerveuse à l'idée de s'engager parce qu'on doute de soi et du fait qu'on fera une bonne partenaire. Dans ce cas, il faut se marier. Il disait aussi que si l'on se demande si l'autre sera un bon partenaire, alors il faut annuler.

Elle regarda sa cousine dans les yeux et lui parla lentement, comme quand on s'adresse à des étrangers ou à des gens qui ne comprennent rien aux mots.

— Que tu te trouves dans l'un ou l'autre cas, tu devrais tout arrêter.

Martha se leva, la mâchoire serrée, et les yeux d'un vert aussi frais que l'herbe après un orage d'été. Elle marcha jusqu'à la caisse avec détermination. Souriante, elle paya Béatrice en laissant de généreux pourboires. Les autres demoiselles d'honneur rassemblaient leurs affaires (magazines, sac à main et lunettes de soleil) pour se diriger vers elle.

— On se voit demain matin, fraîches et pimpantes, chantonna Béatrice.

— À huit heures ?

— Je relève le défi.

Y avait-il un nom pour désigner un groupe de demoiselles d'honneur ? Une armée de filles ? une

« pétillance » collective ? un bouquet de jouvencelles ? Josie n'en savait rien, mais les trois autres compagnes récurées et peintes se ruèrent vers elles, babillant et se poussant comme des gamines en évoquant le lendemain. Le temps s'écoulait trop vite dans le sablier pour qu'elle pût se permettre de dire ce qu'elle avait sur le cœur.

— Martha, je t'en prie.

— C'est trop tard pour tout arrêter, Josie. Même si je le voulais. Tout est réservé.

Elle avait beau regarder Martha dans les yeux, elle n'arrivait pas à définir ce qu'elle y voyait.

11

rosso modo, il y a quatre millions cent vingt-sept hôtels à New York City. Matt s'effondra sur son lit, la version new-yorkaise des pages jaunes ouverte devant lui. Soudain, son plan de génie n'avait plus qu'une chance sur mille d'aboutir. Il paraît qu'un homme de trente-cinq ans a plus de chance d'avoir une crise cardiaque juste après avoir acheté un billet de Loto que d'avoir tous les bons numéros. Ses chances de trouver Josie dans cette ville pleine d'hôtels devaient suivre les mêmes statistiques. Il considéra les A, des pages et des pages de A s'étalant devant ses yeux comme une condamnation à perpétuité. Il se rallongea en se frottant énergiquement le visage. Plan de génie numéro deux !

Avec ses doigts, il forma une pyramide entre ses

tempes comme il avait vu Ewan McGregor le faire dans *Star Wars Épisode I : La Menace fantôme*. Il essaya ensuite d'envoyer un message télépathique à Josie. *Appelle-moi ! Appelle-moi ! Appelle-moi !* Il fixa le téléphone avant de recommencer. *Appelle-moi ! Appelle-moi ! Appelle-moi !* Rien.

Telles étaient les limites de ses pouvoirs de chevalier Jedi. Obi-Wan Kenobi n'aurait pas de quoi s'inquiéter pour son boulot. Matt serra les dents de frustration.

Bon, personne n'a dit que c'était un bon plan.

Retour au plan A. Il était journaliste ou pas ? Ce simple mot n'était-il pas synonyme de détenteur de talents d'investigation ? Peu importe qu'il n'ait jamais enquêté sur rien de plus fatigant que les bouloches nichées dans son nombril, cette faculté devait sommeiller en lui. Un cœur timoré a-t-il jamais conquis une belle dame ? Sûrement pas. Matt reprit les pages jaunes. A comme Aardvark. Plus précisément le Aardvark Comfortable Inn. Oh, s'il vous plaît ! Les gens sont décidément prêts à tout pour faire de l'argent, et les Américains encore plus que les autres.

Matt composa le numéro. Il aurait eu le temps de faire plusieurs enfants en attendant qu'on décroche.

— Aardvark Comfortable Inn.

— Bonjour. Y a-t-il un mariage chez vous demain ?

— Un mariage ?

— Vous savez, des jeunes mariés, un gâteau, tout ça.

— Oui, monsieur, il y en a plusieurs.

— Est-ce qu'une certaine Martha va se marier ?

— Auriez-vous un nom de famille, monsieur ?

— Non, juste Martha.

Il entendit la réceptionniste soupirer en silence. C'était lui la menace fantôme. Le temps qu'elle le reprenne en ligne, ses enfants étaient sur le point de quitter la maison pour entrer en fac.

— Non, monsieur. Aucune Martha ne se marie chez nous demain.

— Vous êtes sûre ?

— Absolument.

— Merci pour le renseignement.

— Je vous en prie.

Elle n'a pas dit salut, gros nul, mais c'est ce qu'il avait ressenti dans sa voix.

Allait-il se laisser décourager pour autant ? Oui, un petit peu. Matt joua avec les pages, soit cinq centimètres de numéros d'hôtels. Minimum. Il aurait le temps de mourir avant d'atteindre la lettre P. Et si jamais la cérémonie de Martha avait lieu au « Ziegfried Lodge » ? Martha serait déjà en lune de miel et Josie dans l'avion de retour pour Heathrow avant qu'il débarque sur place. Il nageait en plein cauchemar. Il devrait laisser tomber. En tirer une leçon. Il était à New York. Il avait un jour libre. Le soleil brûlait le goudron en plein mois de février. Il y avait tellement de choses à faire, d'endroits à visiter, de magasins où dépenser de l'argent. Et il était dans sa chambre d'hôtel avec l'intention d'appeler tous les hôtels répertoriés dans les pages jaunes. Redescends sur terre, Matthew !

Matt jeta un air dédaigneux sur la ligne suivante. A comme Abbie Luxury Inn.

Deux heures plus tard, alors qu'il n'avait obtenu aucun résultat auprès de Albie Amish Inn et qu'il s'apprêtait à appeler Alicia All-American Motel, le téléphone sonna. Il le fixa sans y croire. La puissance de son esprit avait-elle réussi à établir le contact avec Josie ? Il décrocha avec espoir.

— Oui ?

— Matt ? Salut, c'est Holly.

(Holly ? Qui est cette Holly ?)

— Holly Brinkman, l'attachée de presse des Headstrong, ajouta-t-elle dans le silence gênant.

— Ah, bonjour, dit enfin Matt en s'efforçant de cacher sa déception.

— J'appelais pour confirmer que les gars seront disponibles demain matin pour une interview en profondeur.

À quelle profondeur pouvaient bien aller quatre adolescents psychologiquement perturbés ? Voulaient-ils parler de la physique quantique, de la théorie de la relativité, du big bang ? Ou voulaient-ils commenter l'incapacité des Anglais à jouer au tennis, au foot et au cricket bien qu'ils aient été les inventeurs de ces sports ? Il avait interviewé suffisamment de groupes pour savoir qu'ils se prenaient tous pour des experts mondiaux sur tous les sujets que vous pouviez mentionner. Peut-être est-ce ce qui arrive quand on est adoré par toutes les jeunes filles de quatorze ans ? Était-il en train de devenir vieux et aigri ? Même quand il avait quatorze ans, les jeunes filles de son âge ne s'intéressaient pas à lui.

— D'accord. Très bien.

— Tu pourrais venir au studio vers onze heures du matin ?

— Oui, c'est parfait. (J'ai tellement hâte.)

Il y eut un autre silence pendant lequel ils ratèrent tous deux l'occasion de raccrocher.

— Je me demandais si tu aurais envie qu'on dîne ensemble ce soir ?

— Avec le groupe ? (Oh, c'est très fin, Matt !)

Holly Brinkman soupira légèrement mais avec exaspération.

— Non. Juste avec moi. Je connais un endroit sympa dans Greenwich Village.

— Euh...

Matt grignota son ongle en pensant à toutes les raisons de dire non. Elle était insistante. Les relations publiques étaient le domaine qui lui convenait le mieux. Mais elle était jolie, d'un genre sous-alimenté. Et qu'avait-il d'autre à faire ? En dehors d'enquêter auprès de tous les hôtels de Manhattan ?

— Je peux te rappeler, Holly ? Je suis sur autre chose en ce moment.

Baratin de journaliste pour envoyer promener quelqu'un.

— Tu as mon numéro de portable ?

— Je crois que oui.

Elle le lui redonna pour lui éviter une gêne supplémentaire. Matt le nota docilement sur le carnet offert par l'hôtel. Elle ne savait pas à quel point il ne fallait pas lui confier le moindre bout de papier, même s'il était d'une grande importance pour lui.

— J'espère que tu vas m'appeler, Matt, dit-elle.

Il espérait qu'elle n'espère pas trop.

— Si je peux, oui.

Pouvait-il faire moins prometteur ? Et que dit-on pour se débarrasser de quelqu'un ?

— À la prochaine.

Il raccrocha. Quel plouc. (À la prochaine ?) Matt leva les yeux vers les trous du mur où auraient dû être accrochés des cadres. Pourquoi n'avait-il pas simplement dit oui ? Voilà pourquoi, se dit-il en replongeant dans les pages jaunes.

À la fin de l'après-midi, il en était à Aylene Homely Lodge et à la conclusion qu'il avait perdu la raison.

Son sentiment était renforcé par le fait que tous les réceptionnistes auxquels il avait parlé l'avaient pris pour un fou. Mais ils avaient l'habitude, non ?

— Matthew James Jarvis, tu es un imbécile, dit-il au vide emplissant sa minuscule chambre.

Il atteignait la fin de la lettre A. Parfait. Il n'avait perdu qu'une demi-journée et il ne lui restait que vingt-cinq lettres à écumer.

— Je sais, se dit-il dans le vrombissement de la climatisation.

Peut-être n'y avait-il pas tellement d'hôtels commençant par X ou Y ? En s'y reportant, il fut abattu (c'est-à-dire complètement furax) de constater qu'il y avait plus de numéros que ses doigts ne pourraient supporter d'en composer.

L'Azckal's Manhattan Motel ne ressemblait pas à l'endroit idéal pour fêter son mariage. Matt se força à composer le numéro, ses doigts traçant laborieusement leur route sur les touches. Quand la réceptionniste répondit d'une voix guillerette, c'est avec peu de conviction que Matt lui délivra le script qu'il avait si bien répété.

— Bonjour. Accueillez-vous un mariage demain ?

— Oui, monsieur. Que puis-je faire pour vous ?

— S'agirait-il du mariage d'une certaine Martha ?

— Je vais vérifier le registre.

Ses doigts se promenèrent sur le duvet en écho

à ceux qui tapotaient sur le clavier de l'ordinateur à l'autre bout de la ligne.

— Auriez-vous son nom de famille, monsieur ?

— Non.

— Savez-vous à quelle heure est la réception ?

— Non.

Elle pianota encore un peu. Matt se leva pour retomber à la renverse sur le lit. Mais pourquoi s'infligeait-il tout ça ? Il n'y a pas qu'elle sur la terre, Matt Jarvis. Oui, mais tu as déjà décidé que toutes les autres ne valent pas le détour.

— La réception commence à midi, monsieur.

Matt se rassit brusquement.

— Pardon ?

C'était incroyable. Quelle était la réplique de Humphrey Bogart ? « Parmi tous les hôtels du monde... »

— La fête commence à midi.

— Vous êtes sûre ?

— Nous n'avons qu'une seule Martha dans le registre des mariages, monsieur.

— À midi.

Impossible ! Mais non, il ne rêvait pas. Il avait envie de courir embrasser la gentille dame du Azekal's Manhattan Motel pour tout le bonheur qu'elle lui apportait. Pour la deuxième fois en deux jours, il venait de tomber amoureux d'une inconnue. Troisième fois en comptant Josie.

— À quelle heure les invités arrivent-ils ?

— Personne ne sera là avant demain midi, monsieur.

— Avez-vous un numéro auquel je puisse contacter Martha ?

— Je crains de ne pas pouvoir le donner. Mais je peux lui transmettre votre message.

Matt laissa le nom de son hôtel et le numéro de sa chambre.

— C'est très important.

— Êtes-vous sur la liste des invités, monsieur ?

— Pas encore. Pas encore, répéta-t-il souriant.

Matt raccrocha. Il l'avait trouvée ! Mon Dieu, il l'avait trouvée. En cinq petites heures au téléphone, il l'avait trouvée. Comment fêter ça ? Matt se prépara à danser la salsa dans le petit espace que sa chambre lui offrait. Il avait envie de danser, de chanter, de crier le nom de Josie du toit de l'Empire State Building. Il se sentait en harmonie avec le monde entier et plein d'une bienveillance divine envers chaque représentant de la race humaine.

Contrairement à la croyance populaire, il avait reçu, grâce à l'Azekal's Manhattan Motel et aux merveilles de la communication moderne, une seconde chance de faire une bonne première impression.

Matt se trémoussa en chantant sur un rythme de conga. Il s'arrêta net. Venait-il de dire qu'il aimait Josie ? Il craignait que la réponse fût oui. C'était bien plus grave que prévu. Un coup de foudre ? Cela n'arrive-t-il pas seulement dans les chansons sentimentales ? Cela n'arrivait certainement jamais à un journaliste de rock de trente-deux ans qui, en dehors d'un état de surmenage émotionnel temporaire, était l'humain le plus raisonnable et le plus fiable de toute la planète. *Ooh, ooh, baby, un seul regard a suffi pour que tu lises mon cœur comme un livre ouvert. Ooh, ooh.*

Les Headstrong seraient fiers de lui.

12

L'église était un monstre gothique, froid qui plus est. Encore plus froid que l'enfer s'il lui arrivait de se figer dans la glace. Ce qui ne poserait aucun problème à quelqu'un en *moon boots* et sous-vêtements thermiques. Josie se demanda comment sa robe lilas s'adapterait à la situation. Elle s'assit sur un banc pour profiter de la solennité du bâtiment, de l'odeur de l'encens et de l'humidité. Il n'était pas étonnant que les prêtres fussent célibataires. Martha trottinait, flirtant avec le clergé. D'une manière générale, elle avait l'air un peu plus heureuse de son état de jeune mariée imminente que quelques heures plus tôt, ce dont Josie était plus que soulagée.

Peut-être qu'avec les prédictions catastrophiques des statistiques sur le divorce il était plus raisonnable de douter de la validité des vœux du mariage. « Pour toujours » durait très longtemps pour qui que ce soit. Combien de mariés comprenaient vraiment ou pensaient honnêtement ce qu'ils disaient par « jusqu'à ce que la mort nous sépare » ? Ne serait-il pas mieux de ramener les choses à une échelle plus humaine en faisant du mariage un contrat de dix ans renouvelable sous réserve d'un accord commun ? Les attentes seraient alors plus réalistes. Les couples parvenaient-ils encore à se jurer fidélité devant Dieu et pour le restant de leurs jours en y croyant sincèrement ? « Pour toujours » s'était arrêté au bout de cinq ans pour elle et Damien. Petite éternité, tout bien pesé.

Martha s'approcha d'elle.

— Josie, ne reste pas toute tassée dans le fond. Viens que je te présente tout le monde.

Elle poussa Josie dans l'allée.

— Voici Peggy. Ses deux filles vont porter les fleurs.

— Salut.

— Bonjour. Enchantée, dit Josie en lui serrant la main.

— Oh, vous devez être la demoiselle d'honneur anglaise !

— Oui.

— Quel joli accent.

— Je vous remercie.

— Martha était si impatiente de vous voir.

— Moi aussi, j'avais hâte.

Martha disparut pour revenir en tirant un homme par la main.

— Josie, tu te souviens de Glen ?

— Glen.

Ses yeux s'écarquillèrent. (Glen ?)

Le Glen en question était grand, blond et bâti comme une baraque. Il portait une sorte de polo d'université et un jean. Il aurait été plus à l'aise en se promenant avec un ballon de foot qu'avec le petit bouquet de fleurs qu'il écrasait sous son bras.

— Salut, Josie. Ça fait un bail.

— Oui.

Venait-elle de prononcer un mot ?

— Glen est le témoin de Jack, lui dit sa cousine.

Glen avait tenu beaucoup de rôles. L'idole du lycée, fanatique de fitness, mannequin et désormais manager en marketing pour une société de sports internationale. Il avait aussi été le petit ami de Martha pendant trois ans, si Josie avait bonne mémoire. Et elle en était horriblement certaine. Le premier grand amour de sa cousine, si elle ne commettait pas d'erreur. Pour l'heure, il allait être le témoin de son fiancé. De plus en plus bizarre. Serait-elle tombée en plein épisode de *Days of Our Lives*[1] ?

─────────

1. Série télé qui dure depuis plus de quarante ans, dans laquelle les couples se font et se défont, de génération en génération, entre

— Glen est un élève de l'académie d'arts martiaux de Jack. Je vous laisse refaire connaissance, lança Martha avant de disparaître.

(Une académie d'arts martiaux ?)

Glen dégagea le bouquet de son bras.

— Bouquet d'entraînement. Martha veut que tout soit parfaitement bien réglé, dit-il.

— Rien n'est laissé au hasard, murmura Josie.

— Comment se passe ta vie de femme mariée ? demanda Glen.

— Mal. Nous sommes séparés.

Elle s'efforça de rire mais il ne sortit de sa gorge qu'un son lamentable.

— Je suis navré.

— Moi aussi mais ça arrive, dit Josie en souriant.

Quel sujet de conversation dans une église, la veille d'un mariage.

— Je profite de ma vie de célibataire. (Heureusement que mon nez n'est pas en bois, sinon il aurait poussé de quinze centimètres.)

— Moi aussi.

— Tu n'as jamais fait le grand saut ?

Glen rit, mal à l'aise.

— Non. Les mots nef centrale, autel et marche nuptiale me font fuir.

---

les Bradys et les Hortons.

Il jeta un œil sur Martha qui faisait la conversation en jouant avec sa crinière blonde tel un poulain capricieux.

— J'aurais peut-être dû faire ma demande à Martha.

— Tu sais ce qu'on dit sur ce qu'on a perdu ?

— La même chose que pour l'herbe plus verte ?

— À peu près.

— Tu dors chez Martha ?

— Juste ce soir. J'ai pris un hôtel à Manhattan.

— J'aurais dû demander à Martha. J'étais dans le centre hier soir. On aurait pu dîner ensemble, faire du tourisme.

— Ç'aurait pu être sympa.

— Tu as fait quelque chose de spécial ?

— Non. J'ai passé une soirée tranquille. (Matt Jarvis ? Qui est Matt Jarvis ?)

— À New York ?

— J'ai obéi aux instructions de Martha. Elle m'a interdit de prendre ma dose habituelle de drogue ou d'alcool.

— Je comprends, dit Glen qui ne saisit pas la plaisanterie.

— Je rigole, dit-elle en se souvenant que l'humour était plus le propre des Anglais que des Américains.

— Tu as fait la connaissance de Jack ?

Glen avait jugé bon de changer de sujet.

— Non, mais j'ai hâte. D'où le connais-tu ?

— C'est mon professeur de jujitsu. Je m'entraîne avec lui quand je suis là le week-end.

D'où les biceps avantageux.

— Et tu le connais depuis longtemps ?

— Depuis cinq ans. Mais ça ne fait pas longtemps que je sais pour lui et Martha... Je parie que Martha parle tout le temps de lui, dit Glen après s'être éclairci la gorge.

— Euh... oui.

Parler chiffons serait un meilleur sujet de conversation que le futur marié. Et que disent les gens sur lui ? « Oh, il est toujours en vie ? Incroyable. » Josie toussota comme à chaque fois qu'elle s'apprêtait à mentir.

— Elle n'arrête pas.

— Alors ils sont vraiment amoureux ?

Glen regarda Martha d'un air mélancolique.

(J'espère.)

— Le voilà en personne, dit Glen en souriant subitement.

Josie se retourna pour voir l'homme qui entrait dans l'église. Son visage se figea. Martha courut vers lui.

— Tu es en retard.

Il l'enlaça froidement.

— Du boulot à faire en urgence.

— Ce n'est pas grave. On peut commencer maintenant que tu es là. Embrasse-moi avant que je te présente ma cousine venue exprès de Grande-Bretagne.

Jack fit une moue désapprobatrice avant de l'embrasser, émettant un son proche du cheval qui gobe une pomme.

— Josie, je te présente Jack, s'exclama Martha avec fierté.

— Alors c'est vous la demoiselle d'honneur anglaise, dit Jack en lui serrant la main.

La sienne était moite, comme elle s'y attendait.

— C'est moi, répondit-elle en pilotage automatique.

Ce moment glacial s'étirait à l'infini. Glen souriait aimablement. Martha semblait pour une fois rayonner de bonheur et Jack lui tenait la main avec tout le charme d'un poisson mort. C'était un de ces instants où l'on est bien incapable de décrire ce qui se passe autour. Le toit aurait pu s'écrouler, l'organiste aurait pu s'adonner aux plaisirs de la chair avec les garçons de la chorale derrière la chaire et le vent du nord aurait pu pétrifier tout le monde sur place.

Elle les observa avec attention, sa belle cousine et son futur époux et, déglutissant malgré la boule qui gonflait dans sa gorge, elle se demanda si Martha avait complètement perdu la raison.

13

Damien prit place dans le séjour de Mme Bentham pour boire le thé dans une tasse en porcelaine. Il serrait avec précaution l'anse qui était beaucoup trop petite pour ses doigts, en avalant quelques gorgées de darjeeling au lait. Cette pièce semblait avoir été oubliée par le temps. Tout était soit fleuri, soit en porcelaine, soit en dentelles. Le contraste avec l'appartement de Josie, d'un genre Ikea minimaliste et qui se trouvait à l'étage, était saisissant. Il n'avait eu le droit d'y entrer qu'une seule fois. Dans le salon. Pas plus loin. C'était brut et chic, dénué de tout ce qui aurait pu rappeler leur vie commune. Aucune photo de leur mariage, même pas en souvenir du bon vieux temps. Il était sûrement resté coincé dans le fond d'une valise. Damien n'avait jamais vu la chambre de la femme qu'il avait aimée et il se demanda si l'homme-mystère l'avait visitée. Il avait toujours adoré l'odeur de leur chambre. Elle sentait Josie, son arôme doux, entêtant, la note fleurie de leur dessus-de-lit mêlée au parfum musqué du sommeil. La chambre de Melanie avait l'odeur d'un bordel, lourde des relents inimitables du sexe à l'état brut. Non pas que l'odeur de telle ou telle chambre compte. Damien s'était entendu dire, et même très clairement, de ne plus approcher de la porte de Josie. Et Josie pouvait être vraiment têtue quand elle le voulait.

Les bras des sièges de Mme Bentham étaient tous recouverts de protections confectionnées au crochet. Sur des étagères vitrées s'étalaient des verres décorés, des théières et des bouquets en verre. Le chauffage à gaz épuisait les réserves de la mer du Nord à lui tout seul et Damien, habitué à vivre dans des bureaux climatisés, transpirait abondamment. Le-chat-anciennement-connu-sous-le-nom-de-Prince n'éprouvait pas la même gêne. Allongé sur le tapis à franges, il offrait son ventre blanc à la chaleur, dans une expression de transe extatique.

Mme Bentham passa ses mains frêles comme des oiseaux dans ses cheveux.

— Elle est partie hier. Je m'occupe de son bébé jusqu'à lundi matin, l'informa la voisine de Josie en buvant son thé.

Le-chat-anciennement-connu-sous-le-nom-de-Prince posa sur Damien un œil approbateur. Si seulement il avait été lui-même doté d'une intuition féline au moment de prendre la fuite vers l'adorable Melanie, se dit Damien. Une fois leurs ébats passés en dessous du niveau olympique, il ne restait plus grand-chose. Bien que possédant une incroyable collection de lingerie en caoutchouc, Melanie n'avait pas l'intelligence de Josie, ni son intégrité, ni ses talents culinaires, ni sa capacité à gagner de l'argent.

— Elle m'a dit qu'elle partait en vacances mais ça m'était complètement sorti de la tête, dit Damien en se moquant de son oubli.

Mme Bentham rit de son étourderie. Il leva les yeux au ciel pour renforcer l'idée qu'il se trouvait vraiment stupide. Sa solidarité était touchante. Il suffisait de la regarder pour comprendre qu'elle était à un âge où il lui fallait noter de ne pas oublier de prendre son petit déjeuner tous les matins.

— J'ai même oublié où elle est partie.

— Comme vous êtes bête. Elle est au mariage de Martha, le gronda Mme Bentham.

C'était si facile ! Il savait bien que regarder tous les épisodes de *New York Police Judiciaire* lui servirait un jour. Il suffisait d'user de son charme en interrogeant la vieille voisine toquée pour qu'elle crache le morceau avec candeur. Damien s'enfonça dans le canapé en velours en s'autorisant un petit sourire satisfait.

— Le mariage de Martha.

Le-chat-anciennement-connu-sous-le-nom-de-Prince posa sur Mme Bentham un regard criant « au traître » et sur Damien un autre signifiant « tu as de la chance mon salaud ! ». Damien regarda le chat. (Tu vas finir en boîte parmi des miettes de poisson si j'arrive à mes fins. Et tu peux dire adieu aux nuits sur le lit. Tu m'as assez griffé comme ça. Je vais bientôt regagner la première place dans le cœur de Josephine Flynn. Toi et l'homme-mystère pouvez vous préparer à disparaître ! Méfie-toi. Fais très attention !)

Le-chat-anciennement-connu-sous-le-nom-de-Prince n'eut pas l'air de s'inquiéter. Il retomba dans son état léthargique, un sourire flottant sur la bouche. Damien termina son darjeeling, résistant à l'envie de frétiller.

— Bon, je vais vous laisser, dit-il.

— Voulez-vous laisser un message à Josie ?

— Non, je la verrai bientôt.

— Ne partez pas tout de suite. Prenez une part de gâteau aux noix. C'est moi qui l'ai fait. Il n'y a pas d'urgence, s'écria Mme Bentham.

— Il faut que j'y aille.

Damien se leva en ôtant les poils de chat de son pantalon bleu marine. Il posa sur l'animal un regard lourd de haine. Il baisa la main de Mme Bentham qui gloussa comme une jeune fille.

— Ça m'a fait tellement plaisir de vous rencontrer. (Ça ne m'a surtout pas servi à rien.)

— Restez encore un peu.

— J'aimerais beaucoup mais j'ai des choses à faire, assura Damien.

Attraper un avion pour New York étant l'une de ces choses.

Mme Bentham se leva à son retour en rajustant les plis de sa jupe. Elle le raccompagna jusqu'à la porte.

— Josie m'a dit qu'elle allait divorcer. Mais je n'imaginais pas du tout son ex-mari comme ça. Vous êtes très gentil, dit-elle en baissant la voix.

Damien redressa sa cravate en lui souriant glorieusement.

— C'est très étrange. Josie m'a dit qu'elle avait épousé le dernier des cons.

14

Quand on se réconcilie avec la vie et qu'on décide d'être bienveillant avec tous les humains, le problème surgit au moment où l'on tente d'inclure Holly Brinkman dans cette démarche, conclut Matt. Ce qui expliquait sa présence dans une boîte minable, la sueur d'un millier de corps investissant ses narines. Il s'accrochait à son verre d'un aspect douteux en écoutant une musique aussi poétique que vingt perceuses synchronisées.

Des effets psychédéliques tourbillonnaient sur les miroirs recouvrant les murs et le plafond. La dernière fois qu'il avait eu autant mal au cœur, Matt avait neuf ans et il se trouvait dans un palais des miroirs avec sa classe. Holly poussait des cris aigus au sujet d'un truc à faire dont il n'avait aucune idée, vaporisant l'intérieur de son oreille de mousse de bière qui sortait de sa bouteille criminellement chère. Il se demanda s'il n'y aurait pas un poste tranquille à prendre à Radio Two. Jouaient-ils des morceaux des Beatles ? Est-ce que quelqu'un les passait encore sur les ondes ?

Si seulement il avait perdu le numéro de portable de Holly au lieu du papier qui l'avait relié à Josie Flynn, il ne se retrouverait pas là. Mais il faisait preuve de méchanceté. Holly était jeune, elle faisait énormément d'efforts pour lui plaire, et elle avait très envie de s'amuser.

— Danse ?

— Quoi ?

Elle mit sa bouche dans son oreille.

— On danse ?

— Quoi ?

— On danse ? répéta-t-elle en se trémoussant devant lui.

Comment faire ? Il avait toujours eu deux pieds gauches, n'approchant la gloire que lors de la dernière vague punk. Après tout, n'importe quel idiot était capable de sauter sur place. Il suffisait de ne pas retomber sur son voisin. À coup sûr, celui-ci arborerait une coupe à la Mohawk et un anneau dans le nez, et il lui filerait un bon coup de pied malgré le pantalon d'esclave *bondage* qui lui maintiendrait les genoux attachés. Danser. Matt avait toujours détesté cette étape dans une relation. Vous pouviez passer des semaines à donner l'impression d'être aussi relax que Monsieur Cool en personne. Vous pouviez les emmener dans les meilleurs restaurants et vous entendre à merveille. Arrivait toujours ce petit moment où tout peut déraper à l'instant où elle découvre que votre façon de danser reproduit globalement une attaque épileptique. Une fois qu'il serait sur la piste, à bouger avec toute la grâce d'une marionnette détraquée, Holly allait-elle sentir leur différence d'âge ?

— D'accord, dit Matt avec un manque de conviction qui aurait dû suffire à lui faire comprendre que danser n'était pas son truc.

Même s'il n'avait pas envie d'emballer Holly avec ses talents travoltesques, il n'avait pas non plus envie de passer pour un nul. Cependant, il vit là l'occasion d'abandonner son cocktail multicolore.

Holly lui prit la main pour le guider jusqu'à la piste de danse qui était surpeuplée au point de rendre tout mouvement impossible. La musique ralentit pour passer à un rythme assez vague. Matt se secoua un peu devant Holly qui levait les bras au ciel en se trémoussant contre lui. Cette expérience n'était pas complètement désagréable.

— Tu bouges drôlement bien, dit-elle en couvrant le bruit.

— Merci. Tu ne bouges pas mal non plus, cria-t-il en réponse.

(Très élégant, Matt. Tu as trouvé cette réplique dans « Les mauvais garçons », le guide du dragueur ?)

Ça faisait longtemps qu'une fille ne s'était pas frottée contre lui sur une piste de danse, ni dans un autre contexte d'ailleurs. Il en était à acheter les préservatifs par boîte de trois pour les jeter des mois plus tard, toujours emballés, de peur que le caoutchouc fût périmé. Il n'avait pas envie de mal se protéger à cause d'une petite altération. Tous ces frottements semblaient avoir un effet oublié depuis longtemps. Était-ce dû à l'enchaînement de chansons d'amour ou à la hausse de son taux hormonal depuis sa rencontre avec Josie ? Matt n'en savait rien mais il décida de se frotter aussi. Quel mal y avait-il à cela ?

Demain, son interview des Headstrong pourrait se terminer avant d'avoir le temps de dire « Star d'un soir », et il partirait pour l'Azekal's Manhattan Motel. Il forcerait les portes du mariage de Martha pour faire la paix avec la demoiselle d'honneur la mieux habillée de tout l'Ouest. Ou de l'Est.

Le tempo ralentit de nouveau et les chansons se firent positivement mélodieuses. Encore quelques minutes et ils finiraient par jouer Headstrong. Une nouvelle vague de danseurs envahit la piste, le poussant contre Holly. Loin de chercher à se dégager, elle passa ses bras autour de sa taille. Que pouvait-il faire ? Il était collé à elle, sans pouvoir bouger. Il appuya ses mains contre son dos qui était nu sous son haut particulièrement minuscule. Sa peau était chaude et moite tout comme sa lèvre supérieure. Holly posa sa tête sur son épaule. Il sentit sa gorge se serrer. (Et maintenant, Matt, que vas-tu faire ?)

15

Imaginez l'un de ces chiens avec des milliers de plis et une peau trop grande pour lui. Vous voyez la race en question ? Le shar-pei. Rigolo d'une façon très laide. Imaginez-le avec un pull multicolore tricoté à la main et qui descend sur ses pattes potelées. Ajoutez une longue tresse à la chinoise lui tombant dans le dos.

C'était exactement à ça que le prétendant de Martha ressemblait et Josie ne parvenait pas à fermer la bouche depuis son arrivée. La belle et fine Martha aux jambes longues allait épouser un homme qui ferait passer Dany De Vito pour Monsieur Univers. Le fait qu'il avait presque l'âge du père de sa cousine expliquait aussi la position ouverte de la bouche de Josie.

Elles étaient de retour chez Martha. La maison débordait de traiteurs, de vieux bonshommes, et de cousins siciliens venus exprès pour le mariage. La répétition s'était déroulée comme prévu et le dîner battait son plein, offrant une chance aux familles qui ne se connaissaient pas de s'évaluer.

Trois frères se chamaillaient sur l'authenticité des lasagnes, une fille gracile à la peau blanche se faisait les ongles à côté de la salade de pâtes, et des adolescents de Palerme (aux cheveux plaqués en arrière) apprenaient à un vieil oncle (qui s'aventurait en dehors de son village natal pour la première fois de sa vie) des phrases utiles en anglais. À côté d'eux, des petites filles se roulaient par terre en se tirant les cheveux, tout en essayant de mettre une Barbie en pièces. Josie y vit un bon signe. Si elles parvenaient à régler leurs histoires ce soir, elles avaient une chance de bien se tenir demain.

La maison avait été fleurie pour le thème du mariage. Des cadeaux envahissaient chaque recoin de la demeure hormis les paquets du British Home Store qui n'avaient pas encore été ajoutés. Les gens passaient d'une pièce à l'autre, tenant des assiettes chargées de canapés, de cannellonis et de melon.

Martha et Jack se trouvaient chacun à un bout du salon. Le bras de sa cousine était tenu par sa future belle-mère. Elles parlaient avec son père et la tension était sensible. Pendant la répétition, Joe, le père de Martha, s'était opposé à tout : au prêtre, à la musique, aux dépenses engagées. Il semblait être en pleine rediffusion.

Le vieil oncle s'approcha de Josie, un sourire chaleureux dessiné sur ses lèvres blanches.

— Bonejourrrrrr, qui êtes-vous aujourd'hui ?

— Josie. La cousine de Martha. La demoiselle d'honneur anglaise, dit-elle.

Mettant sa main sur son cœur, il se pencha pour la saluer.

— J'ai été oncle Nunzio.

— Enchantée.

Il lui envoya un baiser.

— *Bella, bella.* Après un bon coup vous vous sentirez bien mieux.

— Merci. Je tâcherai de m'en souvenir, répondit-elle.

Les garçons rigolaient dans le coin de la pièce, cachant leur livre de phrases utiles derrière leur dos. Très drôle. Josie leur adressa sa tête d'enseignante. Même si elle devait admettre que l'oncle Nunzio n'avait pas tort.

Glen s'approcha d'elle, une bouteille de vin à la main.

— On dirait que ton verre est vide.

(On dirait que j'ai besoin d'un tonneau entier. Josie lui tendit son verre.)

— Merci.

— J'ai l'impression que la répétition s'est bien passée.

— Mmm. Moi aussi.

— C'est bien qu'on nous ait mis ensemble. Ça veut dire que je vais pouvoir m'occuper de toi toute la journée.

Si les garçons jouaient des cils, il serait en train de faire battre les siens. C'était extrêmement agréable. Une parfaite panacée pour oublier Matt Jarvis.

— Il y a un homme dans ta vie en ce moment ?

— Non. Et il n'y a pas beaucoup de vie dans les hommes que je connais, dit Josie en soupirant.

Glen lui offrit son sourire de gentil garçon cent pour cent américain.

— Ça peut changer. Il se pourrait que tu vives du mauvais côté de l'Océan.

Du coin de l'œil, elle pouvait voir Jack s'arracher à l'emprise des cousins siciliens pour venir dans sa direction. Sa tresse chinoise était ramenée sur son épaule.

— C'est possible.

— Salut. On n'a pas encore eu l'occasion de discuter. Martha m'a tellement parlé de toi, dit Jack en lui serrant de nouveau la main.

— Vraiment ? Je ne sais pas si je dois être flattée ou m'inquiéter.

Pourquoi parlait-elle comme Mary Poppins ?

— Vous vous connaissez bien, n'est-ce pas ?

— Nos mères étaient sœurs jumelles.

— Sympa.

Les hommes approchant de la cinquantaine ont-ils le droit de dire « sympa » ? À Camden, personne de plus de quinze ans ne peut prononcer ce mot sans porter atteinte à son image.

— Veuillez m'excuser.

Glen la regarda bizarrement avant de disparaître dans la foule des mangeurs de lasagnes sans qu'elle puisse protester. Elle se tourna vers Jack avec consternation. Le visage terreux, il avait les sourcils de Groucho Marx et un bout de quelque chose était collé à l'angle de sa moustache.

— J'imagine que tu es contente que quelqu'un prenne enfin Martha en main.

Josie sentit sa nuque se raidir, exactement comme Le-chat-anciennement-connu-sous-le-nom-de-Prince quand il était tombé sur le rottweiler du voisin, Gérald.

— Je ne crois pas que Martha ait besoin d'être prise en main, dit Josie en connaissance de cause.

— Je pense que c'est la raison pour laquelle l'univers nous a réunis.

— Ah, je vois. Où vous êtes-vous rencontrés ? demanda Josie en avalant une gorgée de vin.

— Au Wal-Mart[1].

— L'univers a un certain sens de l'humour.

— Pardon ?

---

1. C'est un peu le Leader Price américain, c'est-à-dire puissance mille. Romantique, non ?

— C'est sûrement la seule fois que Martha est allée faire ses courses au Wal-Mart. Votre rencontre n'est qu'un caprice du destin.

— Je pense avoir été conduit vers Martha pour lui apprendre comment vivre sa vie.

— Vraiment ? (Où est passé Glen et sa fichue bouteille ?) Je crois que Martha se débrouille très bien. J'espère simplement que tu as assez d'argent pour financer une petite révolution en Amérique du Sud. Ça devrait suffire à rendre Martha follement heureuse.

— Je pense qu'elle renoncera à la dépendance matérielle après notre mariage.

Josie s'efforça de ne pas rire car Jack avait l'air très sérieux.

— J'espère que tu as raison. Je pense que ce n'est pas le moment de te raconter l'histoire du roi Canute qui voulut faire reculer les flots de la marée.

— Tu peux ricaner, Josie, mais, au fond d'elle, Martha est une personne profondément spirituelle et cet aspect de sa personnalité ne demande qu'à s'exprimer.

(Et au fond de moi il y a une meurtrière qui ne demande qu'à t'étrangler !)

— Je veux que Martha devienne végétalienne après notre mariage, pour purifier son corps afin de le préparer à porter mon enfant.

— Comme c'est romantique, dit Josie en regardant

Martha qui s'emparait d'un travers de porc bien gras sur le plateau passant devant elle.

— C'est pour son bien.

Se rendait-il compte que cette fille avait été élevée au McDonald's, Kentucky Fried Chicken et Dunkin' Donuts ?

— Bonne chance.

— J'espère que tu es sincère, Josie. J'ai l'intention de prendre soin d'elle.

— Moi aussi, j'espère que tu es sincère, Jack.

Ils sondèrent du regard la cohue des amis qui leur voulaient du bien. Hélas pour Josie, il n'y avait personne à proximité d'elle qui ait besoin d'aide, ni qui puisse lui venir en aide.

— Tu veux un verre ?

Il lui sourit d'un air supérieur.

— Je n'empoisonne pas mon corps avec de l'alcool.

(Quel dommage que tu ne l'empoisonnes pas avec de la strychnine.)

— Martha a dû te dire que je baigne dans les arts mystiques de l'Orient.

(Martha ne m'a jamais rien dit sur toi et maintenant je sais pourquoi !)

— Jack, je suis sur le point de m'abandonner à l'art moins mystique de l'ivresse. Ça ne te dérange pas trop ?

Son visage était criant de désapprobation.

— Vas-y, c'est ta vie.

Ce que Josie prit comme « j'espère que ton foie tombera en miettes pendant ton discours ».

— Merci bien.

— Josie, je comprends ton inquiétude, en particulier après ton échec sentimental, mais je te supplie de ne pas t'en faire pour Martha. Je l'aime.

À l'autre bout de la pièce, sa cousine regarda vers elle en souriant de toutes ses dents. Elle articula « à l'aide ». Josie décida de lui répondre. C'était ça ou rester là à enfoncer des pains à l'ail dans le nez de ce connard arrogant.

— J'espère la conduire à l'éveil suprême.

Elle termina son verre de vin en fixant son regard sur celui qui se tenait à côté d'elle.

— Moi aussi, Jack. Moi aussi.

Josie se faufila dans la foule d'invités, attrapant un autre verre de vin au passage. Où Martha avait-elle la tête ? Même si la beauté vient de l'intérieur, sous sa vieille peau taillée à la serpe se cachait un homme qui se pensait plus saint que Mère Teresa. Prenons Glen, par exemple. Il n'avait absolument rien de miteux. Charmant, brillant et *a priori* hétérosexuel. Pourquoi est-ce que ça s'était mal passé ? Martha avait quitté tellement d'hommes qu'elle avait du mal à se rappeler pourquoi Glen n'avait pas tenu la route. Lequel des deux avait plaqué l'autre ?

L'idée qu'il prenne soin d'elle demain lui plaisait bien. Il fallait agir tant qu'elle bénéficiait de sa position de demoiselle d'honneur. Elle allait libérer Martha de son père et de ses interdictions, puis elle irait poser ses marques sur Glen avant qu'une autre s'en charge. Elle en avait marre d'être la vierge incarnée. Grâce à sa robe lilas, elle allait se transformer en diva ardente et s'attraper un homme. Imaginez un peu ce que Matt Jarvis en penserait !

16

olly Brinkman était inépuisable. Elle avait tout de quelqu'un qui a pris, en plus de toutes sortes de drogue, plein de vitamines. Il faudrait lui empêcher l'accès à l'un ou aux deux de ces produits. Il se faisait tard, très tard, et elle était toujours en train de bondir dans tous les sens. Son rouge à lèvres dégoulinait et son mascara formait des cercles à la Alice Cooper autour de ses yeux.

L'ambiance de la boîte se rapprochait de celle des bas-fonds. Les nuages de fumées illicite et licite tournoyaient devant les stroboscopes. Les gens et la musique étaient de plus en plus scabreux. Ce n'avait jamais été le genre de Matt, sauf quand il se retrouvait là par un hasard professionnel. Son ex-femme avait peut-être raison, il n'était qu'un vieux schnoque sans joie. Holly fit un brusque mouvement vers Matt et sa bouche manqua la sienne.

— Allez, miss la bougeotte, je crois que nous devrions aller au lit, dit Matt.

Holly chancela.

— Est-ce que tous les Anglais sont aussi effrontés ?

— C'était un nous général. Je voulais dire que tu devrais aller au lit. Seule.

Holly tangua un peu plus.

— Est-ce que tous les Anglais sont aussi rabat-joie ?

— Tu as besoin d'un bon café. Un double. Noir.

— Je ne prends jamais de caféine.

Ce n'est pas plus mal, se dit Matt.

— Viens chez moi.

— Je ne pense pas que ce soit une bonne idée.

— Et moi je crois que si.

— Je crois que nos relations devraient rester exclusivement professionnelles.

— On ne se reverra sûrement jamais après ce week-end. On ne peut pas s'amuser un peu tant que tu es là ?

— J'ai toujours trouvé que ces petits amusements ne mènent qu'à de grandes complications.

Aurait-il dit la même chose s'il n'avait pas rencontré Josie ? Pourquoi éprouvait-il le besoin d'être fidèle à quelqu'un qu'il avait planté dès le premier rendez-vous, qui serait sûrement le dernier ? Peut-être la flèche de Cupidon n'avait-elle pas seulement transpercé son cœur, mais était-elle aussi passée par l'un de ses testicules ? Matt regarda l'heure.

— Allons prendre un petit déjeuner. Partager des toasts à la cannelle peut être aussi amusant que de coucher avec un inconnu.

Holly ne semblait pas convaincue.

— Fais-moi confiance.

— C'est vrai que j'ai faim, admit-elle.

Elle avait plutôt l'air d'être sur le point de vomir majestueusement. Il pria pour que cela n'arrive pas, afin qu'il ne soit pas tenté de l'imiter.

— Tu n'as pas l'air en forme.

— Il ne fallait pas parler de manger. Je n'ai rien avalé de la journée.

Ah, génial ! Matt prit le visage de Holly entre ses mains.

— Si je te promets de te trouver quelque chose à avaler, me promets-tu de tout garder dans ton estomac et de ne pas reproduire une toile de Jackson Pollock sur mon pantalon ?

Holly rigola, ce qu'il prit pour un oui.

— Suis-moi.

— Je connais un endroit sympa, répondit-elle.

Matt la guida dans la foule, sachant qu'il finirait par regretter son geste.

La ville qui ne dort jamais lui parut plutôt assoupie. Hormis les quelques clients du *diner* choisi par Holly, tout était désert. Ce qui était regrettable, car les *pancakes* et le sirop d'érable dont il se délectait le rendaient heureux. À moins que son sentiment ne vienne de la compilation des Beatles en musique de fond. « All you need is love », « You're going to lose that girl » et « I saw her standing there » ajoutaient une touche nostalgique pleine de charme et un soupçon d'ironie à l'ambiance, dans l'indifférence générale.

À travers la fenêtre, l'aube semblait grise et glacée. Le ciel dégagé de la nuit avait aiguisé les dents de l'air, affligeant les clochards qui erraient sans joie. Leurs corps en souffrance étaient recouverts de tous leurs vêtements, les faisant ressembler à l'épouvantail du *Magicien d'Oz*. En dehors de ces pauvres malheureux, il y avait peu de signes de vie. Quelques taxis traînaient et les nettoyeurs des rues se mobilisaient, mais c'était à peu près tout.

Holly avalait ses œufs brouillés et son bacon croustillant avec une vigueur telle que personne n'aurait osé approcher de son assiette. Pour quelqu'un qui avait l'air tellement frêle, à tomber au premier coup de vent, elle avait plutôt bon appétit. Des boucles indisciplinées envahissaient son petit visage marécageux. Matt se demanda si sa consommation de drogue était aussi incontrôlable que ses cheveux. Il voyait Holly reprendre vie. Ses joues se coloraient de nouveau et elle n'avait plus l'air d'une candidate au vomissement, ce qui représentait un soulagement considérable. Matt essaya de deviner son âge. Vingt-trois ans, vingt-quatre ans ? Peut-être un peu plus. C'était difficile à définir de nos jours. Sa nièce de treize ans avait parfois l'air d'en avoir vingt-huit. Peut-être était-ce pour cette raison qu'en face de Holly il se sentait plus protecteur que prédateur. Qui sait ? Il espérait que tout ne venait pas du SJF, le Syndrome Josie Flynn. Il espérait ne pas passer sa vie à comparer toutes les femmes à Josie. Comment supporter l'idée impensable d'avoir trouvé l'âme sœur et de l'avoir perdue la seconde d'après par le fait d'une négligence absurde ?

— Je t'offre un penny pour que tu me dises à quoi tu penses, dit Holly en croquant une tranche de bacon.

Elle était mignonne avec son ketchup sur le menton. Matt l'essuya à l'aide d'une serviette en papier.

— Ne gâche pas ton argent. Je ne pensais à rien de précis, dit-il.

— Tu fronçais les sourcils.

— Je réfléchissais au sens de la vie.

— Waouh. Je croyais que c'était moi la droguée, dit Holly.

— Ça me fait toujours cet effet quand je prends trop de sirop d'érable, dit Matt.

— Tu ne m'as pas l'air à ta place dans le monde de la musique.

— Avant, je crois que je l'étais.

— Je croyais que Londres était la scène du hip-hop.

— Elle l'est. Peut-être ai-je vu la même chose se reproduire trop souvent. Des mouvements naître et mourir.

— Ça fait combien de temps que tu es dans le rock ?

Matt but un peu de son thé chaud et sucré.

— Plusieurs vies. C'est l'impression que ça me donne parfois.

— Je peux te poser une question ?

Matt fit oui.

— Que penses-tu des Headstrong. Sincèrement ?

— En toute franchise ? dit Matt en terminant son *pancake*.

— J'aimerais vraiment connaître ton opinion.

Il reposa ses couverts et s'appuya contre le dossier en écoutant la voix de John Lennon qui sortait des enceintes au-dessus de sa tête. Matt joignit ses mains devant lui.

— Je les ai trouvés très mauvais.

— Mauvais comment ?

— Extrêmement mauvais.

— Pire que... ?

Matt avala son morceau de *pancake* en jouant avec sa fourchette. Il avait survécu à Bay City Rollers, aux Wombles, aux Nolan Sisters et à des voix de hamsters hurlants. Comparés aux Headstrong, ils étaient tous très, très mauvais, mais à leur façon.

— Pire que... que Marie Osmond qui chante « Paper Roses ».

— À ce point-là ?

— J'en ai peur.

— Oh !

Holly mangea un autre morceau de bacon avec les doigts.

— Tu sais quoi ?

Matt attendit.

— Je suis de ton avis.

Un sourire se dessina sur son visage. Elle baissa les yeux en riant. Matt se joint de bon cœur à elle, couvrant John Lennon. Leurs rires éloignèrent l'attention des rares clients de leur petit déjeuner.

— Tu vas quand même leur écrire un bon article.

— Je pourrais me laisser convaincre.

— Ils sont sympas quand ils n'essaient pas de tout contrôler. Mais leur musique est merdique, dit-elle.

— Ça ne doit pas te simplifier la tâche ?

— Je suis une très bonne menteuse.

— D'ailleurs, tu m'as bien eu.

Le visage de Holly se fit grave.

— Je ne te prends pas pour quelqu'un de facile à avoir, Matt.

— Je suis un mauvais joueur, Holly.

— Tu ne sais même pas quels jeux j'ai en tête.

— Il est tard. Ou tôt ? dit-il doucement.

Matt alla chercher l'addition. Holly la lui arracha des mains.

— C'est pour moi. Ça passera en note de frais.

— Merci.

— Tu avais raison. Ce petit déjeuner était amusant, mais peut-être pas autant qu'une aventure d'une nuit sans engagement.

— Ça n'existe pas.

Holly enfila sa veste.

— J'habite à côté.

— Je t'attrape un taxi.

— On peut marcher. Prendre l'air nous fera du bien. Et tu pourrais passer ton bras autour de mes épaules. On ne sait jamais, ça pourrait te plaire.

Elle le défia du regard.

— Holly Brinkman n'abandonne donc jamais ?

Elle se leva en lui prenant la main.

— Seulement quand j'ai ce que je veux.

17

Le programme des préparatifs de mariage était abandonné. Temporairement. L'idée d'aller se coucher à vingt-deux heures pour bénéficier d'un sommeil réparateur était oubliée depuis longtemps. Les invités étaient partis et même les autres demoiselles d'honneur avaient disparu peu après minuit. Mais Martha n'avait apparemment aucune envie d'aller se coucher.

Martha et Josie étaient assises sur le rebord d'une fenêtre, les jambes pendantes sur le toit en tuiles. Les divers auvents de la maison se fondaient dans l'obscurité. Les étoiles brillaient dans la froideur de la nuit et l'aube ne tarderait pas à les faire disparaître. Martha avait trouvé des pyjamas en lainage, des chaussettes épaisses et des couvertures dans lesquelles s'enrouler,

Josie et elle. Sa cousine tira sur le joint qu'elles partageaient.

— Je n'avais pas fait ça depuis mes dix-sept ans, dit-elle.

Josie le lui prit des mains tandis qu'elle recrachait un nuage de fumée mélancolique par le nez.

— Moi non plus.

— Les drogues ne sont plus à la mode. Pas plus que l'alcool et les aventures d'une nuit. Tous les plaisirs de la vie ont été progressivement sapés, tu ne trouves pas ? demanda Martha.

— Ils ne vont pas tarder à nous apprendre que regarder la télé donne le cancer des yeux, et que nous restera-t-il ?

Elles rigolèrent en chœur.

— Je suis tellement contente que tu sois là, ma Jo, dit Martha en lui serrant la main.

— Moi aussi.

— Sans Jeannie, ça a été l'enfer. Elle était une mère merveilleuse, dit Martha les yeux brillants sur le ciel étoilé.

— Vous vous bagarriez comme chien et chat.

— C'est marrant comme ça n'a plus d'importance quand c'est trop tard.

— Elle va te manquer demain.

Martha fit oui.

— Après l'église, Jack et moi passerons la voir. Juste quelques minutes. Je lui laisserai mon bouquet.

— C'est une jolie idée.

Les yeux en l'air, Martha montra une constellation du bout du joint.

— C'est marrant comme les choses ont tourné. Là, c'est Orion. Le beau chasseur. J'ai toujours cru que, quelque part, mon héros la regardait aussi, qu'un jour il apparaîtrait et que nous saurions que nous étions connectés et faits pour être ensemble. C'est romantique, hein ? dit Martha en riant aussi légèrement que quelqu'un de défoncé.

— As-tu trouvé ton héros ?

— J'ai cru que je l'avais trouvé une fois. Il n'en était pas loin. Peut-être que nous nous sommes rencontrés au mauvais moment.

— Ils sont rares. Tu aurais dû t'accrocher.

— Tu prêches une convertie. Je croyais que le monde était plein de gentils garçons. Qu'il n'y avait qu'à choisir. En vieillissant, je réalise que les meilleurs sont déjà pris et que je n'ai plus qu'à me satisfaire des restes.

— Que s'est-il passé entre toi et Glen ?

Martha émit un grognement.

— Pourquoi me poses-tu cette question sur Glen ?

— Simple curiosité.

Martha haussa les sourcils.

— Bon, d'accord. C'est plus que de la curiosité. J'ai été surprise de le voir là.

— Tu t'intéresses à lui ?

— Peut-être.

— Il est mignon.

— J'ai remarqué.

— Il pense la même chose de toi.

— Encore mieux.

Martha appuya sa tête contre le chambranle de la fenêtre.

— J'ai cru qu'il était l'homme de ma vie. Pendant les années lycée, on était tout le temps ensemble. Il était tout ce dont je rêvais. Je l'adorais. Et je croyais qu'il m'adorait.

Elle observa les ronds de fumée qui dansaient dans le vide.

— Et... ?

— Et. Après le bac, alors que nous avions toute la vie devant nous, je suis tombée enceinte, dit-elle en faisant une grimace.

— Merde.

— Je n'en ai jamais parlé à personne. Ni à toi. Ni même à Jeannie. À personne. Sauf à Glen. Et il est devenu fou. Il a dit qu'il ne pouvait pas accepter de telles responsabilités. Il croyait que ça ruinerait nos vies. On venait de lui proposer un poste en Europe et il avait envie de l'accepter. En résumé, il ne voulait pas du bébé et il ne voulait pas de moi, dit-elle les genoux repliés sous le menton.

Josie respira à fond.

— Merde.

— J'ai avorté. Glen a généreusement payé l'opération. Ensuite, il est parti travailler en Europe et je ne l'avais jamais revu.

— Ordure.

— Il m'a écrit tous les ans jusqu'à il y a deux ans. À chaque fois, il disait qu'il regrettait ce qu'il avait fait, qu'il m'aimait toujours et qu'il ferait n'importe quoi pour arranger les choses.

Martha tira une dernière fois sur ce qui restait du joint avant de jeter le mégot par la fenêtre. Elle leva la tête vers les étoiles en soupirant lourdement.

— J'ai déchiré toutes ses lettres.

— Merde. Tu regrettes ?

En silence, elles considérèrent Orion.

— L'avortement ou la rupture avec Glen ?

Josie haussa les épaules.

— J'ai mal vécu les deux événements. Sur le moment, j'ai eu l'impression de prendre les bonnes décisions. Je ne peux plus rien y changer. Aujourd'hui, je ferais tout différemment.

— Ah, le vieux rêve. Revenir en arrière.

— Nous en souffrons tous, Josie.

— Je vois très bien ce que tu veux dire.

À quelle période aimerait-elle revenir ? Avant Damien ? Sûrement avant Matt Jarvis et son petit spectacle comique. Elle rembobinerait la conversation.

(— Voulez-vous qu'on dîne ensemble ce soir, Josie ?

— Non, dégage.) [*Sortie brusque, la tête haute.*]

Martha sourit et coupa court à ses pensées.

— Tu ne sais pas tout de moi, Josie Flynn.

D'ailleurs, elle avait de la chance de ne pas avoir dégringolé du toit sous l'effet du choc.

— On dirait bien. Et maintenant, il est le témoin de Jack ?

Sa cousine rit.

— C'est marrant, non ?

— Non ! Pas du tout, dit Josie.

— Jack et moi nous sommes fiancés un mois après notre rencontre.

— Au supermarché...

— On te l'a raconté ? C'est une longue histoire. Tu aurais du mal à y croire, dit Martha en se frottant le visage.

— Je crois que je suis prête à tout entendre maintenant.

— Jack m'a dit qu'il connaissait quelqu'un d'incroyable. Jack était un peu son maître à l'académie des arts martiaux. Ce « quelqu'un d'incroyable » avait eu des problèmes personnels et Jack l'aidait à s'en sortir. Et il se trouve que c'était Glen.

— Est-ce que Jack est au courant pour vous deux ?

— Il sait qu'on a eu une aventure. Il ne sait pas pour le bébé.

— Et ça leur a fait quoi ?

— Tu veux parler du fait de savoir tous les deux que je suce bien ? ricana Martha.

— Martha Rossani, tu dépasses les bornes ! Sois sérieuse un peu.

— Ça ne les dérange pas. En fait, je n'en ai pas vraiment parlé avec Glen. Je crois qu'il y a certaines choses qu'il vaut mieux taire, dit Martha en replaçant la couverture autour de ses épaules.

— Il a commis des erreurs, comme tous les autres, mais personne n'a égalé les bons moments que j'ai passés avec lui.

— Même pas ton futur époux ?

— J'ai passé les dix dernières années de ma vie à chercher quelqu'un qui puisse rivaliser avec Glen.

— Et Jack y parvient ?

— Jack est différent.

(Pas qu'un peu.)

Sa cousine se tourna vers elle pour la regarder avec malice.

— Alors ? Tu vas draguer Glen ?

— Pas après ce que tu viens de me dire.

— C'est quelqu'un de très sexuel et il a des fesses superbes, dit Martha.

— Je recherche un peu plus que ça chez un homme, répondit Josie avec dédain.

— Que peut-il y avoir d'autre ?

— Damien aussi avait des fesses superbes. Le problème est qu'il aimait bien en faire profiter d'autres filles.

— Tu penses toujours à lui ?

Josie se mordilla les ongles.

— De moins en moins.

— La meilleure façon d'oublier un homme est de le remplacer. Ce n'est pas « politiquement correct », hein ?

— Malgré tout, ce n'est pas faux.

— J'aime bien être avec quelqu'un. Je ne me sens pas entière sans un homme. C'est triste, non ?

— Plutôt, oui.

— Felicia me fait peur. Elle est tellement bien avec elle-même. Elle adore vivre seule. J'en suis incapable. Depuis que Jeannie est partie, j'ai l'impression d'être à la dérive. J'ai perdu mon ancre, Josie.

Peinée par cette dernière phrase, Martha se recroquevillait en silence. Puis elle croisa le regard de Josie et lança avec humour :

— Elle était trop lourde !

Josie rit.

— Prends ce garçon que tu as rencontré à New

York. Il te zappe après le premier rendez-vous, piétine ton amour-propre et passe à la suivante en te laissant te demander ce que tu as fait de mal. Pourquoi est-ce qu'on les laisse faire ça ?

— Question d'hormones. Elles sont la cause de tout, dit Josie.

— Je crois que Glen serait bien pour toi.

— J'ai tellement peur de tomber de nouveau amoureuse du mauvais.

— Tu penses beaucoup à ce mec que tu as rencontré, n'est-ce pas ?

Josie acquiesça.

— Plus que je ne veux l'admettre.

— Alors il se pourrait que tu sois déjà tombée sur le mauvais.

— Je ne peux plus me le permettre, Martha. Ma confiance en moi ne le supporterait pas.

— Alors prends du bon temps avec Glen. Il a changé, Josie. Jack dit que c'est un homme intègre. C'était il y a longtemps, les choses changent, les gens évoluent.

— Et tu crois tout ce que dit Jack ?

— Je respecte son opinion.

— Il en déborde.

— Je n'ai pas besoin de te demander ce que tu penses de Jack.

— Et je ne vais rien dire non plus.

— Inutile. Ça se voit rien qu'en te regardant.

Martha resserra sa couverture autour d'elle.

— Martha. Tu es la créature la plus extraordinaire de cette planète. En dehors de Catherine Zeta-Jones ou Douglas ou je ne sais pas comment elle se fait appeler à présent. Et il est... euh, peut-être une créature venue d'une autre planète.

— L'aspect physique n'est pas tout ce qui compte. C'est toi-même qui l'as dit.

— Ça compte quand on ressemble à Quasimodo après une nuit passée à picoler.

— C'est injuste.

— Il ressemble à un shar-pei.

— J'aime bien les chiens.

— Mais tu n'as pas envie d'en épouser un.

Martha soupira.

— Josie. J'ai eu des beaux mecs, des punks, des BCBG, des artistes. J'ai fait dans les nouveaux riches et les fils de riches. J'ai aussi fait dans les fauchés.

— Alors maintenant tu optes pour moche et arrogant.

— Aucun d'eux ne m'a rendue heureuse.

— Et Jack te rend heureuse ?

— Je l'ai rencontré la semaine de la mort de Jeannie. Il a été merveilleux. Il m'a soutenue, guidée et encouragée à ouvrir mon moi intérieur.

— Depuis quand était-il fermé ?

— Je me connais mieux et je suis plus consciente de mes émotions depuis que je connais Jack.

— Et c'est une raison suffisante pour l'épouser ?

— J'ai envie d'avoir un bébé, Josie. Il y a un trou de la forme d'un bébé dans ma vie. J'ai envie de pousser un landau. Je veux tout savoir des couches jetables. Je tiens absolument à devenir maman.

— Il s'agit plus de rajuster le passé que d'aimer Jack ?

— C'est une autre chose qui est arrivée depuis la mort de Jeannie. J'ai compris que rien d'autre ne comptait pour moi. Ni l'argent ni l'aspect physique. Ni de dîner dans des bons restaurants, ni de posséder le dernier sac à main à la mode. Je veux avoir un enfant avant qu'il soit trop tard et Jack aussi est prêt à franchir le pas.

— Il est prêt ? Martha, il flirte avec la soixantaine.

— Il a quarante-huit ans. Il ne croit pas aux effets des crèmes hydratantes, voilà tout.

— Si les arts martiaux font cet effet, je vais manger des Mars tous les jours.

— Je ne rajeunis pas, Josie. Et si tous mes œufs avaient muté à force de boire trop de sodas sans sucres ou je ne sais pas quoi ?

— Tu as trente-quatre ans. Il te reste plein de temps.

— On ne peut jamais en être vraiment sûre.

— Et si ses spermatozoïdes n'avaient plus la force de nager ? Imagine qu'ils ne puissent plus que barboter au bord ? Tu l'épouserais quand même ?

Martha fit une moue mécontente.

— Tu n'as pas besoin de te marier pour ça. On peut faire un bébé avec un pot de confiture et une seringue pour fourrer les dindes. Mais enfin tu fêtes toujours Thanksgiving, alors tu dois avoir tous les ustensiles nécessaires !

— Cette conversation est ridicule. Je veux que mon enfant naisse de l'amour.

— De l'amour ! C'est le mot clé, Martha.

— Il m'aime. Il m'adore. Il me chérit. C'est le premier et unique à m'avoir demandé ma main. Tous les autres ne voulaient que me prendre des choses.

— Mais est-ce que tu l'aimes, Martha ?

— Il est trop tard pour se poser ce type de question, Jo.

— Non, Martha. Si tu as le moindre doute, c'est exactement le moment de te la poser.

— T'est-il déjà arrivé de t'engager sur une route avec l'impression de ne plus pouvoir faire demi-tour ? N'as-tu jamais senti que tu étais guidée par ton destin, malgré tes craintes ?

— C'est un problème de destin ou de réservations de traiteurs ?

— J'ai besoin d'aller me pieuter.

— Martha, est-ce que tu l'aimes ?

— Josie, j'ai fait le bon choix. Il correspond à tous mes besoins.

— Est-ce que tu l'aimes ?

Martha regarda longuement Orion.

— Je l'aime. À présent, allons nous coucher, conclut-elle.

18

Oui !

Damien reposa le combiné en lançant son poing dans le vide. Il frotta ses mains l'une contre l'autre avant de s'applaudir de joie. Un billet pour New York en classe affaires sur Atlantic Airlines venait de lui coûter un bras et deux jambes, mais c'était le prix à payer. Partant à sept heures du matin précises, avec un niveau de confort extrême, le vol VA 100 le conduirait directement à l'aéroport John F. Kennedy et, peu après, dans les bras de Josephine Flynn. Il était prêt.

— Que fais-tu ?

Damien opéra une pirouette sur lui-même. Melanie se tenait à la porte de son bureau. Les démons de la nuit avaient laissé ses cheveux en pagaille et des mèches hirsutes dépassaient par endroits de manière peu séduisante. Mais en nuisette de soie, elle semblait toujours sûre d'elle-même. Damien soupira.

— Il est trois heures du matin. Tu viens te coucher ? avança-t-elle.

Son décolleté s'ouvrait sur le dessin plein de ses seins qui se soulevaient d'indignation. À la fois fermes et souples, ils étaient l'une des raisons pour lesquelles il était tombé amoureux d'elle. Damien soupira de plus belle. C'était un dur moment. Son sexe était dur !

— Non, je ne viens pas me coucher, dit-il.

Melanie jeta un œil sur le sac qu'il avait préparé en regardant *Coronation Street*, le soap-opéra préféré du Royaume-Uni. Natalie, la propriétaire des Rovers, avait une aventure avec un très jeune homme et toute la nation, dont Melanie, était fascinée.

— Que se passe-t-il ?

— Je n'en peux plus, dit Damien.

— De quoi ?

— De tout ça ! dit Damien en désignant la maison d'un geste vague.

Le teint naturellement hâlé de Melanie pâlit.

— Pourquoi ?

Damien se prit la tête entre les mains.

— Je n'en peux plus. Je crois que j'aime toujours Josie.

— Espèce de salaud !

Melanie tourna les talons avant de claquer la porte de la cuisine. Il grimaça en entendant les portes des placards grincer sur leurs gonds, la bouilloire buter contre le robinet et deux tasses cogner l'une contre l'autre. Il soupira comme jamais.

— Et merde, murmura-t-il en s'éloignant de son bureau de fortune tout en suivant les bruits domestiques surpuissants.

Melanie pleurait au-dessus du plan de travail. Son visage rouge et gonflé était déformé par la tristesse, ou la colère, ou les deux.

— Melanie...

— Est-ce qu'elle t'aime aussi ?

(Elle n'est pas facile, celle-là...)

— Oui.

— Vous avez continué à vous voir ?

— Non.

— Menteur !

— Je m'efforce d'être honnête, dit Damien en s'avançant pour l'enlacer.

— Damien, tu ne sais pas ce qu'est l'honnêteté.

— Je n'aime pas du tout ce que tu viens de dire !

— Et moi je n'aime pas du tout le fait que tu es entré dans ma vie pour tout foutre en l'air aujourd'hui, sans te préoccuper de mes enfants, simplement parce que tu penses que tu aimes toujours ton ex-femme !

— Elle est toujours ma femme.

— Damien, ça fait six mois que tu vis ici. Et tu m'as baisée sur ton bureau pendant six autres mois avant ça ! Tu n'es pas exactement un modèle de mari dévoué.

— Je savais que tu le prendrais mal.

Le visage de Melanie vira au noir comme le ciel un soir d'orage.

— Je le prends mal ? Je n'ai pas encore commencé à t'expliquer à quel point je le prends mal !

— Je veux que tu saches que ça me fait autant de mal qu'à toi.

— C'est faux, Damien. Rien ne te fait souffrir. C'est toi qui blesses les autres. Mais il y a quelque chose qui pourrait te donner une idée de ce que je ressens.

Melanie fit valser le pot de sucre à travers la pièce. Il cogna contre le mur au-dessus de la tête de Damien, se cassant en mille morceaux. Il reçut une douche de sucre en poudre.

— Melanie !

Damien se cacha derrière ses mains.

Elle fit suivre la même course aux deux tasses. L'une d'elle lui toucha la tête avant de s'écraser contre le chambranle de la porte.

— Tu vas finir par faire quelque chose que tu regretteras, avertit Damien.

— Non. C'est toi qui vas regretter, dit Melanie en ouvrant le placard.

L'air déterminé, elle s'empara d'une pile d'assiettes et s'accrocha à celle du dessus.

— Je veux être sûre que tu regrettes ce que tu me fais, Damien.

Elle visa sa tête avec l'assiette qu'elle lança comme un Frisbee. Le projectile siffla dans les airs avant de se briser contre le freezer garanti sans givre.

— Je vais tout faire pour que tu t'en veuilles jusqu'à la fin de tes jours !

19

— Je veux un genre putassier, affirma Josie.

— Béatrice. Naturelle, c'est très bien, corrigea Martha en massant ses longues mains avec de la crème parfumée à la vanille.

— Naturelle mais sublime à couper le souffle, comme une pute, précisa Josie.

— Vous ne voulez pas être plus belle que la mariée, quand même ? demanda Béatrice en lui apposant du blush.

— Bien sûr que si. Mais je pense que pour y arriver il me faudrait avoir recours à la chirurgie esthétique et aux hormones de croissance. Faites de votre mieux avec le fard à paupières, dit Josie.

Il était huit heures du matin et il faisait encore nuit. Les arbres recouverts de givre conféraient une touche magique au paysage. Avec quelques degrés en moins et de la neige, cette journée eût été idéale pour un mariage. Les invités prenaient un café dans la cuisine de Martha en se faisant coiffer et maquiller par l'esthéticienne Béatrice et son adorable assistante, Christina. Leur façon de manipuler le pinceau aurait fait passer Michel-Ange pour un amateur. Ce qui tombait bien, car les yeux de Josie étaient si rouges et si gonflés qu'elle semblait avoir pleuré en regardant cent fois de suite *Sur la route de Madison*.

Peu avant d'être allée se coucher à une heure indue, Martha lui avait appris qu'elle allait devoir ouvrir la procession jusqu'à l'autel, suivie par la mariée et sa traîne d'une longueur considérable. Josie était également chargée de lire un texte, d'ouvrir le bal et, pourquoi pas, de faire un *one woman show* pour divertir les invités pendant la réception. À l'inverse de ce qui se passe en Angleterre, les demoiselles d'honneur de mariages américains ne vont pas rôder derrière la maison en picolant en douce.

Josie regarda la rangée de robes lilas qui attendaient patiemment sur des cintres après avoir été minutieusement repassées.

— On n'aurait pas pu avoir des manches, Martha ?

— Arrête de geindre. Tu vas être splendide. Ce mariage va être torride ! Tu vas voir. Ce soir, tu vas être en nage !

Le photographe et son adorable assistante s'agitaient autour d'elles comme des abeilles dans une ruche, tout comme le *cameraman* et son moins adorable assistant. Josie n'était pas certaine de vouloir garder pour la postérité une image d'elle portant le pyjama de secours de Martha, à moitié maquillée, et avec des bigoudis sur la tête. Mais chaque instant allait être capturé.

— J'aime bien le photographe, dit-elle en se penchant entre leurs chaises.

— Il est homo. Celui qui tient le spot, c'est son copain. Que t'arrive-t-il, ma pauvre ? dit Martha en avalant sa potion d'algues avant que Béatrice lui applique son rouge à lèvres malgré tout le temps qu'il leur restait.

— Je crois que ma brève rencontre avec cette saleté de Matt Jarvis a provoqué une sorte de chaos hormonal en moi. L'oncle Nunzio m'a dit que j'avais besoin d'un bon coup.

— L'oncle Nunzio t'a dit ça ?

— À sa façon.

— Alors tu dois baiser. Il faut toujours obéir à l'oncle Nunzio.

— Vraiment ? Il a l'air d'un homme dont la prochaine cigarette pourrait bien être la dernière.

Martha regarda sa cousine en levant ses mains pour admirer ses ongles.

— Les apparences sont parfois trompeuses, Josephine. Tu devrais être la première à le savoir. L'oncle Nunzio est un vieux de la vieille. Il est le chef en titre de notre famille et il est très respecté dans son village. Personne n'ose contredire Nunzio Rossani.

— Mais qui suis-je pour remettre ses conseils en question ?

Elles éclatèrent de rire.

— Felicia. Peux-tu appeler le fleuriste pour vérifier que j'aurai un bouquet à lancer ? demanda Martha à une forme inerte en pyjama.

— Il est huit heures et demie, Martha.

Felicia continua à ingurgiter des *bagels* à la crème comme si sa vie en dépendait.

— Ils ont un répondeur. Je risque d'oublier. Et tu passerais à côté de la chance de ta vie.

Felicia se dirigea lentement vers le téléphone.

— Si mon bonheur dépend de ton fichu bouquet, je préfère m'ouvrir les veines tout de suite.

Les bigoudis furent ôtés avant l'attaque des fers à friser, suivie d'une pluie de coups de brosses et de vaporisations d'assez de laque pour venir à bout de la couche d'ozone. Felicia raccrocha avant de reprendre son petit déjeuner.

— Tu es désormais l'heureuse propriétaire d'un bouquet à jeter.

Le téléphone sonna et Felicia se releva pour répondre. Tenant le combiné à distance, elle se mit à crier.

— Tante Lavinia. Qui veut passer en premier ?

Martha chassa un nuage de laque de la main avant de prendre l'appareil.

— Bonjour Lavinia. Oui, nous y sommes presque. Oui, Josie se tient bien.

Josie grogna nerveusement tandis que Martha se retenait de rire.

— Oui, je porte quelque chose de vieux, de neuf, d'emprunté et de bleu. Oui, j'aurais aimé que tu sois là. Oui, papa va très bien. Oui, maman me manque aussi. Oui, je sais que tu penses à moi. Il faut que je te laisse à présent, Lavinia, et merci d'avoir appelé. On se rappelle bientôt. Je te passe Jo.

Josie prit l'appareil.

— Oui, je suis bien arrivée. Oui, je me tiens bien. Oui, je vais continuer à bien me tenir. Oui, elle est très belle. Oui, j'embrasse tout le monde pour toi. Oui, moi aussi j'aimerais que tu sois là. De quoi ?

Josie s'arrêta un instant.

— Non, je n'ai pas l'intention de me remettre avec Damien. Qu'est-ce qui a pu te faire croire ça ? Oui je suis sûre qu'on va passer une bonne journée. Maman, Pourquoi m'as-tu posé cette question sur Damien ? Maman... maman...

Josie regarda le combiné en fronçant les sourcils.

— Elle a raccroché avant le lancement du programme de fin. C'est une première. Ma mère m'a demandé si je songeais à me remettre avec Damien, reprit Josie en se rapprochant de Martha.

— J'ai entendu.

— Nous sommes en plein divorce. D'où lui vient cette idée ?

— Ta mère est bizarre quelquefois.

— Pas qu'un peu.

Joe, le père de Martha, arriva. Il portait une veste et un pantalon non boutonnés, et sa chemise flottait autour de lui comme une voile en plein vent.

— Je n'arrive pas à mettre mon habit de pingouin comme il faut !

Felicia accourut à son secours.

— Tenez, monsieur Rossani. Prenez un *bagel* pendant que je m'occupe de votre chemise.

— Mon Dieu ! Je suis ravi de n'avoir qu'une seule fille. J'aurais pu acheter tout un immeuble pour le prix de cette mascarade.

— Arrête de te plaindre, papa. Maman aurait voulu que tout se passe ainsi.

— Ta mère en aurait adoré chaque minute. Moi, j'ai hâte que tout soit terminé. Pourquoi faut-il que je m'habille maintenant ? On est encore en plein milieu de la nuit, dit-il en tirant sur son nœud papillon.

— Pour ne pas être en retard à l'église.

— On n'a pas besoin d'y être avant des heures.

— Il y a beaucoup de choses à faire.

— Les filles, vous avez grand besoin de travailler dur pour avoir l'air jolies !

— Papa !

Il leva la main.

— Je m'en vais. Je vais regarder *Win Ben Stein's Money*[1]. Hurle quand il sera l'heure d'y aller.

Martha le regarda s'éloigner en se mordillant la lèvre.

— Il est content, vraiment, dit-elle sans trop d'assurance.

— Bien sûr qu'il est content. Ton père est comme ma mère. Ils aiment se plaindre. Il va s'amuser comme un fou et il ne parlera plus que de ça pendant des années.

Martha et Josie laissèrent leur place à Felicia et à Betty-Jo.

— Martha, tu veux prendre un petit déjeuner ?

— Je vais abîmer mon rouge à lèvres.

— Il a déjà à moitié dégouliné. Béatrice t'en remettra plus tard. Il faut que tu manges.

— J'ai l'estomac noué.

---

1. Jeu télé où les participants cherchent à gagner les 5 000 $ de Ben Stein.

— Mange.

Josie posa un *bagel* devant elle et les cousines picorèrent sans conviction.

— As-tu réfléchi à ce qu'on s'est dit hier soir ?

— J'ai passé la nuit éveillée à angoisser.

— Et ?

— J'ai fait le bon choix.

— Tu en es sûre ?

— Certaine.

— Vraiment sûre ?

— Combien de fois faut-il que je te le répète ?

— Une seule, mais en ayant l'air heureuse.

— Je serai plus heureuse quand l'angoisse sera dissipée.

— Détends-toi et profite. Cette journée va passer si vite que tu vas à peine t'en rendre compte.

Les mains de Martha tremblaient.

— Je veux que cette journée soit parfaite. Je veux qu'on s'en souvienne et qu'on dise : « Le mariage de Martha, c'était pas rien. »

Josie serra les mains de sa cousine.

— Ne t'inquiète pas. Personne ne l'oubliera. J'en suis certaine.

Soudain, un bruit retentit à l'extérieur et les fenêtres s'assombrirent.

— Les voitures sont arrivées, dit Martha.

Immanquables, les trois limousines les plus longues et les plus blanches que l'on ait jamais construites étaient venues se garer devant la maison de Martha, interceptant les rayons du soleil levant.

— Il est l'heure de s'habiller, ma petite cousine, annonça Martha.

— Oh là là ! dit Josie en se rasseyant sur le lit de Martha.

Elle se mordilla la lèvre, effaçant les dernières traces de rouge à lèvres.

— Ne pleure pas, ne pleure pas. Pense à ton maquillage.

— Je ne pleure pas. Je pleurniche juste un peu.

Martha tourna sur elle-même.

— Ça te plaît ?

— Tu es la plus belle mariée que j'aie jamais vue.

— Ça veut dire oui ?

Martha s'admira dans le miroir. Sa robe ressemblait à celle d'une princesse avec un haut incrusté de perles et, comme Josie le remarqua sans rien dire, des manches longues.

— Tu te rappelles quand on était petites et qu'on mettait les chemises de nuit de nos mères pour jouer à la princesse ? On peut dire que tu ressembles à une vraie princesse maintenant.

— C'est ainsi que toutes les femmes devraient se sentir le jour de leur mariage.

Martha tournoya encore et la traîne légère flotta autour d'elle en tourbillonnant dans l'air.

— Jeannie l'aurait trouvée magnifique.

— C'est vrai. Ne dis rien d'autre ou tu vas me faire pleurer, dit Martha les yeux emplis de larmes.

— Elle aurait été tellement fière de toi.

— Jack voulait qu'on se marie à Fidji, rien que tous les deux. Je suis contente d'avoir tenu bon pour une grande cérémonie.

— J'espère qu'il en vaut la peine.

— Je pense que la princesse va vivre heureuse jusqu'à la fin de ses jours. Est-ce que ça ne finit pas toujours ainsi ? demanda Martha au miroir.

— Non. Pas toujours, dit Josie.

— Excuse-moi. Tu penses à Damien ? demanda Martha les bras tombants.

Josie acquiesça.

— J'étais tellement sûre. Mais tellement sûre. Tout était parfait. Nous étions parfaits. Que s'est-il passé ?

Elle ne savait plus à quel moment tout avait commencé à changer. Après leur première bagarre ? Ni lui ni elle n'avaient été capables de s'excuser. Était-ce le jour où ils n'étaient pas parvenus à se mettre d'accord sur le choix du papier peint ? Était-ce parce que Damien aimait Bon Jovi alors qu'elle pensait que Will Smith était le gars le plus craquant de la planète ? Ils s'étaient même disputés sur le nom à donner au chat. Josie pensait que Prince était une boule d'énergie marrante et un bon modèle à suivre pour un chaton guilleret. Alors que Damien trouvait que c'était un connard arrogant et sous-dimensionné. Doublé d'une tapette. Et il avait refusé qu'un chat lui appartenant porte le nom d'un nabot super-nul. Damien, avec tout le manque d'imagination qui caractérisait sa vie, préférait Minouche, Boule-de-Poils ou Félix. Après avoir tiré à pile ou face, le règne de Prince avait pu commencer.

— J'étais là, comme toi, Martha, il y a cinq petites années. Habillée comme une princesse à croire en l'amour éternel. Que s'est-il passé ?

— Damien en a sauté une autre.

— Merci pour ce résumé succinct de la situation. Mais qu'est-ce qui l'a poussé à faire ça ? Est-ce à cause de moi ? De quelque chose que j'aurais dit ? ou que j'aurais fait ? ou pas fait ? Il ne m'a jamais rien dit, Martha. Il ne m'a jamais dit ce que j'avais fait de mal.

— Tu ne devrais pas te laisser démonter ni perdre confiance en toi parce que ton ex-mari est un sale con.

— C'est ce qui m'inquiète. Je ne veux pas que tu commettes les mêmes erreurs que moi. Et je ne sais même pas de quelles erreurs il s'agit.

— Ne t'en fais pas pour moi.

— J'ai lu un truc une fois qui disait qu'on ne devrait pas épouser celui avec qui on pense pouvoir vivre mais celui sans lequel on ne pourrait pas vivre.

— Josie, tu lis beaucoup de conneries.

Sa cousine rit.

— C'est ce qui arrive quand on divorce. On se retrouve à passer ses soirées seule à la maison.

— J'ai connu ça moi aussi. Plus qu'à mon tour. À présent j'ai envie de savoir ce que ça fait d'être mariée, dit Martha.

— J'espère que tu vas faire mieux que moi, cousine Martha.

— Moi aussi.

Elles ricanèrent.

— Viens par là, dit Martha. Et elles s'enlacèrent.

— Écoute ton cœur, Martha, quoi que ça implique. Promets-moi d'être heureuse, dit Josie en tenant sa cousine à bouts de bras.

— Je vais l'être.

— Martha ! Le photographe attend. Es-tu prête ? cria Felicia du bas des escaliers.

— J'arrive !

— Josie, il faut que tu mettes ta robe toi aussi !

Quelle joie ! Le moment tant attendu. (Robe en mousseline lilas, me voilà...)

20

L'aéroport de Heathrow au petit matin n'était pas un endroit très animé. Les quelques policiers armés qui faisaient leurs rondes semblaient s'ennuyer. À les voir, aucun d'eux ne saurait comment s'y prendre si on les appelait pour tirer sur quelqu'un ou pour neutraliser un terroriste. Les agents de surface lustraient le sol, et les vendeurs des boutiques songeaient à mettre fin à leur tranquillité en ouvrant pour la journée, se soumettant aux iniquités de la populace.

Étant donné les conditions de son départ, Damien avait du temps devant lui. Il s'amusa à remarquer que tous les avions décollaient à l'heure, avant de hisser son bagage sur l'épaule pour traverser le hall. Il était plutôt content de la tournure que prenait son plan pour regagner le cœur de Josie. Quelle femme, face à son grand déballage de testostérone, pourrait lui résister ? Peu d'hommes étaient capables de traverser l'Atlantique sur un coup de tête, juste pour prouver qu'il avaient raison. Comment l'homme-mystère pourrait-il rivaliser ?

Cependant, quelque chose l'inquiétait. En passant devant la boutique de cravates, Damien se vit avec déplaisir dans le miroir. Il avait gardé des marques de la scène du lancement d'assiettes de la folle Melanie. Mais d'un autre côté, si Josie se montrait dure envers lui, comme cela pouvait être le cas, porter des égratignures de vaisselle pourrait lui attirer sa sympathie. Pour la retrouver, il avait subi des attaques outrageuses et il espérait bien qu'elle en serait reconnaissante. Ses blessures lui faisaient mal. Cette Melanie n'avait pas raté son coup. Heureusement qu'elle n'avait pas opté pour le tiroir à couteaux, ou sa voix aurait gagné dans les aigus.

Il ne comprenait pas ce qu'il avait pu lui trouver, en dehors de l'évident pouvoir d'attraction de ses gros seins, de ses fesses rebondies et d'un manque de neurones. Mais peut-être qu'aucune explication n'était nécessaire. C'était tout simplement un truc d'hommes. Au bureau, ils en étaient tous au même point. Il était d'ailleurs étonnant qu'ils parviennent à travailler. Il incriminait les e-mails. Le système entier n'était qu'un nid bouillant de mots d'amour. Les ressources humaines songeaient à punir les employés qui menaient une histoire avec un collègue en utilisant le matériel de l'entreprise. S'ils appliquaient les mesures disciplinaires, la moitié de la force de travail serait renvoyée ! Y compris le directeur et sa secrétaire.

Damien regarda sa montre. Il lui restait des heures à tuer. Il flâna le long des boutiques, jetant un œil sur les attachés-cases en cuir vieillots, les chemises en soie faites à la main, et les Panama. Il voulait ressembler à ça quand il serait vieux. Stylé jusqu'au mielleux. Il fallait voir les choses en face. À cinquante ans, pour rester un concurrent de poids dans la course aux pouffiasses, on ne peut pas s'habiller comme tout le monde.

C'est alors qu'il vit une chose qui le captiva. Elle brillait dans la dureté des spots de la vitrine, dispersant des éclats bleus, roses et verts. Il la lui fallait absolument. C'était la bague en diamant la plus grosse, la plus voyante et la plus bluffante qu'il ait jamais vue. À elle seule elle parviendrait à reconquérir le cœur de son amour perdu. Dans son cas, le diamant était vraiment le meilleur ami de l'homme. Il était pur, clair, taillé en forme de larme (quelle image !). Damien trouvait cette idée si romantique. Une bague de re-fiançailles. Il se mettrait à genoux pour supplier Josie de le reprendre. Le clou du spectacle !

Le bijoutier doit croire que c'est Noël, se dit sombrement Damien. Il souriait comme un imbécile devant Damien qui plaça la boîte en velours dans sa poche. Il s'assura qu'elle était bien en sécurité dans le fond. Même sa carte bancaire, qui était pourtant habituée à ses achats aussi extravagants que soudains, avait grimacé de douleur en passant dans la machine. Si la bague en mettait plein la vue, son prix allait de pair. Malgré tout, il ne doutait pas de rentrer dans ses frais. Ce que lui avait coûté cette chose brillante ajoutait une grosse part à l'humilité de son geste.

Josie en valait quand même la peine. Elle était unique, alors que les Melanie couraient les rues. Pourquoi ne s'en était-il pas rendu compte plus tôt ? Il se serait épargné de la souffrance et des honoraires d'avocat. Et que lui avait apporté son histoire avec Melanie ? L'honneur douteux de devenir l'expert mondial du « comment sortir les céréales du petit déjeuner de la fente du magnétoscope ». Il avait mis du temps à comprendre la leçon. Et beaucoup d'argent. Damien tapota de nouveau sa poche. Mais à présent il était un autre homme. Peu importait le nombre de ses infidélités à venir, il ne quitterait plus jamais Josie. Il n'avait plus qu'à trouver l'adresse de la cérémonie. Il appela Martha de son portable, tapotant du pied en attendant la connexion.

— Allô, dit une voix lointaine.

Damien se boucha l'autre oreille.

— Martha ?

— Non, c'est Felicia. Martha est assez occupée en ce moment. Elle va bientôt partir pour l'église.

— Je suis attendu au mariage mais j'ai égaré mon invitation. Pourriez-vous me rappeler le lieu de la réception ?

— Bien sûr.

Damien nota le nom de l'hôtel au dos d'une enveloppe qui se trouvait dans sa poche.

— Merci, c'est très gentil. Josie est-elle là ?

— Ouais, mais elle est un peu coincée elle aussi. C'est urgent ?

— Non.

Il avait tout le restant de leur vie commune pour lui parler.

— Voulez-vous que je lui dise que vous avez appelé ?

— Non. Ne la dérangez pas.

Il avait envie de lui faire la surprise de sa vie.

— À plus tard, alors ? dit Felicia avant de raccrocher.

Sans l'ombre d'un doute, se dit Damien en souriant.

21

Holly avait une mine atroce et se sentait maussade. Elle tirait nerveusement sur sa cigarette en buvant quelque chose qui ressemblait à du café en dépit de son insistance à ne pas avaler de caféine.

Matt avait l'impression qu'un chat s'était amusé à le traîner partout avant de l'abandonner en le jugeant malsain. À sa grande surprise, les Headstrong étaient arrivés au studio, en retard bien sûr, mais ils étaient là, ce qui, dans le monde des *boys bands*, représentait un petit miracle. Ils jouaient à la Game Boy en attendant que leur pseudo-interview démarrât. À la table de mixage, les techniciens travaillaient en silence sur des morceaux enregistrés la veille. *Ooh, ooh, baby, comment aurais-je pu deviner, tu comptais tellement pour moi et je t'ai laissée partir. Ooh, ooh, baby.* Etc. etc.

Matt se demanda où était Josie. Elle jouait probablement son rôle de demoiselle d'honneur dans son accoutrement lilas. Et dans quelques heures il apparaîtrait au mariage de Martha pour lui faire la surprise de sa vie. Matt prit place à côté de Holly, qui sourit d'un air las.

— Tu as bien dormi ?

Holly serra sa tasse à deux mains pour la porter à sa bouche.

— Si tu étais resté, comme je te l'ai proposé, tu aurais la réponse à ta question.

— Tu sais que c'était une mauvaise idée.

— Je pense que c'était une très bonne idée.

Matt l'avait laissée à la porte de son immeuble. Ils s'étaient embrassés en se souhaitant bonne nuit. Sans passion, mais avec un léger jeu de langues et quelques bruits de succion. Ce qui avait été très agréable. Holly avait pris la mouche quand il avait affirmé ne pas vouloir aller plus loin. Elle avait geint et même supplié, se montrant assez persuasive. En fait, en insistant d'un iota supplémentaire, il aurait craqué. Non pas qu'il prît son vœu de célibat trop à cœur – il avait assez peu de volonté –, mais ces jours-ci il lui semblait que pour avoir un rapport sexuel il fallait un minimum d'enthousiasme. Avoir envie de passer du temps avec cette personne et ne pas tout précipiter jusqu'à l'heure du petit déjeuner. Connaître sa partenaire peut également aider. Il avait essayé de lui expliquer son point de vue avant d'arrêter un taxi pour rentrer à l'hôtel. Holly ne semblait pas partager ses idées.

— Peut-être une autre fois, dit Matt en espérant ne pas sembler trop dédaigneux.

— Tant pis pour toi, petit Anglais. Tu veux savoir ce que ces gars ont dans la tête sur les grands sujets internationaux ? demanda-t-elle en montrant le groupe du doigt.

Elle semblait froide et il espérait ne pas l'avoir blessée.

— Je préférerais trouver mieux à faire.

Leurs regards se croisèrent et Holly lui fit un clin d'œil.

— Moi, j'ai une idée.

Contrairement à ce que Matt croyait, les Headstrong n'étaient pas originaires de New York mais d'Angleterre. Justin, le plus mignon, était de Basildon. Tyrone sortait de Barnsley et avait dû souffrir à l'école avec un nom pareil. Bobbie venait d'Accrington et Stig avait grandi à Maidstone, un village typiquement anglais loin de la ville la plus vivante du monde. Après tout, les Beatles venaient bien de Liverpool.

Dans ce cas, pourquoi avait-il fait tout ce chemin au lieu de les rencontrer à Lewisham ou à Camden ? Ils voulaient s'extraire de la tradition, expliqua Holly avec son discours d'attachée de presse. Ils voulaient commencer par percer aux États-Unis, la terre dominante. Le monde entier devrait suivre naturellement. Les mots qui lui vinrent à l'esprit furent « bonne » et « chance ». Ils allaient en avoir besoin. Matt se faisait l'effet d'un instituteur face à une classe indisciplinée. Les Headstrong étaient assis devant lui, s'envoyant des beignes ou des coups de pied à tour de rôle. Ils portaient mal leur nom, et avant que Beeline Management Company ne les sorte de l'obscurité, ils n'avaient jamais été plus loin qu'Ibiza. L'emploi du temps de leurs sorties et de leurs voyages commençait à les rattraper. Trois centimètres de fond de teint orangé ou d'autobronzant recouvraient leurs visages, cachant une poussée d'acné due à de la négligence. Ils étaient bien trop occupés pour se donner la peine de prendre un bain. Malgré tout, leurs dents brillaient toujours d'un excès de brossage. Afficher des sourires parfaits semblait être le but essentiel de leur tournée de promotion. Leurs pantalons étaient assez larges pour y cacher des troupes de jeannettes. Il n'était pas étonnant que les adolescentes les adorent ni que les garçons s'entêtent à les haïr. Que lui avait dit son chef de la rédaction ? Quand tu en as marre d'interviewer des *boys bands*, ça veut dire que tu en as marre de la vie. Eux lui faisaient perdre toute envie de vivre. En soupirant du fond de son être, Matt rebrancha le Dictaphone.

Matt : Quelles sont vos principales influences musicales ?

Justin : Quoi ?

Matt : Quels sont vos groupes préférés ?

Bobbie : Parmi lesquels ?

Matt : Parmi tous les groupes qui ont existé sur la terre.

Stig : Est-ce que Fatboy Slim compte comme un groupe ?

Matt : Et si on parlait de groupes plus connus comme les Beatles ?

Bobbie : Je crois que ma mamie les aime bien.

Stig : C'est eux qui ont chanté « My generation » ?

Matt : C'étaient les Who.

Bobbie : Qui ça ? Who ?

Matt : Exactement.

Tyrone : J'ai entendu des trucs des Village People. Ils étaient cool.

Matt : Ils étaient tous homos.

Stig *(d'un air vexé)* : Il n'y a rien de mal à ça.

Justin : Dans les Beatles, il y avait bien ce mec débile à lunettes ?

Matt : John Lennon.

Justin : Quel nase !

Bobbie : Eux aussi ma mamie les aime bien.

Matt : Elle n'est pas la seule. Les Beatles sont le plus grand groupe du xxᵉ siècle. À ce jour, ils ont vendu cent six millions d'albums. Un petit peu plus que Headstrong, je crois.

Justin : Il se tapait pas une grosse Chinoise ?

Matt : Il était marié avec Yoko Ono.

Justin : Je parie qu'on va les dépasser.

Matt : *Sergent Pepper's Lonely Hearts Club Band* est resté numéro un des ventes d'albums pendant cent quarante-huit semaines. Ils ont sorti cinq films qui ont fait exploser le box-office. Ils étaient très en avance sur leur temps.

Justin : Comme les Spice Girls.

Tyrone : Ils sont un peu dépassés maintenant, non ?

Justin : Ce John Lennon était un imbécile. Il voulait la paix dans le monde !

Matt : Et quel souvenir allez-vous laisser ? Votre participation au développement du gel capillaire ?

Justin : De toute façon, les Beatles, c'est bête comme nom.

Matt : Et Headstrong ? Ça ressemble à quoi ? Peut-être devriez-vous penser à le changer pour Amibe ?

Justin : Mais c'est quoi ton problème, mec ?

Matt : C'est vous. Qu'est-ce qui ne tourne pas rond chez vous ?

Matt oublia de couper l'enregistrement avant le début de la bagarre. Il poussa Justin qui le repoussa avec une force étonnante pour un danseur si chic. Dans un accès de rage, Matt s'en prit à la gorge de Justin.

Dans la vie de chacun il existe des moments décisifs. Le premier survient quand on réalise que tous les policiers sont plus jeunes que vous, ce que Matt avait supporté avec stoïcisme. Le deuxième surgit un matin, au réveil, quand vous constatez que tous vos amis sont mariés, et pas vous. Commence alors la course désespérée qui consiste à se convaincre que celle avec qui vous êtes sorti est tellement irrésistible qu'il faut l'épouser avant la fin de l'année. Cela pourrait expliquer pourquoi il avait demandé la main d'Eileen Fisher (connue sous le nom de « Fisherman's Friend », comme les pastilles mentholées, en rapport avec le fait de sucer) alors qu'ils ne sortaient ensemble que depuis six semaines. Heureusement pour lui, elle avait dit non. Le troisième de ces moments décisifs survient le jour où les membres boutonneux d'un *boys band* vous disent que vos idoles sont appréciées par leurs grands-parents, sans aucun respect pour les plus fameux musiciens de notre époque. Connaissaient-ils le sens du mot « icône » ? James Dean ? Janis Joplin ? John Lennon ? Pour eux, Marilyn Monroe devait être la caissière de leur boutique de location de vidéos. C'était trop demander à un homme, en particulier quand celui-ci est divorcé, abattu et journaliste de rock blasé.

22

Derrière l'église, Josie serrait son bouquet de roses blanches de ses mains bleues. Un vent violent faisait claquer ses genoux déjà peu stables. Il ne faisait pas chaud. Martha leur avait donné des mitaines en dentelle assorties aux siennes. Pour vous tenir chaud, avait-elle dit. Son geste était d'un optimisme sans faille.

La voiture des futurs mariés arriva. Joe et Martha entrèrent par les doubles portes de l'église. La lèvre de Joe tremblait et Josie savait que ce n'était pas à cause de ce qu'il avait vu à la télé.

Glen et Jack étaient déjà à l'intérieur. Jack regardait droit devant lui, tandis que Glen s'agitait nerveusement, triturant la rose accrochée au revers de sa veste. Ils portaient tous deux un smoking noir, et Josie devait admettre que Jack avait meilleure allure que la veille. Quant à Glen, il était absolument splendide : épaules larges, hanches étroites, sourire à tomber. Il faisait peut-être un peu videur de boîte de nuit. Trois autres cavaliers accompagnaient les demoiselles d'honneur mais le seul que Josie connaissait était Albert, le cousin de Martha. Les deux autres étaient les frères de Jack, de vrais beaux mecs. De toute évidence, Jack avait pris l'intelligence.

La marche nuptiale résonna dans l'espace vaste de l'église. Josie prit sa place en tête du cortège en respirant calmement. Toutes les têtes se tournèrent vers elle. La route allait être longue jusqu'à l'autel. Pourquoi n'était-elle pas cachée derrière quelqu'un d'autre ? Au lieu de ça, tout le monde pouvait voir qu'elle avait la chair de poule. Glen pourrait toujours s'imaginer qu'elle était heureuse de le voir.

— Hé, Josie. Un mec a appelé avant qu'on parte mais tu étais en train de faire des photos, murmura Felicia un peu trop fort.

— Qui était-ce ?

— Il ne m'a pas donné son nom. Il a dit qu'il te verrait plus tard. Il avait un accent anglais.

Qui savait qu'elle était au mariage de Martha ? Son cœur s'emballa. Il n'y avait qu'un seul homme. Matt Jarvis ! Elle sentit les paumes de ses mains transpirer à travers ses gants. Comment avait-il fait pour la retrouver ?

— Tu es toute pâle. Tout va bien ? demanda Martha.

Josie lui sourit. Elle n'avait jamais été aussi resplendissante.

— C'est toi qui devrais être pâle. Tout est prêt ?

Sa cousine plaça sa traîne en position.

— On va se les faire, dit Martha.

Au moment où Martha entra dans l'église, tout le monde eut la larme à l'œil, y compris Josie. Un silence respectueux tomba sur l'assemblée, seulement entrecoupé par quelques reniflements. Sa cousine glissait dans l'allée, éclatante, royale, une femme amoureuse. Le père de Martha pleurait ouvertement, accroché à elle comme s'il n'allait jamais la lâcher. Ils arrivèrent devant Jack. Sans oser le dire, tout le monde pensait à Jeannie qui se serait délectée du moment.

Jack et Martha s'avancèrent jusqu'à l'autel. Jack tenait tendrement la main de Martha et ses yeux brillaient d'adoration. Peut-être Josie s'était-elle trompée à son sujet. Émettre des jugements trop catégoriques était son pire défaut. Elle faisait tout le temps ça et ensuite il lui fallait déployer des efforts monumentaux pour changer d'opinion. Ou qu'on la laisse tomber de façon monumentale. Comme Matt Jarvis, par exemple.

Martha tendit son bouquet à Josie. Le prêtre commença à réciter ses phrases.

— Nous sommes réunis aujourd'hui pour unir la vie de ces deux êtres, Martha et Jack...

Tandis qu'il poursuivait son long discours, Josie laissa traîner son regard sur l'assemblée. Pourquoi les gens continuaient-ils à apprécier cette institution démodée ? Combien de ces cérémonies débouchaient sur des mariages heureux ? Combien de maris finissaient par sauter sur la femme d'un autre ? Combien d'entre eux s'inventaient toute sorte d'excuses pour éviter de se faire de nouveau passer la corde au cou ? Y avait-il ici des gens ayant été plus heureux la deuxième fois, ou était-elle aussi amère que la première ? Quelles braves âmes avaient osé retenter l'aventure une deuxième, voire une troisième fois ? Vivre la joie de jongler entre des beaux-enfants et des ex en s'efforçant de tous les rendre heureux pour, au final, ne satisfaire personne ? Au début d'une histoire, on y croit toujours, convaincu d'avoir tiré des leçons des expériences passées. Était-ce vraiment le cas ?

Elle devait affronter toutes ces questions dans sa vie de jeune divorcée. Dans son entourage, tout le monde traînait des valises du passé et des pensions alimentaires à assumer. Damien n'avait jamais voulu avoir d'enfant et pourtant il s'était enfui avec une femme qui en avait deux. Quelle leçon en tirer ? Elle imaginait qu'il devait être assez difficile de s'organiser avec son propre enfant. Alors vivre avec ceux des autres !

Elle avait froid jusqu'aux os, ses dents ne tenaient pas en place et ses pieds étaient paralysés. Combien de temps pouvait-on vivre avec les orteils congelés avant de devoir les faire amputer ? Martha et Jack se tenaient les yeux dans les yeux, et dans la lune. Des mouchoirs passaient de main en main. Glen avait un air solennel et était raide comme une statue, incarnant très sérieusement son rôle de témoin. Le prêtre s'adressa à Martha.

— ... promettez-vous d'aimer, de chérir et d'être fidèle...

Ces promesses sont ridicules, se dit Josie. Comment avait-elle pu être à cette place, certaine de les tenir ? Damien avait été le premier à rompre ses vœux, et il y avait une certaine suffisance à être la partie trahie. Mais combien de temps se serait écoulé avant qu'elle s'intéresse à un autre homme ? Non pas qu'il y ait tant d'hommes qui lui fassent tourner la tête dans le monde glamour de l'enseignement, où le champagne coule à flots. Aurait-elle fini par se lasser d'aimer Damien, de l'honorer et de lui obéir ? Avec du recul, elle trouvait peu de choses à honorer en lui.

— ... pour le meilleur et pour le pire, dans la richesse et dans la pauvreté, dans la santé comme dans la maladie...

La plupart des hommes ne supportaient pas le moindre bobo. Comment pourraient-ils préparer un œuf à la coque et une soupe maison pour amadouer l'appétit de leur épouse malade ? À la moindre allusion à un mal de ventre menstruel, ils couraient tous au pub.

Comment une femme pouvait-elle formuler honnêtement ces vœux ? Qu'est-ce qui poussait des milliers de
gens partout sur la Terre, depuis toujours, à prendre de
tels engagements ? Mère Nature et les brochures pour
des voyages exotiques n'y étaient pas pour rien.

— ... dans la joie comme dans la peine, jusqu'à ce
que la mort vous sépare ?

Tout le monde cessa de respirer dans l'église. Puis la
voix de Martha retentit, claire et forte.

— Oui, je le promets. C'est mon vœu solennel,
finit-elle en se tournant vers Jack.

C'était rassurant de se dire qu'en dépit de leur
longue discussion nocturne et de l'angoisse de dernière
minute de sa cousine, cause de l'insomnie de Josie,
Martha semblait totalement sûre d'elle-même.

Il neigeait à la sortie de l'église. Les flocons tombaient sur la mousseline lilas, laissant des traces
humides. Même sa chair de poule avait la chair de
poule et ses tétons étaient si durs qu'ils pourraient cre-
ver un œil. Le bras de Glen tenait le sien.

— Tu es magnifique, Josie, dit-il sincèrement.

— On dirait que tu as un truc avec les gens bleus.

— Pardon ?

— Merci, Glen. Tu es très pimpant toi aussi.

Il la conduisit jusqu'au bas des marches, gardant son
bras autour d'elle.

— Un mariage sous la neige, ça porte malheur ! Pourquoi n'ai-je pas commandé un temps plus clément, geignit Martha.

Elle commençait à grelotter sérieusement.

— Tu es gelée, dit Glen.

— Vraiment, insista Josie.

— Encore quelques-unes, cria le photographe.

— Qu'aucun de vous n'ait l'air d'avoir froid ! Je ne tolérerai aucune lèvre violette sur mes photos de mariage, ordonna Martha.

— Au moins, elles seront assorties aux robes, murmura Josie.

Le photographe les plaça sur les marches avant de déclencher son appareil. Glen ôta sa veste.

— Tiens. Mets ça sur tes épaules si tu veux échapper à la mort, dit-il.

Les limousines arrivèrent et des pluies de confettis tombèrent sur Martha, atterrissant à ses pieds. Sans plus de cérémonie, tout le monde quitta les marches. Martha et Jack montèrent à bord de la première voiture. Les demoiselles d'honneur et leurs cavaliers seraient dans la suivante.

Josie se laissa tomber sur le siège en cuir et se poussa pour laisser de la place aux autres. Glen la suivit. La stéréo passait le CD d'un groupe transatlantique langoureux et une myriade de lumières disco fixées au plafond de la voiture clignotaient en rythme. Glen brandit une bouteille de champagne dont il fit sauter le bouchon sans en renverser une goutte, ce qui n'était pas évident à bord d'un véhicule lancé sur l'autoroute. Il servit tout le monde et leva son verre vers celui de Josie.

— Je porte un toast à la plus belle des demoiselles d'honneur, dit-il.

Josie trinqua avec lui.

— Au plus séduisant des témoins.

Les yeux de Glen brillèrent dans les lumières disco. Josie fit glisser sa veste de ses épaules, emportant la bretelle de sa robe dans le mouvement. Soudain, malgré la neige qui battait contre les vitres, la température intérieure gagna quelques degrés. Josie était reconnaissante à sa cousine d'avoir refusé une petite cérémonie à Fidji. Elle commençait à beaucoup apprécier le mariage de Martha. Elle s'autorisa un sourire d'autosatisfaction tout comme elle laissa sa bretelle tomber un peu plus bas. Même si Matt Jarvis se fendait d'un coup de fil d'excuse, il serait trop tard.

23

Même Sugar Ray Leonard n'aurait pas essayé de cogner sur quatre personnes à la fois, dit Holly en tamponnant le visage de Matt à l'aide d'un mouchoir trempé dans du Jack Daniel's.

Son visage était blanc d'inquiétude et elle le recoiffait en passant ses doigts dans ses cheveux. Allongé sur trois chaises, Matt tenait un sac de glace contre sa joue ouverte.

— Ce n'est que de la chair. Je pense que c'est surtout ma fierté qui en a pris un coup, marmonna-t-il en serrant les dents.

Malgré tout, elle avait raison. Ce n'était pas une chose à faire. Pourquoi s'était-il emporté face aux vannes malavisées d'adolescents boutonneux qui retourneront aux oubliettes dans quelques semaines ? Ils étaient encore des enfants. Ronchons quand même. Les fortes têtes ? Ça leur allait bien comme nom en fin de compte. Matt était connu pour sa patience en situation d'adversité. Quand il avait surpris sa femme au lit avec un sosie de Howard Stern, avait-il cédé à l'impulsion de lui faire avaler ses dents ? Non. Il n'avait même pas fait de scène. Il était gentiment allé au Cock and Bull boire onze pintes d'alcool non identifié avant de s'écrouler dans l'indifférence générale. Ce n'est qu'à la fermeture que le barman l'avait remarqué en rangeant les bouteilles vides. Alors qu'est-ce qui avait pu le faire exploser dans de telles proportions ? « Monsieur stable et raisonnable » a dû partir en vacances, se faisant remplacer par « Monsieur complètement irrationnel », qui avait un penchant malsain pour tout foutre en l'air. Son comportement était-il dû à la frustration qu'il éprouvait de tout rater ces jours-ci ? Le bon vieux Matt Jarvis, *Sax'n'Drugs and Rock'n'Roll's*, rencontre Mister Bean.

Holly lui tendit deux aspirines et un verre de Jack Daniel's. Il avala le tout en grimaçant. Il avait un goût de sang dans la bouche.

— Quelle heure est-il ?

— Ils t'ont bien tabassé. Tu es dans les vapes depuis plus d'une heure. J'ai cru que tu étais mort. J'ai failli faire appeler le 911.

— Un autre *boys band* ?

— Ils se font appeler le SAMU.

— Ah. Merci.

Quelqu'un s'inquiétait pour lui, c'était déjà ça. Il se releva péniblement et constata que le verre de sa montre était brisé.

— Il est quatorze heures trente. Les gars sont partis. Ils étaient mal à l'aise. Ils espèrent que ça n'influencera pas ton article sur eux, dit Holly.

— Bien sûr que non, dit Matt d'un air renfrogné et heureux que son stylo soit plus incisif que son crochet du droit.

— Je leur ai dit que John Lennon était ton demi-frère et que c'est pour cette raison que leurs vannes t'ont mis en pétard.

— Et ils t'ont cru ?

— Matt ! Ils n'ont pas la science infuse. Ils sont chanteurs, et même ça, on n'en est pas sûrs.

En riant, Matt eut l'impression d'avoir deux saucisses à la place des lèvres.

— Aurais-tu réponse à tout ?

— Presque. Tu as toutes les informations nécessaires à ton article ? demanda Holly.

— J'en ai des tonnes.

— Alors c'est la récré. On va manger un bout ?

Matt toucha sa bouche du bout des doigts.

— Non. Merci. Même si j'en avais envie, je crois

que je ne pourrais pas. De plus, j'ai quelqu'un à voir pendant que je suis à New York, dit-il.

— Tu as toujours autre chose à faire, Matt Jarvis.

— Je suis un homme très occupé, dit-il pour s'excuser.

— Peut-être plus tard alors ? J'ai des invitations pour une fête organisée par une vieille amie. Ça va être du tonnerre. Je me suis arrangée pour que les gars jouent quelques morceaux. Tu pourras peut-être m'y rejoindre ?

— Peut-être pas.

Comment lui expliquer qu'il avait l'intention de passer la soirée à flirter avec une demoiselle d'honneur plutôt sexy au mariage de Martha ?

— Tu préfères aller dans un autre club ?

Matt fit la grimace.

— Je pense que mon organisme ne le supporterait pas.

— Tu sais, Burt Reynolds n'est pas arrivé là où il en est aujourd'hui en jouant au garçon effarouché.

— Je ne joue pas au garçon effarouché. On s'est bien amusés hier. Mais je vais sûrement être occupé ce soir et je repars demain après-midi.

— Peut-être que tu m'appelleras la prochaine fois que tu viendras ?

— D'accord, je t'appellerai.

— Menteur.

— Non. Je le ferai.

— Ou alors on se croisera lors de la tournée mondiale des Headstrong.

— Peut-être, dit Matt en lui souriant.

Il se mit debout. Apparemment, il n'avait rien de cassé. Mais il était couvert de contusions.

— Il faut que j'y aille.

— À la prochaine, Matt. On aurait pu bien s'amuser ensemble, dit Holly.

Quand il émergea des profondeurs du studio, il neigeait. Matt prit un taxi jusqu'à l'Azekal's Manhattan Motel. C'était un bâtiment propre en pierres rouges dans le quartier du Flatiron, un endroit plutôt branché pour un mariage malgré son nom bizarre. Il paya le chauffeur et courut se réfugier à l'intérieur en secouant sur le tapis rouge son manteau recouvert de flocons. L'entrée était remplie de compositions florales outrancières qui convenaient bien à un mariage. Des fleurs beiges s'élevaient d'urnes grecques, de tonnelles ou autres, quel que fût le nom que l'on donnait à ces trucs (l'art floral n'avait jamais été son fort), qui pendaient des chevrons. La réceptionniste disparaissait dans la verdure. En se glissant jusqu'à l'accueil, Matt plaqua ses cheveux mouillés contre son front.

— Je viens pour le mariage de Martha, dit-il en se voulant convaincant.

— Le mariage de Martha ?

— Je crois que je suis au bon endroit.

La réceptionniste consulta son ordinateur. Elle sourit à Matt d'un air vaguement nerveux.

— Je suis désolée. Je ne suis là que depuis le déjeuner. La réception de Martha se trouve dans la grande salle. En haut de l'escalier, vous tournez à gauche. Et ensuite c'est tout droit, monsieur, indiqua-t-elle en dégageant sa main des bouquets.

— Je vous remercie.

— Et les toilettes pour hommes se trouvent à votre gauche.

Elle le regarda d'un air de dire « allez donc y faire un tour » ! Matt effleura sa joue qui devait saigner.

— Merci.

— Je vous en prie.

Matt monta les escaliers jusqu'aux lavabos. L'endroit était obstrué de compositions florales, chose inhabituelle du côté des hommes même lors d'un mariage. Cette Martha devait avoir un sacré budget fleurs.

Se regarder dans le miroir n'était pas une bonne idée. Il saignait. Pas énormément, mais assez pour ressembler plus à un voleur à main armée qu'à un invité modèle. Il accrocha son manteau au mur. Sa cravate était-elle d'un goût douteux ? South Park se faisait beaucoup en Angleterre, à l'époque où il avait acheté cette cravate farfelue. Mais ici, qu'en penseraient les gens ? Il portait une cravate, et c'était déjà bien. Il comptait sur elle pour faire oublier son absence de veste. Il avait fait sa valise dans le but d'interviewer un groupe de rock, pas pour aller à un mariage.

Il espérait que Josie serait tellement bouleversée par son ingéniosité à la retrouver qu'elle lui pardonnerait le reste. Matt tamponna sa joue blessée avec du papier toilette humide. Les Headstrong n'étaient peut-être qu'un groupe de gamins énervants, mais il y en avait au moins un dans le groupe qui savait frapper. Matt se redressa, gonflant le torse pour offrir son meilleur profil au miroir. Puis il s'affaissa. Pas très convaincant. Pourvu que l'éclairage soit tamisé dans la salle.

— Je n'aime pas ça. J'arrive sans être attendu. J'ai une sale gueule et je suis attifé comme un gros lard. J'ai peu de chances d'impressionner la belle Josephine.

(Respire à fond, Matthew. Tu n'es pas venu jusqu'ici pour flancher.)

— D'un autre côté, je l'ai cherchée pour lui présenter mes excuses après avoir commis l'horrible faute de l'abandonner. Je vais la bombarder de vibrations d'adoration et elle va vite comprendre quel mec extraordinaire je suis.

(Trop facile. Elle pourrait faire une scène, me faire jeter dehors ou me faire bouffer la pièce montée par les narines. En demandant à tout le monde de l'aider !)

— Reprends-toi, Matt. Tu es un homme ou une

souris ? Qu'est-ce qui peut t'arriver de pire ? Qu'elle te dise d'aller te faire voir ? Au moins, tu pourras te féliciter d'avoir essayé.

Matt fit quelques exercices d'échauffement. Il mima quelques coups de poings bien dirigés vers le miroir. Dommage qu'il n'ait pas fait la même chose avant de se jeter sur les Headstrong. Il aurait dû y penser. En faisant rouler ses épaules, il prit quelques inspirations apaisantes.

— Je suis prêt comme jamais, annonça-t-il à son reflet.

La porte d'une cabine s'ouvrit.

— C'est bien. Si vous voulez mon avis, vous avez de l'allure, dit l'homme qui en sortit.

— Merci. Désolé, je pensais être seul ici, dit Matt.

— Et alors ? Grâce à vous, j'ai chié en m'amusant, dit l'homme en tirant sur son cigare.

Il s'approcha de la porte.

— Attendez. Vous ne feriez pas partie des invités du mariage de Martha par hasard ? demanda Matt.

— Mais si.

— Vous croyez que je pourrais vous accompagner ?

— Bien sûr, dit-il en haussant les épaules.

— Merci. Merci beaucoup.

— Pas de quoi.

— Je ne connais personne, vous comprenez.

— En dehors de Martha...

— Euh, oui, voilà. Au fait, je suis Matt Jarvis, dit-il en lui serrant la main.

— Et je suis l'oncle Hymie.

— Enchanté.

— Vous n'avez rien raté pour l'instant. Ça vient de commencer, assura l'oncle Hymie.

— Super.

Ils se dirigèrent vers la sortie.

— Cette femme que vous voulez impressionner, dit l'oncle.

— Josie ?

— Josie. Vous devriez lui apporter des fleurs.

— Des fleurs ?

— Ça les assoit à chaque fois. Des fleurs.

— Des fleurs.

Matt regarda autour de lui avant d'opter pour le bouquet proche du lavabo. Il cassa le bout des tiges et secoua les fleurs pour enlever l'eau. Puis il les enroula dans deux serviettes en papier. Il espérait seulement que Josie ne s'en serve pas pour lui taper sur la tête.

— Des fleurs, approuva l'oncle Hymie.

— Des fleurs, répéta Matt.

— Allons lui porter le coup de grâce !

— Oui, dit Matt sans conviction.

Et ils s'en allèrent célébrer le mariage de Martha.

24

Les paons ont l'air d'être morts de froid, pensa Josie. Leurs plumes grelottaient d'une façon inédite, et leurs cris étaient plus épouvantables que jamais. Elle se demanda s'ils étaient originaires de pays chauds, et qui s'était battu avec eux pour les forcer à porter les nœuds qu'ils arboraient autour de leurs longs cous. Elle se réjouit que cette tâche n'ait pas incombé aux demoiselles d'honneur. Est-ce qu'en Angleterre elles se rendent bien compte de la facilité de leurs fonctions ?

Toute la batterie d'invités se tenait sur la terrasse, entourant Martha et Jack, une flûte de champagne à la main. Josie serra la sienne dans l'espoir de réchauffer ses doigts mais le verre était encore plus froid que ses fesses, qui étaient pourtant gelées. Quel dommage qu'ils ne boivent pas du Viandox bien fumant, songea-t-elle avec amusement. La plupart des femmes avaient déjà abandonné leur chapeau et tremblotaient gracieusement. Il ne neigeait plus, ce dont on pouvait se réjouir, même si ça donnait une autre allure au mariage en blanc. Tous les yeux venaient de se lever vers le ciel.

Glen se montrait plein d'attention. Josie portait de nouveau sa veste sur le dos. Bien qu'étant en chemise, son cavalier gardait une main protectrice toute masculine sur sa taille. Comme c'était bon de se sentir désirable. Peut-être était-ce pour cette raison qu'elle s'était tellement enthousiasmée au sujet de Matt Jarvis ? Avait-elle envie d'avoir un homme dans sa vie au point de s'être emballée pour le premier qui lui ait manifesté de l'intérêt ? N'avait-elle rien appris en lisant *Le Journal de Bridget Jones* ?

Il faut dire que Matt avait l'air si doux. D'une façon peu rassurante, en fin de compte. Quel dommage qu'il ne soit pas venu au rendez-vous ! Mais telle était la vie de nos jours. Rien n'était fait pour durer. Ni les bouteilles de lait, ni les rasoirs, ni les couches. Ni les gens.

Elle se demanda s'il essaierait de l'appeler. Elle lui dirait sûrement qu'elle avait autre chose à faire. Chat échaudé craint l'eau froide. En se tournant vers Glen, ses pensées furent récompensées par sa façon de la serrer amicalement. Elle se rapprocha de sa grande silhouette pour se réchauffer. Avance et saute, Josie Flynn !

— Il n'y en a plus pour longtemps, dit-il.

Apparut alors un petit avion gris délavé dans le ciel blanc. Il dessinait des cercles au-dessus de l'hôtel, le moteur crachotant et pétaradant tandis qu'il descendait en piqué vers eux. Des nuages de fumée blanche s'échappèrent de l'arrière de l'appareil qui plongeait et remontait, effectuant des loopings dans le ciel. La foule émettait des oh ! nerveux. Il fit demi-tour en se retournant sur lui-même comme une mouette folle, avant de se laisser tomber. Les paons poussèrent des cris stridents.

Des lettres émergèrent lentement de la fumée. On put lire « MARTHA » sur le sombre paysage urbain. Le moteur de l'avion bourdonna de façon inquiétante et la fumée vira au bleu, dessinant le nom de « JACK » à côté de celui de son épouse. Un autre revirement et la fumée passa au rouge foncé. L'avion tournoya jusqu'à dessiner un cœur autour de leurs deux noms.

Sous les applaudissements de la foule, l'avion remonta à la verticale, pivotant victorieusement sur lui-même. Il déroula une banderole qui affichait « AMOUREUX POUR TOUJOURS ». Les invités poussèrent des cris d'enthousiasme en tapant dans leurs mains jusqu'à ce qu'elles fussent rouges. Son travail accompli, l'avion repartit comme il était venu. La foule commença à se disperser, suivant Martha à l'intérieur qui s'apprêtait à lancer les festivités. Glen invita Josie à les suivre.

— Qu'en as-tu pensé ?

— C'est original, dit Josie.

— On ne fait pas ce genre de trucs en Angleterre ?

— Pas tellement.

— Non ?

— Nous sommes plus discrets.

— C'est un mariage qui en jette.

— Dans mon pays, quand on a un hot-dog chaud et des petits-fours, on s'estime heureux.

— Tu verrais le buffet ! Quelqu'un a voulu faire les choses à fond. Ce Jack a drôlement de la chance. J'espère qu'il en est conscient.

Elle se racla la gorge.

— Glen. Tu connais mieux Jack que moi. Bien mieux. Tu trouves qu'ils vont bien ensemble, Martha et lui ?

— Oh, qui suis-je pour pouvoir l'affirmer ? Martha semble penser que oui.

Il donna des coups de pied dans les cailloux.

— Je trouve aussi. Est-ce que c'est quelqu'un de bien ?

Glen releva les yeux vers le ciel.

— Hé, regarde ça un peu !

Josie suivit son regard. La fumée des messages dérivait en suivant le vent. Les lettres s'estompaient, se mélangeant. Glen se mit à rire. « JACK » fondait dans le ciel, remplacé par le mot « NASE ». Martha et le Nase. Son compagnon en pleurait de rire. Mais pour une étrange raison, Josie ne trouvait pas ça amusant.

— Heureusement que c'est fini ! On va pouvoir s'amuser maintenant, dit Martha en se laissant tomber sur le canapé en chintz.

L'hôtel avait gentiment mis une salle à leur disposition pour qu'elles pussent se rafraîchir avant le marathon photographique. Pendant ce temps, les invités profitaient du cocktail, avec un buffet suffisamment garni pour alimenter cinq mille personnes et assez de boissons pour noyer le *Titanic*. Cela avant que le vrai repas soit servi. Josie comprenait mieux pourquoi le père de Martha s'était plaint du coût de la journée. Deux serveuses apparurent, portant des plateaux de Saint-Jacques enroulées dans du bacon et les plus grosses crevettes de la terre.

— Champagne, madame ?

Martha tendit vivement sa coupe.

— Je vais me mettre la tête à l'envers !

— Tu crois vraiment que tu devrais boire de l'alcool le jour de notre mariage, mon trésor ? demanda Jack, un verre de jus d'orange à la main.

— C'est le moment ou jamais !

Elle tira sur son voile sans parvenir à l'ôter. Béatrice l'avait apparemment soudé à son crâne.

— Je crois qu'après tout ce travail d'organisation je l'ai bien mérité !

— Peut-être qu'une goutte ne te fera pas de mal.

— Si j'en bois des litres, je ne sentirai aucune douleur, dit Martha en lançant ses chaussures avant de s'allonger.

Felicia grignota une crevette trempée dans de la sauce cocktail.

— Ces crevettes sont délicieuses, Martha !

Jack jeta un œil sur les plateaux.

— N'avais-je pas spécifié que je ne voulais pas de bacon pour le buffet de cocktail ?

— Détends-toi, Jack. C'est ton mariage. Le plus beau jour de ta vie et tout ça. Qu'est-ce qu'un peu de viande de porc va changer à ça ? Et détache tes cheveux, dit Glen.

— Je viens de les tresser, répondit Jack.

— Mange une crevette alors, suggéra Martha en se servant sur le plateau que lui tendait Felicia.

— C'est trop gras.

Martha fit un geste brusque avec sa crevette.

— Prends des bulles. Ça va t'aider à te décoincer, insista Glen.

— Je crois que je vais me chercher un coin tranquille pour faire un peu de chi kung.

— Jack ! On a des photos à faire et nos invités attendent ! s'emporta Martha.

— Il faut que je me mette en condition, dit-il avant de quitter la pièce, fermant la porte derrière lui.

— Jack ! cria Martha.

— Laisse-le. Donne-lui quelques minutes et ensuite

j'irai le chercher. Tout cela le rend très nerveux. C'est un grand pas pour lui, dit Glen.

— Mais pour moi aussi !

La lèvre de Martha se mit à trembler. Glen passa un bras autour d'elle.

— Tu sais comment il est.

— Vraiment ? dit Martha en s'affaissant contre lui.

— Champagne ? proposa la serveuse dans le silence tendu.

— Pourriez-vous nous apporter du thé ? suggéra Josie.

— Oh, Josie, tu n'es qu'une vieille anglaise ! Quand quelque chose va mal, tu mets toujours la bouilloire en route ! J'ai besoin de champagne ! dit Martha en tendant sa coupe.

Glen se leva en regardant Josie avec inquiétude.

— Je vais chercher Jack.

Martha sirotait son thé avec placidité tandis que Josie lui remaquillait les yeux. Non pas qu'elle en eût besoin. Pour tout enlever, il lui aurait fallu un Karcher. Béatrice avait dû être plâtrière avant de se lancer dans l'esthétique. Josie allait avoir besoin d'une éponge à gratter dès son retour à l'hôtel.

Felicia et les autres demoiselles d'honneur se trouvaient sur le canapé derrière elles. Aux dernières nouvelles, le photographe tapait du pied. Sa cousine était terriblement maussade.

— Ça va ? demanda Josie en trempant un pinceau dans le fard à paupières.

Martha fit oui.

— Tu es sûre ?

Martha ne répondit pas.

— Si ça peut te consoler, Damien et moi nous sommes disputés le jour de notre mariage.

— Tu ne crois pas que c'était un présage ?

— Tu dois avoir raison. Il pinçait les fesses des demoiselles d'honneur, dit Josie.

— Dont les miennes.

— Ah oui ! dit Josie à qui ça revenait en mémoire.

Martha soupira.

— Tu crois que j'ai bien fait, Josie, demanda-t-elle à voix basse.

— Bien sûr !

— Je me sens bizarre, dit Martha en se mordillant la lèvre.

— C'est normal. C'est le jour de ton mariage, tu es sur les nerfs. Tu es restée dans le froid et maintenant on a l'impression d'être dans un sauna. Tu n'as rien mangé, hormis un demi-*bagel* et un verre de boue. Évidemment que tu te sens bizarre !

— Et si je commençais déjà à regretter...

— Il ne faut jamais regretter ce qu'on a fait dans la vie. Seulement ce qu'on n'a pas fait.

— Encore un bon dicton populaire.

— Sûrement, dit Josie sur la défensive.

— C'est que je repensais à ce que tu m'as dit hier soir.

— Oh, il ne faut pas faire attention à ce que je dis. Quand je n'ai pas de soucis, j'en invente. J'ai reporté toutes mes angoisses sur toi.

— Tu ne crois pas que je suis allée trop vite ? Depuis la mort de Jeannie, je suis trop émotive. Je n'ai pas les idées claires. Aurais-je dû attendre ?

— On en a déjà parlé et tu sais que tu as pris la bonne décision. Tu veux avoir des enfants, tu te souviens ?

— Et s'il ne pouvait pas en avoir ? Tu as raison. Je n'y avais pas pensé.

— Tu vas en avoir des dizaines. Assez pour former une équipe de foot.

— De base-ball.

— Une équipe de base-ball, corrigea Josie.

Glen revint.

— Jack sera là dans quelques minutes.

— Il va bien ? demanda Martha les lèvres pincées.

— Très bien.

Martha sourit avec lassitude. Glen lui releva le menton.

— Tu peux faire mieux que ça, dit-il.

— Il va falloir. Nous avons les photos à prendre, concéda Martha.

Jack reparut dans la pièce et, tombant à genoux, lui baisa les mains.

— Je suis désolé, ma chérie. Je crois que nous sommes tous stressés. Je te demande pardon, dit-il.

Martha toucha sa tresse en l'examinant comme si elle la voyait pour la première fois.

— Est-ce que tout le monde est prêt ? Nous avons suffisamment fait attendre le photographe, dit-elle.

Jack glissa ses bras autour de sa taille pour l'attirer contre lui. Martha regarda par-dessus son épaule, se mordillant la lèvre, le regard fixé sur Glen. Josie semblait être la seule à voir de quelle façon ils se dévisageaient.

25

« Hava Negila » résonnait dans la salle lorsque Matt et l'oncle Hymie entrèrent. L'oncle se mit instantanément à taper dans les mains tout en faisant claquer ses doigts. Il balançait ses hanches en rythme. Matt se sentait mal à l'aise avec son bouquet de fleurs. Il chercha Josie du regard.

— Laisse-toi porter par la musique, suggéra l'oncle Hymie en le poussant dans le cercle de danseurs.

Ils semblaient tous savoir ce qu'il fallait faire. Sur « Saturday Night » tout aurait été différent. Mais d'une certaine façon, les pas de danses traditionnelles juives lui échappaient. Il resta debout, à frapper contre les fleurs, se cassant le cou pour inspecter la salle du regard quand quelqu'un l'attrapa par le bras. Une femme plus petite que D2R2 mais qui avait plus de poitrine que

Dolly Parton le fit se retourner vers elle. Le bouquet alla cogner contre un pilier en marbre, envoyant des pétales sur la piste de danse. La tante Dolly lui sourit d'un air encourageant en le faisant tourner dans l'autre sens. Son bras fut saisi par un autre membre de la famille qui le relança vers le centre du cercle. Les autres hommes exécutaient des gestes rituels tandis que le cercle extérieur applaudissait gaiement. À partir d'un certain âge, les hommes ne devraient plus danser, songea Matt. Si Michael Flatley de Riverdance y parvenait encore, c'était le dernier rappel. Le commun des mortels devrait s'en tenir au bowling ou au golf. Quelqu'un poussa Matt qui leva les jambes en imitant les autres, donnant des coups de pied frénétiques en agitant son bouquet dans le vide. Il se demanda si Josie le voyait et fut soulagé de constater qu'elle n'était pas en vue.

— Quelle humiliation ! Tu as intérêt à en valoir la peine ! dit-il en serrant les dents.

S'il arrivait à atteindre le gâteau, il devrait pouvoir localiser une demoiselle d'honneur, voire *la* demoiselle d'honneur. La musique ralentit et Matt cessa de gigoter comme un sauvage. Il essuya ses sourcils en sueur à l'aide de sa cravate South Park. Les danseurs poussèrent de nouveaux cris et le rythme s'accéléra encore. Pour l'amour du ciel, à quoi rimait ce cirque ? Était-ce une version remixée ? N'en avaient-ils pas eu assez ? Les retraités new-yorkais n'étaient pas des petits joueurs. La tante Dolly apparut devant lui en agitant sa poitrine généreuse. La plupart de ses fleurs avaient perdu leur tête. Il suivit ses mouvements endiablés en se félicitant de ne pas avoir séché ses cours de danse traditionnelle à l'école élémentaire. Il savait bien qu'ils lui serviraient un jour.

La ronde avait repris. Se faufilant sous une chaîne de bras qui le gardaient prisonnier, Matt jeta ce qui restait du bouquet mal en point vers un serveur et se laissa porter par le mouvement général.

Au moment où ils allaient tous avoir besoin de hanches artificielles, la musique cessa brusquement, et tous les danseurs quittèrent la piste aussi soudainement qu'ils étaient arrivés. Quelqu'un plaça une coupe de champagne dans les mains de Matt. Il la but cul sec. Essoufflé, il réalisa qu'il n'était pas en si bonne santé qu'il le croyait.

— Venez manger quelque chose, dit la tante Dolly en le poussant vers le buffet qui débordait de plats appétissants.

— Non, vraiment..., protesta Matt.

— Ne soyez pas timide, insista-t-elle.

— Non, je n'ai vraiment pas faim, dit-il en paniquant.

— Oh, vous êtes anglais. J'ai visité Stratford-upon-Avon. Vous connaissez ?

— Oui, je connais, acquiesça Matt.

Une assiette arriva entre ses mains et on le poussa vers la table.

— Ce William Shakespeare était un sacré bonhomme.

— Oui, dit Matt qui vit son assiette se remplir de choses qu'il n'avait pas envie de manger.

— J'ai vu tous ses films. Il ressemble à s'y méprendre à Joseph Fiennes.

— Oui, admit Matt.

— Et vous êtes venu d'Angleterre pour le mariage de Martha ?

— Non. Enfin, oui. Enfin, pas tout à fait.

— Vous la connaissez depuis longtemps ?

— Pas vraiment.

— D'où vous connaissez-vous ?

— Euh...

— Je ne crois pas que Martha soit allée en Europe.

— Je... euh... je... pourriez-vous m'excuser un instant ?

Son assiette pleine à la main, Matt chercha un poteau suffisamment large pour le cacher. Après avoir avalé un troisième verre de bulles rafraîchissantes, il aperçut la jeune mariée. Elle était grande, blonde et incroyablement belle. Sa robe était luxueuse. Martha avait tout d'une femme très soignée. Cachée derrière la pièce montée, elle fumait en descendant des coupes de champagne comme si elle avait peur de manquer. Il se trouvait dans un grand mariage. Il y avait des centaines d'invités et de toute évidence le papa de Martha avait quelque argent. Il observa tous les visages avec espoir. Où étaient passées les fichues demoiselles d'honneur ? Josie devait bien être quelque part. Matt s'appuya contre le poteau en grignotant une côtelette d'agneau.

— Mesdames et messieurs. Les demoiselles d'honneur et leurs cavaliers vont ouvrir la prochaine danse, annonça une voix sucrée comme de la saccharine.

Oui ! s'exclama Matt en s'emparant d'un autre verre. Oui, oui, oui ! Les invités applaudirent avec enthousiasme. Le groupe lança la musique et un chemin se dessina dans la foule.

Quatre femmes glissèrent tranquillement vers la piste. Le cœur de Matt battait la chamade. Il avait la bouche sèche malgré l'excès de champagne. Elles s'avancèrent dans les bras de leurs partenaires et tournèrent avec l'aisance d'une équipe de danseurs de salon professionnels.

— Et merde, marmonna Matt.

Baissant les yeux vers son assiette, il perdit tout appétit. Elles étaient toutes belles. Resplendissantes et radieuses. Elles restaient concentrées sur le visage de leur partenaire. Leurs robes étaient somptueuses. Des créations en filigrane aussi délicates que des toiles d'araignée.

— Merde, merde et merde, dit Matt en tombant à terre derrière le poteau.

Les demoiselles d'honneur continuaient à danser, ignorant tout de sa douleur. Elles étaient si délicieuses ! Des petites princesses animées. Pourquoi lui ? Pourquoi est-ce que c'était toujours pour lui ?

Une seule chose n'allait pas avec ces robes, de l'avis de Matt. Mais c'était suffisant. Elles étaient roses. Rose pâle. Rose bonbon. Rose Barbie. Très mignonnes mais néanmoins roses.

Pas lilas.

Le morceau toucha à sa fin. Les demoiselles souriaient. Elles étaient adorables, à leur façon. Ils savaient qu'il pourrait potentiellement tomber amoureux de chacune d'elles. Et il savait aussi qu'il n'avait jamais, jamais vu aucune d'elles auparavant.

Matt se tapa la tête contre le poteau.

— Merde.

Il ne savait pas qui était cette Martha mais elle n'avait rien à voir avec Josie Flynn.

26

— Mesdames et messieurs. Accueillez les jeunes mariés, M. et Mme Jack Labati ! dit l'homme au micro et à la coiffure bouffante.

Martha et Jack entrèrent sous des roulements de tambour et se dirigèrent vers le centre de la piste. Martha tournoyait comme une ballerine, sa traîne déposant des confettis restés accrochés dans ses plis. Les invités se levèrent pour les applaudir. Josie mordit nerveusement sa mitaine en dentelle et Glen ajusta son nœud papillon.

— Mesdames et messieurs ! La fête peut commencer ! Première demoiselle d'honneur, Josie Flynn, venue exprès de Londres, Angleterre, et le témoin du marié, M. Glen Donnelly !

Ils se dirigèrent également vers la piste de danse bien que Josie eût préféré laisser Martha ouvrir le bal. Les autres demoiselles d'honneur et leurs cavaliers furent ensuite annoncés sous un tonnerre d'applaudissements. Tout était tellement plus spectaculaire qu'en Angleterre ! Chez elle, ils seraient déjà assis devant un rosbif trop cuit et du pudding desséché en raison de l'incapacité des hôtels britanniques à servir plus de quatre personnes à la fois. Les mères porteraient toujours leur chapeau afin de les amortir et tout le monde serait en train de se plaindre que le prêtre était inaudible, que les chants leur étaient inconnus, et que les boissons tardaient à arriver.

Glen la prit dans ses bras.

— T'ai-je dit combien je t'aime..., chanta le crooner du mariage.

Il la regarda en souriant.

— Tu peux te détendre. Le pire est passé, dit-il.

Josie relâcha ses épaules. Glen frotta ses bras nus et elle sentit une vague de chaleur la traverser.

— Tu te réchauffes un peu ?

— Beaucoup même. Merci.

— Tu vas bientôt décongeler.

Elle l'espérait. Elle n'avait pas très envie de passer sa vie avec le cœur gelé, même si ce n'était pas exactement ce qu'il avait voulu dire. En le regardant, Josie vit un malaise dans ses yeux, noirs comme une mer agitée et parcourue de courants cachés. C'est ce qu'elle avait aimé chez Matt, son honnêteté apparente, une vérité dans ses yeux qui faisait défaut à tant d'hommes. Ses yeux semblaient lui parler directement. C'était fou de se tromper à ce point. Elle avait dû être extrêmement soûle pour faire confiance à un inconnu.

Il appartenait au passé désormais. Josie leva de nouveau les yeux vers Glen. Il était normal qu'il n'ait pas l'air très heureux. Ça devait être difficile pour lui. Si Damien se remariait avec Machine, comment le vivrait-elle ? Aller à leur mariage et leur souhaiter d'être heureux. L'idée seule était insupportable. Et Glen devait assister au mariage de son meilleur ami et de son ancien amour. C'était forcément difficile pour lui.

Elle avait envie de lui dire qu'elle comprenait ce qu'il devait ressentir, qu'elle savait pour le bébé et que Martha l'avait aimé plus que tout au monde à cette époque-là. Qu'éprouvait-il pour Martha à présent ? Est-il possible d'être indifférent face à quelqu'un que l'on a aimé ? Elle avait été tellement choquée de constater que quelques mots inopportuns avaient suffi à transformer en haine son amour pour Damien : « Je suis amoureux de quelqu'un d'autre. » La phrase qui bloque l'amour dans un cœur, lui faisant faire marche arrière.

Comment est-il possible que la personne avec laquelle vous avez tout partagé pendant si longtemps ne fasse soudain plus partie de votre vie ? Que la communication ne passe plus que par des lettres types d'avocats qui coûtent deux cents livres sterling de l'heure ? La frontière entre l'amour et la haine était aussi fragile qu'on le disait. Le divorce à l'amiable ne devrait pas exister. Si l'on était capable d'endurer cette souffrance avec courtoisie, on devait parvenir à faire durer une histoire d'amour avec moins de difficulté.

Glen se pencha pour lui parler à l'oreille.

— Tu trouves qu'ils ont l'air heureux ?

Elle se tourna vers Martha et Jack qui dansaient en se serrant. Jack avait l'air si fier et Martha, loin de la mariée rougissante, respirait la confiance en elle. Elle se savait belle et s'en servait au maximum. Et pourquoi pas ? Sa cousine avait vécu l'enfer depuis le décès de Jeannie. Elle méritait sa part de bonheur.

— Oui, je trouve, dit Josie.

— Moi aussi.

Cette pensée ne semblait pas le ravir.

— Veux-tu t'asseoir ?

— Je pense que l'on peut s'octroyer un petit moment de calme, dit Glen.

— Suis-moi, dit Josie en indiquant les baies vitrées.

Ils se dirigèrent vers le jardin, attrapant des coupes et une bouteille de champagne au passage.

— Tu es bien silencieux, dit Josie.

— La journée a été longue, répondit Glen.

Ils étaient assis dans un abri à bateaux dominant un petit lac gris sur lequel flottaient des canards frigorifiés. La cabane en bois avait un style vieillot avec ses fenêtres géorgiennes. De toute évidence, elle ne servait pas souvent et une colonie d'araignées pendait des chevrons. Les portes ouvertes leur offraient une vue sur le lac. Josie avait relevé ses pieds pour les poser sur le banc étroit, gardant ses genoux serrés contre elle pour se tenir chaud. Pour la troisième fois de la journée, elle portait la veste de Glen avec le même plaisir.

— Toi aussi tu as l'air fatigué.

— Je parie que ce n'est pas ce qu'on remarque en premier quand on voit Cameron Diaz. Hey, Cam, comment se portent tes cernes et tes poches sous les yeux ? grogna Josie.

(Je parie aussi que personne ne l'a plaquée récemment.)

— Ce n'est pas ce que j'ai remarqué en premier. J'essayais de me montrer attentionné, protesta Glen.

— Je suis désolée. Je suis de plus en plus sur la défensive. Avec l'âge, je deviens méfiante, dit Josie.

— Tu es une femme très attirante.

— Ce n'est pas un très bon qualificatif en Angleterre. En gros, ça veut dire que, même si on n'en est pas à porter un sac sur la tête, on n'est pas non plus d'une grande beauté. Mais généralement ça suffit à se permettre de payer une tournée générale dans un pub, lui expliqua Josie.

— À New York, c'est un compliment, dit Glen.

Son sourire fit trembler ses genoux. En le constatant, Josie se réjouit d'être assise. Lorsqu'il se rapprocha, elle sentit son après-rasage, l'une de ces nouvelles fragrances androgynes, fraîches et énergiques qui montraient qu'il était un garçon dans le coup. Sa boîte devait lui en offrir des litres. Josie regretta les jours anciens où elle piquait les parfums très féminins de sa mère dès que celle-ci regardait ailleurs. Pourquoi ces nouvelles concoctions à la mode tournaient-elles toujours sur elle ?

— Encore du champagne ?

Josie accepta. Glen lui tint la main pour immobiliser le verre, ce qui eut pour effet de la faire trembler un peu plus.

— Tu en as eu assez ?

— Pas tout à fait mais j'y viens, admit-elle en souriant.

Les bulles avaient atteint ses orteils, les faisant frissonner dans l'air glacé. Dans un silence amical, ils observaient les derrières des canards qui s'agitaient pour se réchauffer. Josie étira sa nuque pour en soulager les tensions.

— Martha et moi avons passé une bonne partie de la nuit à discuter.

— Ce n'est pas inhabituel chez Martha. Nous avions l'habitude de rester devant la maison jusqu'au lever du soleil, dit-il en riant avec mélancolie.

— C'est cool.

— C'était il y a longtemps.

— C'est dur pour toi ?

— Boire du champagne avec une belle femme ? Terriblement difficile, dit Glen en riant.

— Tu sais ce que je veux dire.

Il resservit du champagne en s'appuyant contre la paroi de l'abri à bateaux.

— C'est plus difficile que je l'avais imaginé.

— Pourquoi as-tu accepté de le faire ?

— Ça fait plusieurs fois que je me pose cette question.

Josie vit deux canards se coller l'un contre l'autre au bord du lac et les envia. Elle se demanda si les canards avaient la même phobie de l'engagement.

— Vous auriez pu former un beau couple.

— Une fois, j'ai cru que j'allais pouvoir la rendre heureuse, mais j'ai commis une bourde.

— Elle m'a raconté. Tout ce qui s'est passé, dit Josie en étudiant son verre.

— C'est de ça dont vous avez discuté jusqu'au petit matin ?

— En partie.

Glen soupira très longuement.

— Je me suis très mal comporté envers Martha. Je n'ai plus qu'à vivre avec ça.

— Est-ce que tu regrettes ?

— C'est la plus grosse erreur de ma vie, et pourtant j'en ai commis quelques-unes, crois-moi.

À ce moment-là, la tête de Martha apparut dans l'embrasure de la porte. Ses joues étaient rouges, ses yeux brillaient trop fort. Sa coiffe était de travers et le champagne avait coulé le long de sa flûte. Titubante, elle prit appui contre la porte avant de parler.

— Quelle est la plus grosse erreur de ta vie ?

Ils se sentirent coupables. Glen fut le premier à se ressaisir. Il sourit à Martha.

— Ne pas te conduire à l'église quand il en était encore temps.

— Vraiment ?

— Tu le sais aussi bien que moi.

— Il serait peut-être temps que j'y aille ? proposa Josie.

Martha repoussa les mèches folles de son visage.

— Ne dis pas de bêtise. On dit ça pour se taquiner. Je suis venue vous chercher parce que je vais lancer mon bouquet et je veux que vous soyez là tous les deux. On ne sait jamais, Glen, tu pourrais épouser Josie un jour !

Josie se leva.

— Non, merci. J'ai déjà été le second choix d'un homme.

— Ça ne serait pas le cas. Je suis passé à autre chose. Il a bien fallu. Elle m'a repoussé comme un chien galeux !

— Ce n'est pas vrai ! protesta Martha en trottinant dans ses escarpins satinés.

Glen avança une main pour l'aider à tenir droit.

— Peut-être serais-tu la première à nous accorder ta bénédiction si nous devenions un couple ?

Martha émit un ricanement mitigé.

— Viens, Josie. Allons balancer ce bouquet pour voir si tu vas dire « oui » une deuxième fois.

— Je n'ai pas besoin de ça pour te répondre.

— Allez ! Tout le monde attend. On se demandait où vous étiez passés, les pressa Martha.

— On est juste sortis prendre l'air, se défendit Josie.

— Vous n'avez pas d'explication à me donner, les taquina sa cousine.

— Tu es un cas unique, Martha Rossani, dit Glen en la menaçant du doigt.

Le sourire de Martha s'évanouit un instant. Elle leva son annulaire gauche.

— Labati. Madame Martha Labati, corrigea-t-elle.

— Bien, madame Labati. Nous allons te raccompagner à ta fête. C'est mal élevé de faire attendre le jeune marié, dit Glen.

Martha tourna les talons avec difficulté pour aller rejoindre ses invités impatients.

La lumière faiblissait, la fraîcheur de l'après-midi laissant place au froid pinçant de la nuit. Ils quittèrent la cabane en suivant Martha en silence. Glen passa un bras autour des épaules de Josie. Son coude ressortait et, loin de la réconforter, il cognait contre ses côtes au rythme de leurs pas. La tension prouvait qu'il restait des questions sans réponse entre Martha et son premier amour. Elle se demanda si sa cousine lui avait vraiment tout dit.

Martha marchait devant eux d'un pas déterminé, son bouquet venant cogner contre sa jambe. Des pétales tombaient en pluie le long du chemin. À ce rythme, il n'allait plus y avoir grand-chose à lancer.

27

att avait dansé jusqu'à l'épuisement, avec
la tante Dolly, l'oncle Hymie, l'oncle
Tom Cobbleigh et compagnie. Il avait
fait la danse du poulet qui semblait être la version
hystérique de la danse des canards américaine et qui
nécessitait trop d'habileté pour lui. Sans oublier les
chorégraphies en ligne. Il était tombé encore plus
bas en passant à la Macarena, morceau qui devrait
être interdit en dehors d'Ibiza sans un avertissement
sur les effets nocifs sur la santé. Très exaltant pour
un journaliste de rock dans le coup ! Ce n'était
pas la première fois qu'il s'interrogeait sur ses choix
professionnels ce week-end.

À présent, il dansait avec une charmante demoiselle
d'honneur. S'il ne s'agissait pas de LA demoiselle

d'honneur, elle était néanmoins ravissante. Il appréciait le mariage de Martha II, la mauvaise mariée, grâce au champagne, et en dépit de sa désolation. Bien qu'il eût le cœur en morceaux d'avoir échoué à trouver Mlle Josie Flynn qui se trouvait quelque part dans la ville, il se sentait plutôt bien.

Son foie n'avait pas autant souffert depuis ses excès de lycéen, et d'ici à ce qu'il rejoigne l'aéroport de Heathrow, il serait aussi aigre qu'un pot de cornichons.

Matt cessa de faire tourner la jolie demoiselle d'honneur. Adorable, aussi élancée qu'un roseau, elle avait des boucles brunes qui lui rappelaient celles de la poupée Tressy de sa sœur. Elle aussi aimait bien les films de William Shakespeare. Alors qu'elle le regardait en souriant, le souffle court, il se sentit terriblement triste. Que faisait-il ici ? Il n'était qu'un imposteur parmi ces tantes, ces oncles, ces cousins et ces amis. Il n'avait rien à faire là. Un gentil imposteur qui s'était bien amusé, mais néanmoins un imposteur. Il prit les mains de sa cavalière dans les siennes.

— J'ai passé un très bon moment. Merci pour tout, mais je vais devoir y aller, annonça-t-il.

— Déjà ? Mais c'est loin d'être fini, protesta-t-elle.

Il n'en doutait pas.

— Il reste plein de choses à manger et on va encore danser.

Matt avait l'impression d'avoir déjà ingurgité la moitié d'un chariot de supermarché et d'avoir plus dansé que Ricky Martin dans ses meilleurs jours.

— Je dois aller quelque part.

— Bon, ça m'a fait plaisir, dit-elle.

— Moi aussi. Vraiment. Merci...

Il ne connaissait même pas son nom.

— Alana.

— ... Alana.

Pourquoi n'avait-il pas rencontré toutes ces femmes si arrangeantes avant d'être envoûté par Josie Flynn ?

Il dit au revoir à la tante Dolly et à l'oncle Hymie qui l'embrassèrent comme un fils perdu de vue, promettant de le contacter la prochaine fois qu'ils iraient voir Shakespeare à Londres. Il salua Martha II en lui souhaitant un avenir heureux. Il se promit de lui envoyer un cadeau de remerciements excessivement généreux dès son retour en Angleterre. Il alla récupérer son manteau au vestiaire des hommes. Le vase dans lequel il avait dérobé le bouquet pour Josie était désespérément vide. Matt regarda les pétales qui entouraient le pied du vase en se moquant de lui-même. Alors qu'il se pensait si proche de Josie, il avait échoué misérablement. Si proche et pourtant si lointaine. Telle était l'histoire de sa vie. Il passa son manteau et son écharpe en se demandant s'il neigeait toujours.

Un portier arrêtait les taxis devant l'hôtel. Matt rejoignit la file d'attente. Où allait-il se rendre ? Il consulta sa montre cassée et constata que les morceaux du cadran avaient disparu pendant la danse. Il remarqua également qu'il n'était pas encore vingt heures. Trop tôt pour rentrer à l'hôtel et passer la soirée seul, et trop tard pour trouver un bar où boire, seul. Les lumières de Broadway devaient scintiller à cette heure-là. Il s'avança en resserrant son écharpe autour de son cou. L'air glacé était coupant comme un rasoir, et le vent s'engouffrait sous les manteaux à la moindre occasion. La neige menaçait de tomber à tout moment. Cette ville pouvait être très dure quand il faisait froid et qu'on s'y trouvait seul. Pire que Lake District.

Une vague de chaleur envahit Matt. Une minute. Il y avait un endroit où il pouvait aller ! Quelqu'un qu'il connaissait et qui aurait envie de le voir. Holly. Pourquoi n'y avait-il pas pensé plus tôt ? Le portier siffla. Matt était le prochain dans la file. Il ne pouvait pas continuer à traiter Holly de cette façon, à la prendre et à la jeter à sa guise comme... comme quelque chose que l'on prend et que l'on jette à sa guise. Avant que sa conscience parvienne à le stopper, il composa le numéro de Holly et colla son portable contre son oreille gelée. Il entendit la sonnerie avant de tomber sur le répondeur.

— Salut. Désolée, je ne suis pas là. Laissez votre numéro et je vous rappellerai au plus vite.

(Un message. Un message. Réfléchis à un message, Matthew !)

— Je, euh... salut, euh, Holly. C'est, euh, Matt, à l'appareil. Matt Jar...

Il entendit le crépitement annonçant l'interruption du répondeur.

— Salut, dit Holly en respirant péniblement.

Un taxi s'arrêta et Matt fit signe à l'homme qui se trouvait derrière lui de prendre sa place.

— C'est, euh, Matt.

— J'espérais que tu appellerais.

— Tu as l'air d'être essoufflée.

— J'ai couru dans les escaliers en entendant le téléphone. J'allais sortir.

— Oh. D'accord. Alors c'est pas grave.

— Quoi donc ?

— Je, euh, je...

— Tu fais quelque chose ?

— Je, euh... mes projets sont tombés à l'eau. Je, euh..., dit-il mollement.

Holly mit fin à ses souffrances.

— Tu n'as qu'à passer.

— Bon, d'accord.

Allait-elle se faire des idées ? Était-ce une idée terriblement mauvaise, similaire en magnitude à celle qui l'avait poussé à chercher l'aiguille Josie Flynn dans une ville qui se moquait des simples bottes de foin ?

— Si ça te dit, ajouta-t-elle avec moins d'assurance.

— Je ne veux pas bouleverser ta soirée. Peut-être devrais-tu faire ce que tu avais prévu, dit Matt.

— Je préfère te voir.

— Ah.

— Tu veux venir ?

— Oui, dit-il comme il le pensait sur le moment.

— Tu te souviens de l'adresse ?

— Je l'ai notée.

— Où es-tu ?

— Sur la Sixième Avenue.

— Alors à tout de suite.

Elle raccrocha, le laissant perplexe. Un autre taxi s'arrêta et Matt donna un pourboire au portier qui lui ouvrit la porte arrière. Ce dernier le salua en fermant la porte sur Matt qui se lova dans la chaleur du véhicule parfumé à l'encens. Il y avait pire que d'être un journaliste de rock.

— On va où ?

Matt déplia le papier sur lequel était écrite l'adresse de Holly. Pourquoi était-il soudain capable de conserver un petit bout de papier ? N'aurait-il pas trois jours de retard ?

Il indiqua l'adresse au chauffeur. La voiture s'élança

en suivant l'étrange sens de l'orientation du chauffeur et son instinct de kamikaze. Matt ressentait une étrange joie mêlée d'appréhension.

28

êne s'il avait été assez rusé pour trouver le moyen de poursuivre sa quête et qu'il était plus léger de quelques milliers de dollars, Damien n'était pas dans son assiette. L'avion était rempli d'hommes d'affaires en surcharge pondérale qui voyageaient sur le compte de leur entreprise. Son voisin ronflait comme un porc depuis le décollage malgré les efforts de Damien pour le réveiller. Sur l'écran, ils ne passaient que des conneries romantiques. Et les poupées qui poussaient les chariots n'étaient que des lesbiennes coincées qui servaient le champagne comme s'il sortait de leur cave personnelle. Il devait redoubler de volonté et de patience pour rester calme. Et il n'y avait rien de pire que de débouler dans un mariage quand tout le monde est déjà ivre et que vous êtes la seule personne sobre comme un missionnaire un jour de messe. Il aurait préféré se retrouver avec le petit peuple dans le fond de l'appareil. Sauf que la plèbe avait préparé son voyage depuis des mois et qu'il ne restait plus de place pour les impulsifs dans son genre.

L'immigration l'avait retenu une éternité, et maintenant Damien trépignait d'impatience en attendant son bagage. Il pourrait mourir de vieillesse le temps que le tapis roulant le lui apporte. Il en avait marre de se presser. Il avait payé trop cher pour se bousculer. Pourquoi n'avait-il pas pensé à envoyer un fax à Josie ? Parfois il ne pensait vraiment à rien.

En passant les doigts dans ses cheveux en pagaille, il fit tomber une pluie de sucre en poudre qui, de loin, ressemblait étrangement à des pellicules. Il se frotta les épaules en marmonnant. Il se sentait négligé et regrettait de ne pas avoir eu le temps de se doucher ni de se raser. Josie avait toujours aimé les hommes soignés comme Jeremy Irons ou Pierce Brosnan, et non pas les délabrés qui se veulent naturels du type Ewan McGregor. Il regarda l'heure. Il allait falloir qu'elle le prenne ainsi, en espérant que son allure réveille son instinct maternel. Tout était possible. Elle en avait suffisamment fait profiter cette espèce d'affreux chat gâté pourri. Damien regarda de nouveau l'heure. Le temps pressait vraiment.

D'un autre côté, Melanie aimait les hommes bruts et toujours prêts. Prêts de préférence à n'importe quelle heure du jour et de la nuit. Au bout de quelques semaines de rendez-vous illicites, il s'était senti à bout de forces. Il racontait à Josie qu'il avait joué au squash après le travail pour justifier son retard et son visage rouge et transpirant. Ce n'était pas un vrai mensonge puisque ces activités brûlaient autant de calories l'une que l'autre.

Il se demanda ce que Melanie pouvait être en train de faire. Elle devait attaquer son costume Armani avec le couteau à pain afin de découper une manche de la veste et de réduire les jambes du pantalon de quelques centimètres. Ou alors elle remplissait ses chaussures de camembert bien fait. Il aurait dû emporter ses plus beaux vêtements avec lui. Si au lit elle était une chatte brûlante, malheureusement hors de la chambre cet aspect de sa personnalité était bien moins attirant. Melanie ne se calmait jamais sans s'être battue. Façon de parler.

À l'inverse, Josie s'était montrée conciliante malgré l'anéantissement qui avait suivi son départ. Aucun pot n'avait été jeté par colère, aucun club de golf n'avait été inutilement plié, sa BMW n'avait pas été bosselée, pas de larmes, pas de hurlements ni de comportements extrêmes et mélodramatiques. Elle était restée là, le visage pâle, l'œil sec, sans le contrarier. Non, Josie avait tout accepté dans un silence digne. En fait, il regrettait l'absence de manifestation émotionnelle qui l'aurait peut-être aidé à saisir les sentiments qu'elle éprouvait pour lui.

D'un autre côté, la mère de Josie avait mis au point, pour s'adresser à lui, toute une panoplie d'injures qui auraient été censurées par toutes les chaînes de télé.

Il était vrai qu'il espérait que sa femme se montrerait aussi conciliante au moment de leurs retrouvailles afin qu'il n'ait pas à faire plus de rétropédalage que Bill Clinton.

Damien tapota sa poche avec la fierté d'un heureux propriétaire. Ce petit caillou était la meilleure des assurances de réussite.

Il n'avait pas réservé de chambre d'hôtel puisque, ce soir, il partagerait sans aucun doute le lit de Josie. Bien fait pour son nouveau petit ami ! En se demandant s'il n'avait pas développé un tic, Damien consulta sa montre avec impatience. Avec un peu de chance, un vent favorable et une file de taxis garée devant l'aéroport JFK, il ferait son entrée dans moins d'une heure, au moment où la cérémonie toucherait à sa fin. C'est ce qu'on appelle un *timing* parfait ! Les mariages étaient toujours tellement ennuyeux que c'était à se demander pourquoi les gens continuaient de se les infliger. Sa valise daigna enfin apparaître. Damien sourit en la soulevant du tapis roulant. Il espérait que son arrivée ajoute un peu de peps au mariage de Martha.

29

Un !
Martha était sur le podium, dominant le
groupe des filles célibataires qui s'étaient précipitamment levées pour former un troupeau indisci-
pliné à sa suite. Josie avait été tirée jusque-là par sa
cousine qui l'avait placée au premier rang. Elle ne se
sentait pas à l'aise mais, s'efforçant de sourire, elle
essayait de faire plaisir à Martha. Elle aurait aussi bien
fait de lui donner un drapeau avec écrit dessus : « Je
désespère de trouver un mec ! »

Elle remarqua que Felicia avait elle aussi été
contrainte à participer, et Josie regretta qu'elle n'ait pas
pris le numéro de Matt, ni un moyen de le contacter
quand il avait appelé en début de journée. Peut-être
n'accepterait-elle pas de le revoir, mais elle se sentirait

mieux de refuser de le voir tout en sachant qu'elle le pourrait si elle en avait envie. Josie s'interrogea sur son raisonnement.

Face aux sourires forcés de Martha, Josie se sentit tendue. C'est qu'elle n'aimait pas se ridiculiser en public. Mieux valait ne pas se demander pourquoi elle avait choisi le métier d'enseignante. Sa cousine titillait les célibataires, les regardant par-dessus son épaule en ne leur dévoilant qu'un aperçu du bouquet décomposé. Les invités sifflèrent en poussant des cris enthousiastes.

— Deux ! cria le chanteur du groupe dans le micro.

Martha fit opérer quelques tours d'échauffement au bouquet avant de l'agiter dans les airs pour le lancer comme un missile. Les filles se poussèrent comme si elles étaient à l'ouverture des grands magasins le premier jour des soldes. L'assemblée siffla de plus belle. Martha fit une grimace malicieuse tout en titubant sur ses talons.

— Trois !

Elle projeta le bouquet haut dans les airs. Il vola par-dessus les têtes dans un nuage de pétales avant de cogner contre la boule à facettes suspendue au-dessus de la piste de danse. Il retomba directement dans les bras tendus de Josie. Elle le fixa du regard avec un mélange d'étonnement et de crainte. Elle l'aurait bien laissé tomber comme la pomme de terre chaude qu'il était. Les cris et les sifflements sauvages redoublèrent.

— Applaudissons tous la demoiselle d'honneur anglaise, Mlle Josie Flynn ! claironna le chanteur.

La foule acclama Josie qui avait les joues en feu. Elle força un sourire en brandissant le bouquet, avant de se précipiter jusqu'au bar aussi vite que ses jambes le purent. À quoi rimait ce manège ? En Angleterre, à cette heure-là, elle serait déjà allongée sous une table, plongée dans un coma éthylique.

— Mesdames et messieurs, voyons voir qui sera capable d'attraper la demoiselle, cria le chanteur.

Les hommes célibataires étaient largement moins désireux de se prêter à un jeu susceptible de les ridiculiser. Des Siciliens imposants en costume noir durent les prier de se rendre au milieu de la piste. Ils ignoraient ce qu'on attendait d'eux. Mal à l'aise, Glen restait tapi dans le fond. Il regarda Josie en lui signifiant sa gêne. Celle-ci lui offrit un sourire encourageant en retour. Jack avait rejoint Martha sur la scène et, sur l'incitante musique de « Strip-tease », fit glisser sa jarretière en dentelle bleu ciel. Il envoyait des regards sournois aux invités tapageurs.

Josie but une gorgée de champagne. Elle se demanda si elle parviendrait à apprécier l'homme que sa cousine avait épousé. Ses mains n'allaient pas avec les cuisses de Martha. Il avait des grosses pattes blanches et ridées comme des vilains asticots posés sur la peau douce et hâlée de Martha. Il y a des gens que l'on ne peut imaginer en train de faire l'amour : sa mère avec son père, le prince Charles avec qui que ce soit, Martha et Jack. S'imaginer avec Matt Jarvis ou même avec Glen était une tout autre histoire en fin de compte. Imaginer Damien avec Machine n'était pas non plus très difficile. En fait, elle refaisait souvent ce cauchemar.

Une fois sa tâche accomplie, Jack montra la jarretière d'un geste théâtral. Les invités l'encouragèrent bruyamment. Il refit la même chose que Martha mais avec plus de sobriété.

— Un ! Deux ! Trois !

Il lança la jarretière qui vola dans les airs au-dessus des hommes qui tentaient maladroitement de l'attraper. Glen s'élança en sautant pour saisir le bout de dentelle en plein vol. Les invités applaudirent chaleureusement sa prouesse. Tenant triomphalement la jarretière au-dessus de sa tête, Glen salua humblement.

— Mesdames et messieurs, le témoin du marié, M. Glen Donnelly !

Le groupe joua une sorte d'hymne à la victoire sur les roulements du batteur.

— Le couple gagnant voudrait-il s'avancer sur la piste ? cria le chanteur en rythme.

Le couple gagnant ? Josie termina sa coupe cul sec. Martha apparut.

— Il parle de toi. Va le rejoindre, murmura-t-elle.

Feignant l'ennui, Josie trottina en s'accrochant au bouquet.

— Merci, cousine, murmura-t-elle en se dirigeant vers la piste.

Glen l'attendait bras ouverts, prêt à l'enlacer. Bon, peut-être que ça ne serait pas si désagréable après tout, se dit-elle en souriant tranquillement. Il la serra contre lui sous de nouveaux applaudissements généraux. De retour sur scène, Martha tapait dans ses mains en tenant le bras de Jack. Elle était pâle et Josie se dit qu'elle devait être fatiguée.

— Ce n'est qu'une passade..., minaudait le chanteur.

Glen fit tourner Josie jusqu'au centre, replaçant les cheveux de sa cavalière derrière ses oreilles avec un certain style, espérait-elle.

— Qu'y a-t-il ?

— Martha est une femme mariée désormais. Elle n'est plus disponible. Mais moi, je le suis, dit-il en faisant la moue.

— Moi aussi.

— Je pense qu'on devrait s'amuser tant que tu es là.

— Moi aussi. Encore.

Il l'attira plus près de lui.

— Ce soir, on pourrait rentrer ensemble à Manhattan. Mon appartement donne sur le parc.

Josie déglutit péniblement.

— Mon avion décolle demain après-midi.

— On peut passer du temps ensemble avant ton

départ. Visiter quelques endroits, déjeuner ensemble. Qui sait ? As-tu d'autres projets ?

— Pas vraiment.

(Pas du tout.)

Glen lui sourit.

— Alors on fait ça ?

— D'accord.

Il resserra son étreinte en la faisant tourner autour de la piste. D'autres danseurs les avaient rejoints, leur souriant en les félicitant comme s'ils étaient les jeunes mariés. Josie s'abandonna à l'étreinte de Glen. C'était un beau garçon. Ses dents étaient peut-être trop blanches et ses cheveux trop bien coiffés, mais bon, elle pourrait faire avec. Personne n'est parfait. Qu'importe qu'il n'ait pas le charme naturel de Matt, débraillé comme un écolier. Elle pourrait se laisser séduire par son charisme de mannequin. Pour démarrer l'opération « refais ta vie et arrête de laisser des losers te marcher dessus », ce n'était pas si mal. En s'appuyant contre la poitrine de Glen, Josie se dit qu'elle commençait même à se sentir bien.

Martha s'avança vers eux. D'une pâleur extrême, elle avait les lèvres pincées. Elle était tendue et avançait d'un pas saccadé.

— Josie, ça t'ennuierait que je te prenne Glen pour un petit moment ?

— Maintenant ? demanda Josie avec surprise.

— Je n'en ai pas pour longtemps.

— Quelque chose ne va pas ?

Martha la regarda comme pour l'avertir.

— Non. Glen ?

Glen ne se laissa pas intimider.

— Martha, laisse-moi finir cette danse avec cette charmante dame et ensuite je te rejoins.

Martha fut sur le point de protester mais se ressaisit à temps.

— Très bien. Mais ne tarde pas trop, dit-elle.

Elle s'éloigna en se frayant un chemin parmi les danseurs.

— Qu'est-ce qu'elle a ?

— Aucune idée.

Glen ne semblait rien y comprendre. Il continua de danser comme il l'avait dit à Martha mais Josie remarqua qu'il la faisait tourner un peu plus vite. Josie regarda le voile de Martha froufrouter tandis qu'elle montait les marches en direction de la salle qui leur avait été attribuée en début de journée. Quelque chose ne changerait jamais chez sa cousine. Toute petite déjà, Martha n'aimait pas qu'on touche à ses jouets.

30

Matt paya le chauffeur qui s'éloigna dans la nuit. Hésitant, il resta devant l'appartement de Holly, à l'endroit où ils avaient échangé leur baiser de bonne nuit. Il quitta la lumière électrique du ciel pour monter les marches menant à l'énorme porte d'entrée où il passa en revue la liste des résidents. Les initiales « HB » brillaient sur l'Interphone illuminé. Il avait à peine posé les doigts sur la sonnerie que le haut-parleur se mit à grésiller. La voix désincarnée de Holly semblait faible et cassée.

— Salut. Je t'ouvre. Monte.

Il entendit l'ouverture automatique et la porte s'entrebâilla. Matt entra en déroulant son écharpe qu'il fourra dans sa poche. Le hall était chauffé et trop éclairé. Sur les murs blancs ternes, on pouvait voir des craquelures et des taches indésirables. Le parquet mal entretenu était sombre et n'avait pas été verni depuis un moment. Un escalier en colimaçon s'élançait d'un côté et au centre se trouvait une vieille cage d'ascenseur en fer. En se recoiffant, Matt choisit la seconde option. Holly cria d'en haut.

— Il ne marche pas ! Il faut monter à pied !

— D'accord.

Matt commença à monter les marches deux par deux. Son ascension lui rappela la statue de la Liberté, l'attrait des fesses de Josie ondulant devant lui en moins. C'était la seule chose qui l'avait poussé à atteindre le sommet et il se demanda si elle avait deviné que, sous sa bravoure, il cachait une phobie des hauteurs. Au troisième palier, il était hors d'haleine. Il allait arrêter de boire et de prendre des taxis. Il allait acheter un VTT dès son retour.

— Plus que deux étages ! l'encouragea Holly.

Ses cheveux tombaient en cascade autour de son visage penché vers lui. Matt s'appuya contre le bois incurvé de la rampe pour reprendre son souffle.

— J'espère que tu as de l'oxygène là-haut.

— J'ai mieux. De la tequila.

Il reprit son escalade.

— Je comprends pourquoi tu es si mince.

— Allez ! Arrête un peu, tu me fais culpabiliser. Ce n'est plus très loin.

Matt atteignit l'étage de Holly en chancelant. Il aurait dû enlever son manteau à mi-chemin. Il se sentait désagréablement en sueur. Se redressant, il soupira de soulagement.

— J'ai réussi !

— Je suis ravie.

Holly lui souriait timidement.

— Waouh ! dit Matt en déglutissant.

— Ça te plaît ? demanda-t-elle en tournant sur elle-même.

— Double waouh ! Qu'est devenue la hippie ?

— De temps en temps, je la mets de côté.

— Tu es superbe.

Adieu le jean, les baskets et le nombril à l'air. Ils avaient été troqués contre une petite robe noire et des talons. Des talons hauts, digne d'une dominatrice. La robe était composée de pièces qui tenaient miraculeusement ensemble, peu efficaces contre l'afflux de testostérone qui l'envahit. Composée de peu de tissu, elle était néanmoins magnifique.

Holly lui prit la main avant qu'il ait eu le temps de l'essuyer sur son jean.

— Entrons. Bienvenue *chez moi*[1], dit-elle en l'invitant à l'intérieur.

Chez moi était une mansarde en fouillis dotée

---

1. En français dans le texte.

d'énormes fenêtres qui donnaient sur les lumières de la ville. Du matériel d'artiste traînait dans tous les coins : de crayons, des tubes de peinture, des bouts de pastels. De grandes toiles tachées de couleurs primaires ornaient les murs.

— Enlève ton manteau.

— Merci.

Il le déposa sur une vieille chaise en rotin près de l'entrée. Il avait chaud et le col de sa chemise l'étranglait. Il fit le tour en prenant le temps de regarder les toiles peintes grossièrement. Il en indiqua une du doigt.

— C'est de toi ?

— J'ai fait une école, dit-elle en haussant les épaules.

— Elles sont bien.

— Pas assez pour que je puisse avoir la vie que j'aimerais.

— C'est pour ça que tu travailles dans les relations presses ?

— Pour l'instant, dit-elle en passant dans la cuisine.

C'était une révélation. Matt adorait le fouillis. Il trouvait les femmes désordonnées truculentes et sexy, pas comme son ex-femme qui vénérait les sacs-poubelles, l'ordre absolu et les produits ménagers. Il s'était juré de ne plus jamais tomber amoureux d'une femme ordonnée et il espérait ardemment que Josie fût une souillon.

Dans un coin de la pièce, une pile de vêtements en vrac rassemblait un mélange éclectique de fripes et de pièces de créateur. Au sommet se trouvaient des baskets et un short en Lycra. Sur les étagères s'étalait une fabuleuse collection de livres ésotériques qui semblaient sortir de chez des bouquinistes ou de bibliothèques de prêt où ils ne retourneraient jamais. Il passa un doigt sur la tranche poussiéreuse d'un ouvrage usé jusqu'à la corde. Il réalisa soudain qu'il ne savait pas grand-chose sur Josie. Une collection de photos hétéroclites décorait les contours d'un miroir. On y voyait Holly avec des amis d'école et de la famille, mais aussi en compagnie de stars de la pop plus ou moins connues, dont les Headstrong.

Matt rejoignit Holly à la cuisine. Cette pièce était tout aussi vivante mais on distinguait un ordre dans le chaos. Les poêles et les ustensiles étaient subtilement organisés. Une bouteille de vinaigre balsamique de qualité et un pot d'olives de choix se trouvaient près de la cuisinière. Sa sélection de livres de cuisine prouvait qu'elle ne lésinait pas sur la préparation des plats. Pour équilibrer cet ensemble, il y avait un tas de miettes près du grille-pain et une pile de vaisselle sale dans l'évier.

Holly prit une bouteille de tequila dans le frigo.

— Quelle dose ? Petite ou grande ? demanda-t-elle en l'agitant sous son nez.

— Je vais continuer sur ma lancée. Une grande, dit Matt.

Son programme de purification en douze étapes pourrait attendre lundi. Holly lui versa une dose mortelle avant de remplir son verre. Ils trinquèrent. Matt garda la gorgée glacée dans sa bouche pour apprécier la sensation de brûlure.

— Tu as l'air étonné.

— Je ne m'attendais pas à ça. Tu caches des secrets derrière ta façade, Holly Brinkman, dit Matt en s'appuyant contre le placard.

Elle soutint son regard en vidant son verre d'un trait.

— Alors, buvons à la surprise. Peut-être que cette fois-ci tu vas rester assez longtemps pour en découvrir plus.

— J'en ai l'intention, dit-il.

— Allons nous mettre à l'aise, proposa Holly en l'entraînant au salon.

Elle l'invita à s'installer sur le canapé beige qui trônait au milieu de la pièce. Un canapé recouvert de traces de peinture mal nettoyées. Matt s'adossa contre les coussins. Il avait mal aux pieds et se dit qu'il savait désormais ce que ça faisait d'avoir des oignons, ce qui n'avait pas empêché la tante Dolly de virevolter comme une nymphe démente.

Holly s'étira langoureusement de façon à mettre le lecteur de CD en marche, technique de séduction visiblement au point. Elle ôta ses chaussures d'un geste tout aussi théâtral et replia ses jambes en passant ses doigts dans ses boucles blondes.

— Alors, maintenant que je t'ai pour moi toute seule, veux-tu me parler de toi ? Ou alors c'est moi qui te raconte ma vie ?

Matt but de la tequila en contemplant le fond de son verre.

— L'histoire de ma vie n'a rien de palpitant. Malheureux au travail, malchanceux en amour, rêve de vivre dans une hutte sur une plage des Bahamas pour écrire des best-sellers, ce que je ne ferai sûrement jamais. Et toi ?

— Pareil. Faire de mon mieux pour payer le loyer, trop farfelue pour m'engager et donc je ne sais pas ce qu'est l'amour, rêve de pénétrer le milieu artistique de Manhattan en tant que grande révélation, ce que je ne ferai probablement jamais.

— Tu le mérites pourtant.

— Ah, vous les Anglais ! Vous avez toujours la phrase qu'il faut, dit-elle en jouant avec ses cheveux.

Ils burent chacun une gorgée et Matt remarqua que son verre se vidait rapidement. Tout comme celui de Holly. Elle le remplit aussitôt en s'allongeant un peu plus sur le canapé. Sa bouche n'était plus qu'à quelques millimètres de celle de Matt.

— Voilà, on s'est dit tout ce qu'il y avait à savoir.

— Je crois que oui.

— Dire que certains pensent qu'on parle souvent pour ne rien dire.

— C'est qu'ils n'ont pas essayé.

Elle se pencha, la main sur la cuisse de Matt, et le regarda par en dessous. Mais pourquoi avait-il passé sa vie à courir après des filles qui couraient plus vite que lui, alors qu'il suffisait de s'asseoir et de se laisser aller ? Il devait avouer que Holly était même très rapide. Ses doigts remontaient sous sa chemise, jouant avec le tissu avant de prendre leurs aises sur sa peau. Il sentait son cœur cogner contre sa poitrine frémissante comme si des milliers de fourmis rampaient sur son torse. Des fourmis très douces. La bouche de Holly trouva la sienne. Douce et chaude, elle avait un goût de kiwi. Elle lécha sa lèvre supérieure. Il avait le souffle court, ce qui ne lui était pas arrivé depuis longtemps. Sauf la semaine dernière quand il avait couru après un bus. Et quand il était monté en haut de la statue de la Liberté.

Matt fut saisi d'horreur. (Tu n'as pas intérêt à gâcher ce moment, Josie Flynn ! C'est la première fois qu'une femme en veut à ce point à mon corps ! Va-t'en ! Laisse-moi tranquille ! Je t'ai cherchée mais je ne t'ai pas trouvée, alors considérons que tout est fini entre nous !)

Il ferma les yeux et, tout en pensant à la victoire de son club de foot en coupe d'Europe et à d'autres scénarios aussi improbables que distrayants, il s'abandonna aux baisers de Holly. Elle s'éloigna brusquement.

— Est-ce que tu as faim ?

— Non. (Pourquoi s'arrête-t-elle maintenant ?)

— Je n'ai pas grand-chose à manger. Quelques pots de pâte à tartiner et des sushis.

— Je peux vivre sans pâte à tartiner et sans poisson cru, répliqua Matt. (Contente-toi de continuer à faire ce que tu faisais !)

— Nous pourrions descendre à l'épicerie. Ils font du bon veau piccatta, suggéra Holly.

— J'ai assez mangé pour la semaine, dit Matt en se massant l'estomac en guise de démonstration.

— Qu'as-tu fait ? Ton rendez-vous n'est pas venu ? demanda Holly en se recoiffant

Avec un sentiment de culpabilité, Matt pensa à Josie qui était restée seule dans ce restaurant mexicain deux jours plus tôt.

— Non. Je n'avais rendez-vous avec personne. Pas vraiment, dit-il d'une voix hésitante.

— Ça m'est égal, tu sais, assura Holly.

— C'est vrai, je n'avais pas de rendez-vous.

— Alors qu'as-tu fait de ta journée, en dehors de manger ?

— Euh...

— Du tourisme ?

— En fait, j'ai participé à quelques danses de groupe traditionnelles, version électrique, à la danse du poulet, à la Macarena...

Matt chanta, les mains sur les hanches en les bougeant sans grand enthousiasme.

— Pardon ?

Matt appuya sa tête contre le dossier en fermant les yeux.

— Je suis allé à un mariage.

— Je ne te crois pas !

— Oh, mais si. Un mariage juif américain typique plein de chansons et de danses.

— Je ne savais pas que tu avais un mariage.

— Moi non plus. Enfin pas tout à fait.

— Tu connaissais les mariés ?

— Bah, pas vraiment non plus. C'est une longue histoire, dit Matt en avalant une gorgée de tequila.

— Quelle coïncidence !

— De quoi ? Toi non plus, tu ne les connais pas ?

L'expression de Holly était étrange. Un frisson glacé s'immisça dans la tête de Matt. Comme dans un film d'horreur quand la porte grince, que la lumière s'éteint et que la musique fait « da-da-da » et que vous avez envie de vous enfoncer un coussin dans la bouche parce que vous savez que quelque chose d'horrible est sur le point de se produire.

C'est alors qu'il remarqua le paquet-cadeau joliment décoré qui se trouvait près d'une toile inachevée représentant la moitié d'une corbeille de fruits. « Bonne chance » était-il écrit à la main en argenté autour des nœuds et des rubans qui ornaient le dessus pour redescendre en cascade sur les côtés. Il regarda Holly en essayant de garder la bouche fermée. (Faites que ce ne soit pas vrai !)

— Je m'apprêtais à me rendre à un mariage quand tu as appelé.

Tous les cheveux de Matt se dressèrent dans sa nuque tant il attendait la suite. Il était tombé dans la *quatrième dimension*.

— C'est la soirée à laquelle tu m'as invité, et je t'ai dit non ?

Holly fit oui.

— Je ne savais pas que tu avais déjà un mariage. Tu aurais dû me le dire.

Combien de fois dans sa vie avait-il entendu cette phrase ? Tu aurais dû me le dire. Tu aurais dû me dire que tu avais envie de sortir avec ma meilleure amie. Tu aurais dû me dire que tu voulais une promotion afin que ce ne soit pas ce morveux de Simpson qui obtienne le poste de rédacteur en chef. Tu aurais dû me dire que tu m'aimais à ce point, je ne t'aurais pas quitté, etc., etc. S'il avait prononcé la moitié de ces foutues phrases, de combien de retournements de situation sa vie torturée aurait-elle bénéficié ? Il aurait dû dire que parmi tous les mariages susceptibles d'être célébrés à New York aujourd'hui, il en cherchait un en particulier, et une femme en particulier, une demoiselle d'honneur particulière. *Il aurait dû le dire.* Quelle phrase idiote !

Holly se rapprocha pour l'embrasser. Loin de protester, il laissa sa langue trouver la sienne, jouer avec, la pointe cognant contre ses dents.

(C'est impossible. Ça serait trop surréaliste. C'est impossible. À moins que si ?)

Sa langue explorait les lèvres de Holly avec une maîtrise vaguement alarmante. Ses mains fraîches trouvèrent leur chemin sur sa peau brûlante. Matt écarquilla les yeux. Elle s'était mise à gémir ! Des sons doux et encourageants mais impuissants contre la question qui résonnait dans sa tête. Il ne pouvait pas continuer à l'embrasser sans la lui poser. Il fallait qu'il sache. Matt arrêta sa main qui montait sous sa chemise jusqu'à sa nuque.

— Attends. Parle-moi de ce mariage, dit-il en s'écartant d'elle.

Holly eut l'air perplexe, ce qui était compréhensible étant donné les circonstances.

— C'est important, précisa-t-il.

Elle se rassit sans avoir l'air si ennuyée que ça et fit un geste qui sembla dire : « Par où veux-tu que je commence ? »

— C'est une vieille amie qui se marie. Quand j'allais en cours de dessin, elle travaillait dans une galerie de Soho. Elle a vendu pas mal de mes peintures à ses amis fortunés. Elle m'a permis de payer mes études. Je lui dois beaucoup.

Matt l'invita à continuer.

— J'ai fait en sorte que les Headstrong jouent quelques morceaux pour elle pendant sa fête. Ç'aurait pu être génial mais je préfère être là avec toi.

Holly fit signe que c'était tout. En résumé. Matt essuya la sueur froide qui perlait sur sa lèvre supérieure.

— Ton amie ne va pas t'en vouloir si tu n'y vas pas ?

— Je ne vais pas lui manquer, dit-elle en riant.

Il essaya de contrôler le volume de sa voix qui avait tendance à se moduler malgré lui. Ça lui faisait toujours ça dans les moments de nervosité. C'était pour cette raison qu'on l'avait renvoyé de la chorale de l'école.

— On devrait peut-être y aller.

— Deux mariages dans la même journée ! C'était tellement bien que tu en redemandes, hein ?

Matt ravala la boule d'angoisse qui lui serrait la gorge.

— Je suis un grand sentimental dans le fond.

Holly se lova contre lui et passa une main entre ses cuisses. Matt respira plus fort.

— Tout comme moi... mais j'ai d'autres idées en tête.

— Ha, ha. Moi aussi. Quelle heure est-il ?

Il essaya sans succès de récupérer le bras que Holly avait enroulé autour d'elle.

— Il se fait tard.

— On a le temps d'arriver avant la fin ?

Holly se redressa en fronçant les sourcils.

— Tu as vraiment envie d'y aller ?

Matt haussa les épaules avec nonchalance malgré son cœur qui dansait le tango.

— Ça me ferait une occasion de réécouter les Headstrong.

— Tu les détestes.

— Je les ai peut-être jugés à la hâte.

— Tu fais ça pour moi, n'est-ce pas ? demanda-t-elle avec joie.

Matt sourit un peu trop largement pour être sincère. Et pour paraître encore plus mignon, il arqua les sourcils d'un air coquin.

— Tu m'as démasqué !

— Je l'appellerai quand elle rentrera de son voyage de noces. Ils partent trois semaines en randonnée dans la forêt amazonienne, dit Holly d'un air impressionné.

— Magnifique, dit Matt.

Holly remplit leurs verres de tequila.

— Ne t'inquiète pas. On peut rester là, bien au chaud. Martha ne m'en voudra pas.

Matt se sentit rétrécir et un cri violent germa en lui. Il prit la main de Holly.

— Va chercher ton manteau, ordonna-t-il en reboutonnant sa chemise.

— De quoi ? Matt !

Il la força à se mettre debout et, dans le mouvement, elle renversa son verre sur sa robe noire. Tandis qu'il la poussait vers la porte, elle tentait d'éponger l'auréole.

— Mais quoi ? répéta-t-elle.

— Manteau ! Dépêche-toi ! Nous allons au mariage ! dit-il en enfilant le sien.

— Tu es fou ! dit Holly en sautillant pour remettre ses chaussures.

— Allez, allez !

Matt était déjà dans le couloir.

— Où a lieu cette fête ? lui demanda-t-il.

— À Long Island.

— Long Island ! Où exactement ?

— Au Zeppe's Wedding Manor.

— Zeppe's Wedding Manor ! répéta Matt en se demandant s'il n'allait pas s'évanouir.

31

Josie se sentait bête avec le bouquet de la mariée. Glen et Martha avaient disparu depuis un long moment. Laissé seul avec les invités, Jack commençait à avoir l'air pitoyable. Il dansait avec une vieille tante sicilienne minuscule aux cheveux bleu d'encre et semblait déployer beaucoup d'efforts de gentillesse. Josie avait envie de donner des coups de pied dans quelque chose. Et de frapper fort.

Où était donc passée sa satanée cousine ? Et surtout, où était-elle passée avec son homme ? Elle avait supporté ce fiasco du lancer de bouquet pour le gagner de façon loyale ! Où pouvaient-ils être ? Et qu'y avait-il de si important pour qu'elle entraîne Glen loin d'elle au moment où ils commençaient à se rapprocher. Martha avait beau être sublime, gentille et drôle, on ne pouvait pas lui faire confiance. Josie scruta la foule du regard dans l'espoir d'apercevoir un bout de voile ou un témoin séduisant. Rien. Où qu'ils soient et quoi qu'ils fassent, ils avaient mal choisi leur moment.

— Où est passée ma fichue fille ? hurla Joe en dansant avec la femme de son frère aîné.

— Elle s'est absentée une minute, oncle Joe. Pour prendre l'air.

— Prendre l'air, mon cul ! Mon Dieu, cette fille sera en retard le jour de son enterrement.

Réalisant ce qu'il venait de dire, son visage se décomposa. Zut. Josie resta tristement sur le côté de la piste. L'oncle Nunzio apparut alors.

— On danse, demoiselle ?

— Pourquoi pas ?

Il la prit délicatement entre ses vieux bras ratatinés qui semblaient avoir labouré des champs et fait les vendanges, bien que Martha lui ait dit que son oncle était multimillionnaire et dirigeait un empire de l'export. Quelles que soient ses activités professionnelles, il savait bouger. Il la fit danser avec une grande maîtrise et la légèreté de Fred Astaire.

À travers les roucoulements forcés de Céline Dion qui chantait « My heart will go on », Josie s'inquiétait toujours et continuait de surveiller la salle par-dessus l'épaule de l'oncle Nunzio.

— Relax. Tu as besoin d'un bon coup, l'informa l'oncle Nunzio.

— Vous n'allez pas remettre ça. Je fais de mon mieux, vraiment. Avant hier, j'ai rencontré quelqu'un avec qui j'aurais volontiers couché sur-le-champ, et ce n'est pas du tout mon genre, mais il a disparu de la circulation. Et j'ai passé la journée à courir après le témoin du marié et lui aussi s'est volatilisé. Je suis sur le point de développer un complexe, alors lâchez-moi avec ça, dit-elle.

L'oncle Nunzio lui sourit de toutes ses dents et elle éclata de rire.

— Vous ne comprenez rien à ce que je vous raconte, n'est-ce pas ?

— Des conneries, répondit-il.

— J'ai cru le contraire. En fait, vous êtes comme tous les hommes avec qui je suis sortie.

Jack apparut en négociant un virage avec sa partenaire, la grande poupée à perruque bleue.

— Josie, as-tu vu Martha ? demanda-t-il.

— Pas depuis un moment. Pourquoi ?

— Ils vont servir le prochain plat. Je ne veux pas qu'on commence sans elle. Je vais aller la chercher.

Il avait les sourcils froncés. Enfin, plus que d'habitude.

— Non, non. Je m'en occupe, offrit Josie en se demandant pourquoi elle paniquait.

— Glen doit savoir où elle est... Je ne le vois pas non plus, dit-il en le cherchant du regard.

— Il est quelque part par là, assura Josie.

— Tu crois qu'elle va bien ?

— Je suis sûre que tout va très bien.

— J'ai l'impression que ça fait un moment qu'elle a disparu.

— Elle doit avoir mal à la tête. La journée a été longue, affirma Josie en s'efforçant de le rassurer.

Il était possible que Martha ait vraiment mal à la tête. Pourquoi pas ? pensa Josie.

— Je vais essayer de la trouver, Jack. Toi, tu restes avec les invités.

— Merci, Josie.

Il lui sourit avec une chaleur qui la prit de court, puis il repartit en tournoyant. Josie lui attrapa le bras.

— Jack. Félicitations. Ce mariage est très réussi.

— Merci. Je suis content que tu aies pu venir, dit-il avec une sincérité touchante.

— Moi aussi, dit Josie.

Le photographe se glissa entre eux pour les mitrailler. Josie et Jack clignèrent des yeux.

— Pris en flagrant délit ! s'exclama Jack en souriant.

Il s'éloigna. Josie se tourna vers son partenaire.

— Oncle Nunzio, je vais devoir vous laisser. J'ai une cousine à étrangler.

— *Si, si*, dit-il avec enthousiasme.

— *Si*. À plus tard, répondit-elle en s'arrachant à son étreinte.

— Mes testicules brûlent pour toi.

— Je ne peux pas dire qu'on m'ait déjà exprimé ça de cette façon.

— Tu as un beau cul, dit-il.

— Merci. Et toi, tu as un vocabulaire pitoyable, dit Josie en souriant.

Elle l'abandonna en résistant à l'envie de lui laver la bouche avec du savon, puis se dirigea vers l'escalier. Martha était peut-être allée se reposer dans la salle du haut ? Ou pire, elle et Glen s'étaient installés quelque part pour revivre leur histoire d'amour passée à un moment qui n'était pas le bon. S'ils étaient en train d'évoquer « le bon vieux temps », elle les tuerait tous les deux. Puisqu'ils avaient attendu aussi longtemps pour en parler, il n'y avait pas urgence.

Jack avait pris place à table. Il semblait soucieux et seul. Des gens se pressaient pour le féliciter, remplissant le livre d'or de traits d'esprit qui ne seraient jamais lus, tout comme les albums de photos qui ne seraient jamais consultés. Personne ne remarquait son malaise.

Josie se pressa. Où que soit Martha, elle avait intérêt à revenir au plus vite. Une chanteuse tapota le micro, des notes à la main.

— Mesdames et messieurs. Nous sommes les « Belles de mariage » ! Nous allons animer le dîner avant de laisser la place à la révélation de la jeune scène new-yorkaise, les Headstrong !

Josie s'arrêta net. Headstrong *?*

Les serveuses firent leur entrée, apportant des filets mignons fumants.

Headstrong ? Ce nom lui était familier, mais où l'avait-elle entendu ?

32

Il neigeait et ils n'arrivaient pas à trouver un taxi. Il n'y en avait nulle part. Holly sautillait sur ses talons qui n'étaient pas faits pour les longues marches. Matt faisait de son mieux pour les isoler du froid et des flocons qui cinglaient leurs visages mouillés.

— C'est profondément désagréable, se plaignit Matt.

— On n'est pas obligés d'y aller, fit remarquer Holly.

— Il le faut. Ne me demande pas pourquoi mais on doit y aller, expliqua Matt.

— C'est un truc anglais ?

Holly repoussa ses boucles trempées de sa bouche. Ses cheveux étaient plats au-dessus et ébouriffés sur les côtés.

Elle était terriblement mignonne, et même de plus en plus à chaque instant. Dans une autre vie, il l'aurait vite raccompagnée dans son appartement chaleureux, désordonné et artistique pour la violer. Mais ce n'était pas au programme du jour. Pour l'instant il ne pensait qu'à retrouver une femme en robe lilas qui ignorait tout du fait qu'elle causait du tort à sa vie amoureuse.

— Est-ce que ça porte malheur de ne pas assister à un mariage ?

— Énormément, lança Matt.

Holly se figea et tendit ses mains vers le ciel.

— Je vais prendre le risque. Que peut-il arriver ? Vais-je faire une crise d'urticaire ?

— Allez. Je ne me souviens plus des conséquences mais c'est horrible.

— Vais-je développer une allergie à l'alcool ? C'est la pire chose qui puisse m'arriver.

— Encore cinq minutes. Rien que cinq petites minutes de rien du tout et si aucun taxi ne se pointe d'ici là, on laisse tomber, la rassura Matt.

— Je vais être toute moche. Je suis trempée et mes cheveux sont tout frisottés.

— Tu es très belle, affirma Matt.

— Tu le penses vraiment ?

Holly enroulait ses mèches autour de son doigt. Il la regarda. Son nez brillant sous la neige fondue. Ses cheveux mouillés et tout bouclés. Ses chaussures mal choisies et trempées.

— Oui. Je le pense sincèrement, dit-il.

— Retournons chez moi, Matt, dit-elle.

Il s'arrêta, la neige tombant sur son nez, sur son manteau et lui plaquant les cheveux. Il pouvait s'entendre respirer malgré le bruit de la circulation. Les néons clignotaient autour d'eux, leurs contours disparaissant dans un halo blanc. Un taxi se gara spontanément devant eux. Matt le regarda sans y croire. C'était un signe du destin. C'était un putain de tour que lui jouait le destin !

— Monte, lui ordonna-t-il en ouvrant la portière.

33

Les échos des festivités parvenaient aux oreilles de Josie qui se dirigeait vers la salle de repos en haut des marches. Ses pieds douloureux s'enfonçaient dans la moquette épaisse rouge sang. Ses orteils lui faisaient gentiment mal dans ses étroites chaussures lilas. Elle s'appuya un instant contre la rampe en acajou qui se déroulait sans fin. Ses mains laissaient des traces sur le bois verni. Une fois arrêtée, elle eut beaucoup de mal à repartir. Elle était absolument épuisée. Ses genoux la suppliaient de s'asseoir et elle s'affaissa sur la marche suivante avec reconnaissance.

À quoi est-ce que tout cela rimait ? L'organisation, le stress, les dépenses ? Dans quel but ? À qui servaient ces extravagances rituelles ? Son mariage avait été parfait et pourtant, cinq ans plus tard, presque jour pour jour, il était fichu, bouclé, mort, comme si aucun vœu n'avait jamais été prononcé. Elle n'avait pas dit « oui » en s'imaginant que tout serait rose, car tous les couples traversent des caps difficiles. Mais elle ne s'était pas attendue à se retrouver dans une situation aussi insurmontable que l'arrivée de cette cruche tenace. Peut-être n'y avait-il rien d'étonnant à cela : la libido de Damien avait toujours été plus active que son intellect.

Ils avaient été si heureux, du moins l'avait-elle cru. Ils avaient connu des hauts et des bas. Quelqu'un qui ne savait pas fixer des étagères sans une tonne de plâtre et sans mobiliser un électricien, un plombier et une caserne de pompiers provoquait toujours une certaine tension domestique. Mais ils avaient aussi vécu de bons moments. Est-ce que lui et Melanie jouaient au théâtre d'ombres avec leurs pieds après avoir fait l'amour, comme ils le faisaient sur le mur crème qu'ils avaient toujours projeté de repeindre ? Insistait-il toujours pour que sa partenaire soit la gagnante incontestée de leurs ébats ? Riaient-ils aux larmes en se roulant sur le carrelage de la cuisine devant les sculptures en fromage qu'ils avaient faites à leur image et qui étaient en vérité plus proches de Beavis et Butthead ? Peut-être pas. Melanie ne lui semblait pas être du genre à fabriquer des sculptures en fromage.

Elle aurait peut-être dû réagir autrement. L'infidélité

était devenue monnaie courante. Était-ce toujours un motif de divorce suffisant ? Ne faudrait-il pas adopter une attitude plus adulte et plus sophistiquée face à une simple aventure extraconjugale ? Est-ce que ça pesait vraiment dans l'histoire d'une vie entière à deux ? Il lui avait semblé que oui, mais, à présent, Josie n'en était plus si sûre. Damien ne s'en était jamais repenti, allant jusqu'à affirmer que si elle avait été une meilleure épouse, rien ne serait arrivé. Il était rarement question de lui comme d'un époux merdique. Ce n'était pas ses aventures qui avaient tout détruit. La perte de confiance et de respect avaient causé bien plus de dégâts. Une fois ces éléments perdus, il ne restait plus rien.

Que faisait Damien en ce moment, à présent qu'il n'avait plus envie de jouer à la famille avec Melanie et sa progéniture ? Il avait essayé d'amadouer Josie, mais ses efforts manquaient de cœur. Quelques coups de fil, la plupart du temps en état d'ivresse et à une heure du matin. Quelques bouquets de fleurs, jamais ses préférées. Des sous-vêtements trop vulgaires pour être appréciés. Quand Damien avait décidé de séduire, il était impossible de l'arrêter. Qui serait sa prochaine victime ? se demanda-t-elle. À la différence des vampires, Damien était doué pour sucer l'amour-propre des femmes qui se laissaient duper. Quoiqu'elle ne fût pas certaine que ça laisse moins de traces que le sang.

Vivre seule n'était pas facile. Faire des câlins lui manquait et la compagnie du chat-anciennement-connu-sous-le-nom-de-Prince ne parvenait pas à tout combler. Il y avait des moments où, en particulier vers trois heures du matin, sa raison l'abandonnait et où Damien lui manquait au point qu'elle sente sa présence dans le lit. Elle allongeait alors le bras pour faire comme si elle le caressait, même s'il n'avait jamais mis un pied ni aucune autre partie de son corps dans son nouveau lit. Dans ces moments-là, elle faisait appel aux services de la bouillotte, Oscar-le-Grognon, qu'elle retrouvait bien refroidie au petit matin. Mais tout bien considéré, conclut-elle, vivre seule était beaucoup plus intéressant que de vivre avec Damien.

Josie leva les yeux vers l'étage. Elle espérait que ça se passe mieux pour Martha. Des éclats de rire jaillirent dans le hall. Elle ferait mieux d'agir si elle voulait éviter au pauvre Jack de passer le restant de la soirée seul à table. Se relevant avec difficulté, Josie monta les dernières marches.

Tout était si calme, si paisible en haut. Elle avança dans le couloir sur la pointe des pieds. Le bruit de ses pas était étouffé par la moquette si épaisse qu'elle lui arrivait à la cheville. Vous pourriez mourir dans cet endroit sans que personne ne s'en aperçoive.

Elle prit le petit couloir qui débouchait sur la salle de repos. La tenue que Martha porterait pour partir en voyage de noces pendait au mur dans sa housse transparente. Un tailleur-pantalon légèrement bleuté. Des bottines bleu foncé attendaient patiemment à côté. Josie admira l'ensemble en se disant que Martha serait parfaite dans cette tenue. Simplement parfaite. Comme toujours.

De la salle de repos lui parvenaient des murmures. Ça devait être la voix de Martha. Il était possible qu'elle soit montée pour passer quelques coups de fil, des arrangements de dernière minute. Josie fit cogner ses phalanges contre l'épaisse porte en bois.

— Martha ?

Bien qu'elle n'obtînt aucune réponse, elle savait qu'il y avait quelqu'un à l'intérieur. Les murmures se précisèrent et les voix devinrent plus familières, plus claires. Elle pressa son oreille contre la porte, mais celle-ci était trop épaisse pour qu'elle pût bien entendre. Josie frappa plus fort.

— Martha !

Elle tourna la poignée de la porte qui s'ouvrit sans faire un bruit.

— Oh là là ! dit Josie.

Sa main tenta de l'empêcher d'ouvrir la bouche mais c'était trop tard. Beaucoup trop tard. Son menton avait déjà touché le sol.

34

Il neigeait et Matt regardait par la fenêtre en écoutant le bruit des essuie-glaces. La circulation était bloquée parce que, comme les Londoniens, les New-Yorkais ne savaient plus conduire dès que les routes se recouvraient de givre, ce qui comportait pourtant autant de dangers que le glaçage d'un gâteau. Non pas qu'il ait récemment pris le volant. Sa voiture ne lui appartenait plus, ni ses gravures de Gustav Klimt, ni son appareil à croque-monsieur qui lui avait permis de survivre quand il était lycéen, ni son côté du lit conjugal.

— Ça avance doucement, dit-il avec un sourire peu enthousiaste.

— J'ai froid, gémit Holly en se collant contre lui.

— Tiens, dit-il en enroulant son écharpe autour de son cou.

— Merci, murmura-t-elle en le serrant un peu plus fort.

Le chauffeur portait un chapeau en peau assorti de cache-oreilles, ce qui lui permettait, de toute évidence, d'économiser le chauffage. À New York, on pouvait passer sa vie à se plaindre de la température car personne ne semblait avoir assimilé le concept de température ambiante. Où qu'on aille, il faisait soit trop chaud, soit trop froid. Un long souffle d'air s'échappa de la bouche de Matt avant de traverser l'habitacle glacé. Mais qu'était-il en train de faire ? Pourquoi traversait-il Manhattan en courant (la bonne blague !) avec une fille séduisante dans les bras qui, si elle n'était pas complètement folle de son corps, ne dirait pourtant pas non, dans le but d'entrapercevoir une demoiselle d'honneur anglaise qui lui dirait clairement de dégager ? Était-ce un comportement digne d'un homme sain d'esprit ? Ne ferait-il pas mieux d'oublier Josie Flynn pour profiter de ce qui lui était offert ? Il baissa les yeux vers Holly. Les paupières lourdes, elle semblait rêveuse.

— Tu crois que ça sera fini le temps qu'on arrive là-bas ?

— C'est bien possible, dit-elle en étouffant un bâillement.

— Même les Headstrong ?

— Probablement.

— Ce n'est pas exactement la soirée que tu avais prévu de passer, n'est-ce pas ?

Un sourire las se dessina sur le visage de Holly. C'est une bonne chose qu'elle arrive à prendre la situation à la légère, se dit Matt.

— Pas vraiment, répondit-elle sans le regarder.

— De toute façon, j'ai tout foiré ce week-end, soupira-t-il.

Holly glissa sa main dans son cou. Ses doigts glacés le firent frissonner.

— Il n'est pas encore terminé, dit-elle.

— Non.

Elle gardait les yeux fermés, mais par miracle sa bouche se retrouva proche de la sienne. Pour l'embrasser, il n'aurait qu'un tout petit mouvement à faire et le rattrapage pourrait commencer. L'indécision l'envahit, faisant battre son cœur de façon désordonnée, au même rythme que la batterie des Headstrong. En levant les yeux, Matt croisa le regard du chauffeur qui les observait dans le rétroviseur. Matt lui signifia son embarras et il haussa les épaules en réponse. Il ne lui en fallut pas plus pour s'enfoncer dans le siège froid, entraînant la brûlante Holly avec lui.

Ça faisait un moment qu'ils n'avançaient pas. Damien se cramponnait à sa montre. Il était hors de question qu'il regarde encore l'heure, sous peine de développer une sévère addiction. Quand il était à l'école élémentaire, il y avait un garçon, Joseph Miller, qui amusait tout le monde en faisant semblant de bégayer. Mais au bout d'un certain temps, il n'était plus parvenu à parler normalement. Damien était tombé sur lui lors d'un congrès d'informaticiens à Harrogate, deux ans plus tôt, et il bégayait toujours. Cela lui avait fait comprendre qu'il ne fallait jamais sous-estimer le pouvoir d'une idée fixe, ni l'attrait de la popularité. Damien préféra se détendre à l'arrière du taxi.

Dans la vie, tout est question de moment. Les acteurs le savent, les agriculteurs le savent, les gagnants du Loto le savent. Alors comment se faisait-il que ces foutus chauffeurs de taxi n'en aient pas la moindre idée ? Le sien s'était tranquillement avachi sur son siège et bien que sa main ne quittât pas le Klaxon, il ne semblait pas s'énerver. Même si Damien lui en avait fait la remarque, il n'était pas du genre à s'émouvoir de l'histoire d'un passager qui a vidé son compte en banque pour venir sauver son mariage, avec l'une des plus belles pierres d'Afrique du Sud dans la poche.

Rien ne se passait comme prévu. S'ils continuaient à faire du surplace, il allait croiser Josie sur le chemin du retour.

La neige tombait à présent dans des proportions dignes de Hollywood. Il repensa à une scène de *Holi-*

day Inn où Bing Crosby chante «Je rêve d'un Noël blanc...». Les canons à neige sont tellement déglingués qu'il est impossible de distinguer sa silhouette. Damien s'efforçait de garder son calme mais ce n'était pas son fort. Josie, elle, savait rester calme. Elle y arrivait très bien tandis que lui était plutôt du genre à bouillir avant d'exploser comme les tirs d'un mini-Uzzi. Il se sentait en surchauffe, et entendre «La bamba» crépiter dans les haut-parleurs des portières au point de les faire vibrer ne faisait que le rapprocher de l'ébullition.

Damien se pencha en avant.

— Pourriez-vous appeler votre standard ou quelqu'un pour savoir ce qui se passe ?

— Pas parler anglais, dit le chauffeur.

— Vous n'avez pas la météo à la radio ? On est dans l'une des villes les plus modernes de cette putain de planète, oui ou non ?

— *Hablo español,* dit le chauffeur.

— *Dos cervesas, por favor,* marmonna Damien en s'effondrant contre le dossier.

— *Ha, ha, cervesas !* dit le chauffeur.

La voiture voisine les doubla légèrement. Damien se redressa d'un bond. Pourquoi avançaient-ils et pas eux ? Avec son habituel manque de chance, il était toujours dans la mauvaise file d'attente. Que ce soit à la banque ou au supermarché, l'autre file avançait forcément toujours plus vite. Beaucoup plus vite. Il regarda l'homme dans la voiture voisine qui avança de nouveau de quelques centimètres.

— Cette fois-ci, ça suffit, dit Damien en se préparant à agir.

S'il ne pouvait pas aller à Long Island à pied, il fallait au moins qu'il en découvre la raison.

— Restez là ! cria-t-il au chauffeur dont la voiture était clairement coincée entre une Buick, une Lincoln Continental et des taxis jaunes.

Damien sortit de la voiture, dérapant dangereusement sur la chaussée glissante. Il ferma la portière par prudence, mais aussi pour prouver que lorsque Damien Flynn prend les choses en main, ça ne rigole pas. Damien remonta le col de sa veste pour se protéger des énormes flocons qui le fouettaient entre les yeux. Se préparant à affronter les conditions climatiques, il enfonça ses mains dans ses poches. Il remonta la file de voitures à l'arrêt d'un pas féroce. Leurs feux de stop brillaient sur une distance interminable.

— Vous allez voir comment un Anglais va faire redémarrer tout ce petit monde !

De toute évidence, le chauffeur de Matt n'avait pas raté une miette de leurs baisers. Il avait l'air contrit et penaud.

— Tout va bien ? demanda Matt en ôtant les restes d'un vieil hamburger du manteau de Holly.

— Je crois que oui.

Elle remit ses cheveux en place, l'air vaguement ahuri. Qui pourrait le lui reprocher ? Ils étaient en train de s'embrasser tendrement et la seconde d'après, bang. Ils étaient tous deux tombés sur le plancher. Le « bang » n'était pas la métaphore d'une explosion d'amour, ni de leur désir ni d'une révélation. Non. C'était plus terre à terre que ça. Le bang en question provenait de leur chauffeur qui conduisait en plein milieu et qui avait percuté, avec une force considérable, la voiture de devant. Suivi d'un autre bang lorsque le véhicule de derrière leur rentra dedans en biais. Et pour l'instant, aucun des deux chauffeurs ne semblait particulièrement ravi.

Un nuage de vapeur ou de fumée ou de quelque chose qui n'avait rien à faire là s'échappa du capot pour se dissoudre dans l'air. Le coffre du taxi de devant était enfoncé et il s'était ouvert sous le choc, révélant un chaos de crics, de cordes, de pneus et de caisses à outils. Une partie de ces accessoires auraient pu être utile si le chauffeur avait su garder une once de bonne humeur. Mais non. Il s'approchait de leur taxi en criant. Très fort.

Matt aida Holly à se rasseoir en riant faiblement.

— Je parie que tu commences à te dire que je ne cause que des ennuis.

— Oui, confirma-t-elle.

— Ah.

Elle vérifia que ses cervicales n'avaient pas subi de traumatisme. Son cou n'était pas cassé, à l'inverse du talon d'une de ses chaussures qui s'était fendu en deux durant leur rude épreuve.

— Merde. On ne s'ennuie jamais avec toi, Matt Jarvis, dit Holly au bord des larmes.

— Pas souvent, admit-il.

Leur chauffeur était sorti et se disputait farouchement avec son collègue de devant. Les deux hommes hurlaient en agitant les bras de façon menaçante. Matt espérait qu'ils n'en viendraient pas aux mains. Il ne savait pas se battre, comme l'avait prouvé sa pitoyable rencontre avec les Headstrong.

— Je ferais mieux d'aller voir ce qui se passe, dit Matt en enjambant Holly.

— On n'est pas près d'arriver au mariage de Martha. Je crois que je vais rester assise en attendant la crise d'urticaire ou je ne sais quoi d'autre qui va me tomber sur la tête ce soir, affirma-t-elle.

— Je crois que ça n'arrive que si l'on fait exprès de ne pas y aller. Quand on fait tout ce qu'on peut mais que tout se ligue contre nous, à un moment ou à un autre, les lois de l'univers finissent par être clémentes.

S'il souhaitait la rassurer, il pria malgré tout pour avoir raison.

— Est-ce qu'on emploie toujours l'expression « se

liguer » ? demanda Holly en rejoignant Matt sur la route enneigée.

Il se tourna vers elle pour s'assurer que son écharpe la protégeait au mieux du froid.

— Les journalistes de rock, oui.

— Je vois.

Un joyeux attroupement s'était formé sur la chaussée, sauf que personne n'était à proprement parler joyeux. Un troisième chauffeur s'était joint aux deux premiers, ainsi qu'un gars furieux en costume tape-à-l'œil qui criait avec un accent anglais.

Alors que Matt et Holly grelottaient à l'écart de cette discussion surchauffée, leur chauffeur se tourna vers eux en leur faisant un geste que Matt jugea insultant. Il n'était pas lâche mais il espérait survivre à ce petit incident sans violence physique. Ses blessures de la dernière fois n'avaient pas eu le temps de cicatriser.

— C'est ces deux-là. Ils étaient en train de s'envoyer en l'air dans mon taxi. Ça m'a déconcentré. C'est pour ça que je vous ai rentré dedans.

— On n'était pas en train de s'envoyer en l'air. Il ne s'agissait que d'un élan de tendresse. Et de toute façon, c'est vous qui m'y avez encouragé. Je n'arrivais pas à me décider jusqu'au moment où vous avez fait ce mouvement d'épaules. C'est pour ça que je l'ai embrassée, se défendit Matt.

— C'est vrai ? demanda Holly d'un air sombre.

Le chauffeur écarta les bras pour exprimer son innocence.

— Je n'ai rien fait, madame...

— Je t'expliquerai, dit rapidement Matt.

— J'y compte bien, répondit Holly.

— Ça n'explique pas pourquoi vous lui êtes rentré dans le derrière. Je vous laisse cinq minutes, cinq petites minutes pour aller voir ce qui se passe et à mon retour je retrouve un taxi embouti. Est-ce que vous étiez aussi en train de les regarder s'envoyer en l'air ? intervint l'homme en costume en hurlant après son chauffeur.

Il semblait faire d'énormes efforts pour se contenir.

— Nous n'étions pas en train de nous envoyer en l'air, dirent Holly et Matt à l'unisson.

— Ma vie est en jeu pendant que nous discutons tôle froissée. Je suis pressé à un point que vous n'imaginez pas. Mais tellement pressé ! Ça m'a pris autant de temps de traverser l'Atlantique que d'aller de l'aéroport JFK à ici. S'il vous plaît, pourrions-nous nous bouger le cul ? vociféra l'homme en s'arrachant les cheveux.

Personne ne bougea.

— S'il vous plaît ?

Tout le monde resta tout aussi immobile. L'homme souriait faiblement en mimant des gestes vers l'avant. Autour d'eux, la circulation était redevenue fluide.

Debout au milieu de la route, ils se faisaient klaxonner de toute part. Matt resserra son manteau en se réprimandant mentalement. (Mauvaise décision numéro quatre cent vingt-sept, Matthew.) Mais pourquoi n'était-il pas resté chez Holly à manger du poisson cru en se soûlant à la tequila et, dans le meilleur des cas, à coucher avec elle ?

Le chauffeur du taxi cabossé de devant essaya de refermer son coffre qui se rouvrit aussitôt. Tout le monde retint son souffle au deuxième essai. Malgré la fermeté de son geste, il se rouvrit de nouveau. Le regard sombre, il le claqua avec violence et le coffre vint gentiment se mettre en place. Il y eut un soupir de soulagement collectif.

L'homme en colère et en costume se dirigea vers son taxi en bousculant Matt au passage.

— Tu as vraiment de la chance que je ne t'aie pas frappé, murmura-t-il entre ses dents serrées comme une vilaine marionnette.

— Moi ? dit Matt.

— Toi !

Matt lui enfonça un doigt dans la poitrine avant de continuer obstinément sa route.

— Pourquoi moi ? lui cria Matt quand il fut assez loin.

Le chauffeur de l'homme le suivit modestement avant de monter en voiture. Dans un bruit métallique et des nuages de fumée, le taxi disparut dans la nuit. Matt tapa ses mains l'une contre l'autre pour les réchauffer.

— Je crois qu'il ne reste plus que nous, dit-il gaiement.

— Montez, ordonna le chauffeur.

Holly remonta en silence et Matt la suivit en ôtant la neige qu'il avait dans les cheveux.

— Tu as du bol que je ne t'aie pas frappé, moi non plus, dit-elle en croisant les bras avant de se caler dans le coin opposé.

Matt restait sans voix devant une telle injustice. Les voitures les doublaient, la lumière de leurs phares s'estompant à travers les fenêtres enneigées. Le chauffeur s'installa confortablement sur son siège recouvert de billes et remit sa casquette de pilote en place. La voiture de devant démarra, emportant leur pare-chocs avant dans un hurlement strident rappelant les cris d'un perroquet sous la torture. Le chauffeur resta éberlué.

— Démarrez, ordonna froidement Matt.

Il arriverait au mariage de Martha même si ça devait lui coûter la vie. Le chauffeur débloqua le frein à main en regardant dans le rétroviseur pour vérifier que la voie était libre. Matt aventura un œil vers Holly qui était toujours pelotonnée dans le coin, l'air renfrogné. Aucun danger de ce côté.

Le chauffeur tourna la clé de contact. Clic. Rien. Il essaya à nouveau. Clic. Rien. Encore. Clic. Rien. Clic. Clic. Rien. Rien. Il se retourna en regardant Matt d'un air interrogateur. Que pouvait-il dire ? Hormis qu'il était mort et quasi enterré.

35

Martha avait la jupe retroussée, et sa belle traîne trempait dans la sauce cocktail qui accompagnait une crevette géante dangereusement proche de ses fesses. Le pantalon de Glen tombait sur ses chevilles. Et ils émettaient tous deux le genre de bruits normalement réservés aux mauvais films pornos des années 1960. Malgré la vivacité de leurs mouvements, le voile de Martha restait bien accroché. Cette Béatrice avait fait un sacré bon boulot.

Figée sur place, Josie les regardait la langue pendante tandis que ses yeux sortaient de leurs orbites comme dans les dessins animés. Ils étaient si concentrés sur l'action qu'ils n'avaient pas remarqué sa présence. Et si Jack était entré ? Et si c'était Jack qui s'était retrouvé devant eux occupés à baiser de tout leur cœur ? Comment Martha s'en serait-elle sortie ? Dieu sait qu'elle se tortillait.

Être le témoin involontaire d'un moment d'intimité si exalté était une étrange expérience. Damien avait-il parfois oublié le reste du monde en sa compagnie ? Avait-elle déjà été emportée par la passion au point de ne plus rien voir, surtout dans des circonstances aussi suspectes et aussi dangereuses que celle-ci ? Si c'était le cas, elle n'en avait aucun souvenir, ce qui n'était pas forcément bon signe.

La pièce où elles s'étaient trouvées plus tôt dans la journée était restée identique. La température élevée et étouffante ne faisait qu'augmenter de minute en minute. Le bacon dont Jack s'était plaint suintait dans un plateau. La trousse à maquillage de Martha était ouverte, les coussins du fauteuil avaient gardé l'empreinte des pieds de Felicia qui s'était allongée pour soulager ses orteils. Pourquoi ne faisaient-ils pas l'amour à cet endroit-là ? Il vaudrait mieux poser ses fesses dans le fauteuil que dans le plateau de crevettes à la sauce cocktail, non ?

Martha était sur le point de jouir, donnant un nouveau sens à l'expression « la mariée ne devrait plus tarder ». Ses gémissements gagnaient en puissance et, d'après Josie, prenaient un accent théâtral. Elle lui fit penser à Meg Ryan dans *Quand Harry rencontre Sally*, au moment où elle fait semblant de jouir avec exagération. Damien avait toujours reproché à Josie de ne pas faire assez de bruit. Plus on crie et mieux c'est. Un peu comme un autoradio. Pourquoi est-ce que personne n'apprécie la version calme de l'extase ? Les yeux fermés, Martha s'accrochait au smoking de Glen. Martha trouva qu'il avait l'air bête avec sa chemise débraillée, son pantalon sur les chevilles et sa veste toujours en place. De toute évidence, ils n'avaient pas pris le temps de se déshabiller proprement. Bizarrement, les femmes pouvaient rester séduisantes en gardant quelques vêtements, alors que les hommes avaient mauvaise allure à moitié habillés. Et Glen ne faisait pas exception à la règle.

Martha semblait être sur le point d'accoucher. Sa tête opérait des mouvements brusques tandis qu'elle hurlait comme une possédée. Puis elle ouvrit les yeux et fixa Josie. Le cri qui sortit de sa bouche n'avait rien à voir avec le plaisir. Josie pourrait le jurer. Mais Glen avait la chance de ne s'apercevoir de rien et répondit à son cri. C'était insupportable. L'ambiance allait virer aux animaux de la ferme. Un jour, Damien l'avait emmenée à Brighton, prétendument pour un week-end romantique. Le couple qui occupait la chambre voisine avait passé la nuit à l'œuvre, comme des lapins, ce qui avait ajouté une touche doublement dérisoire à leur nuit. Leur tête de lit avait cogné avec une régularité monotone contre le mur mitoyen. Sans compter qu'ils avaient fait coin-coin comme des canards jusqu'à minuit, braillé comme des ânes jusqu'à une heure, bêlé comme des moutons jusqu'à deux heures, grogné comme des cochons jusqu'à trois heures. Et enfin, à quatre heures, juste avant qu'ils atteignent le bon vieil orgasme simultané avant de fermer leur caquet, Josie s'était mise à sauter sur le lit pour se joindre à leur cocorico. Damien était furieux. Il lui avait reproché d'avoir ruiné leur week-end romantique. (Ah oui ?) Il l'avait accusée d'être jalouse et mesquine, ce qu'elle était, en plus d'avoir envie de dormir. Il s'était exclamé qu'ils allaient devoir les affronter au petit déjeuner, ce qui ne la dérangeait pas. Dans la salle à manger, se trouvaient plusieurs femmes susceptibles de pousser des cris hystériques, mais aucun des hommes ne semblait capable de tenir la route aussi longtemps. Elle aurait dû être admirative mais elle se sentait grognon et mal aimée. Elle et Damien ne s'étaient pas adressé la parole de la journée. Quel romantisme ! Peut-être aurait-il préféré qu'elle passât la nuit à pousser des cris dignes d'un personnage de *Babe* ? Elle s'était posé une autre question sur le moment. Si elle et Damien pouvaient aussi bien les entendre à travers le mur, qu'est-ce que ça ferait de se trouver dans la chambre d'un tel couple ? À présent, elle tenait un début de réponse.

Paralysée, Martha la regardait toujours dans les yeux. Son visage exprimait un mélange de terreur, d'horreur et de plaisir. Cette situation était trop bizarre. Pour Josie, il était temps de s'en aller.

Claquant la porte derrière elle, Josie s'appuya contre le mur. Elle avait la nausée. Mal au cœur et mal au ventre. Elle fut tentée de rouvrir la porte pour s'assurer qu'elle n'avait pas rêvé cette scène cauchemardesque, comme dans les films mélodramatiques. C'était terrible. Elle le savait sans avoir besoin de jeter un autre coup d'œil. Et, en toute sincérité, la dernière chose qu'elle eût envie de voir était Martha en train de se faire sauter par le témoin de son mari.

Josie avait la gorge sèche et sa langue avait pris la texture râpeuse de la moquette. La robe lilas semblait avoir rétréci au point d'écraser ses côtes tant elle avait du mal à respirer. Des petites gouttes de sueur avaient jailli au-dessus de sa lèvre supérieure et la paume de ses mains était chaude et moite comme si elle venait de faire un marathon. C'était mauvais. Très mauvais. Quelques heures plus tôt, Martha avait fait la promesse solennelle d'aimer, d'honorer, de chérir et toute cette connerie. Et elle avait eu l'air convaincante. Que s'était-il passé ? Ce n'était peut-être qu'un coup d'une nuit, se dit Josie en se débattant entre plusieurs scénarios. Un moment d'égarement sans importance... sans importance ! Se faufiler à l'étage pour baiser le témoin le jour de son mariage n'était pourtant pas anodin ! Vivre autant d'années avec Damien avait visiblement déformé son sens de la morale. Mais il pourrait s'agir de... euh... Josie ferma les yeux en quête d'inspiration. Il pourrait s'agir d'un... rien. Elle avait beau se concentrer, elle ne trouvait aucune excuse à Martha.

Les oh ! les ah ! les oh oui ! et les grognements de truie s'étaient tus, remplacés par le bruit des vêtements que l'on remet en place et d'une braguette que l'on referme. Avant que Martha apparaisse, Josie alla s'enfermer aux toilettes afin de se donner le temps de trouver ce qu'elle allait bien pouvoir dire à sa cousine sans la traiter de salope.

Josie passa ses mains sous l'eau froide jusqu'à engourdir l'extrémité de ses doigts. Sous la lumière crue du miroir, son visage avait la teinte de la colle à papier peint. Le lilas n'était pas sa couleur. Pas aujourd'hui.

La porte s'ouvrit doucement sur Martha. Le voile était toujours ancré à sa tête mais son rouge à lèvres avait bavé et le bout de sa traîne était taché de sauce rose. Josie la regarda dans le miroir.

— Tu n'as pas enlevé tes mitaines, dit Martha en indiquant ses mains mouillées.

— Je sais ce que je fais, répondit Josie d'une voix cinglante.

Martha s'adossa contre le mur en soupirant.

— Tout comme moi.

Josie se tourna vers elle.

— Vraiment ?

Martha avait l'air mal à l'aise et pitoyable, mais dans ses yeux verts brillait une lueur de défi.

— J'ai l'impression que tu viens à peine de dire « pour toujours ». Tu te souviens, Martha ? « Renoncer à tous les autres » « te consacrer entièrement à lui », *et cætera, et cætera*. Tu étais sincère en prononçant toutes ces conneries ?

— Sur le moment, je l'étais.

— Sur le moment ! Ce n'était pas l'an dernier. Ni il y a six mois. Même pas six semaines, Martha. C'était... il y a à peine six heures, explosa Josie.

— Je sais. Les choses ont changé, affirma Martha d'une voix faible mais déterminée.

— Les choses ne peuvent pas changer aussi vite !

— Mais si.

— Mais non.

— Combien de temps a-t-il fallu à Damien pour te quitter ?

— C'est petit, Martha. Les circonstances étaient complètement différentes. Nous étions ensemble depuis cinq ans, pas cinq minutes. Tu n'as même pas encore coupé ton gâteau !

— On peut essayer de se le faire rembourser, grommela Martha.

— Tu n'auras qu'à le garder pour le baptême.

— C'est un peu optimiste, vu les circonstances.

— Et je crois qu'il est intelligent de te signaler que je n'ai pas l'impression que tu aies donné une chance à ton couple.

Sous le distributeur de Tampax se trouvait un fauteuil en velours dans lequel Martha s'écroula en ramenant sa traîne sur ses genoux.

— Il n'est pas l'homme qu'il me faut.

— Jack ?

— Je parlais de Brad Pitt, lança Martha en la regardant d'un air furieux.

— Et moi je parle de Jack. Sois raisonnable, dit Josie.

— Oui, Jack. Je crois qu'il n'est pas celui qu'il me faut.

— Ce n'est plus le moment de dire ça, Martha. Il aurait mieux valu que tu arrives à cette conclusion hier.

— C'est toi qui m'as dit qu'il ressemblait à un shar-pei.

— C'est la vérité.

— Et tu m'as dit qu'il était trop vieux pour moi.

— Il l'est.

— Alors ?

— Et tu m'as dit que tu l'aimais. Tu lui as dit à lui que tu l'aimais. Dans l'église, tu t'es tenue devant la moitié de la Sicile et tu as dit que tu l'aimais !

— Je l'aimais. Mais plus maintenant, se défendit Martha.

Josie regretta de ne plus avoir les mains sous l'eau car elle aurait bien trempé la tête de Martha dans le lavabo. Soit ses mains, soit la tête de sa cousine. Au choix.

— Martha, commença-t-elle d'une voix qu'elle espéra à la fois raisonnée et compréhensive — c'était le ton qu'elle employait avec ses étudiants les plus indisciplinés —, Jack ressemble peut-être à un spécimen élevé en laboratoire. Il a peut-être l'air tout vieux. Et il est peut-être un peu trop catégorique dans ses opinions. Ce n'est peut-être pas le genre d'homme que j'aurais choisi pour toi. Il est peut-être tout cela et même plus. Mais tu l'as choisi, Martha, et il ne mérite pas ça. Quels que soient ses défauts et quoi qu'il ait pu faire, il ne mérite pas ça.

— Il n'a rien fait. C'est moi.

— Je ne pense pas que ça l'aide.

— Je n'y peux rien, dit Martha avec agressivité.

— Tu es la seule personne qui puisse arrêter ça tout de suite. Ton mari est en bas et il t'a attendue pendant que toi et son témoin faisiez des cochonneries. Il a dansé avec une minuscule Sicilienne aux cheveux bleus et au visage froissé comme une boule de papier avec une gentillesse extrême.

— Ce n'est pas une raison suffisante pour rester avec lui, Josie.

— Il ne t'a jamais fait de mal. Tu as dit toi-même

qu'il t'adorait, qu'il te chérissait. Est-ce que ça n'a aucune importance ?

— Tu n'as jamais fait de mal à Damien et ça ne l'a pas empêché de te quitter.

La voix de la raison de Josie butait contre un manque absolu de logique. Il y aurait eu de quoi faire perdre la tête à Monsieur Spock, et elles n'avançaient pas.

— Et que vient faire Glen dans ce tableau minable ?

— Je l'aime.

— Est-ce qu'il t'aime aussi ?

— Oui. Il m'a toujours aimée.

— Tu fais confiance à un mec qui s'est enfui pour ne pas assumer ses responsabilités au moment où tu avais le plus besoin de lui.

Martha tressaillit.

— Ça remonte à des années.

— Et tu ne l'avais pas revu depuis. Qu'est-ce qui te laisse penser qu'une fois le groupe rentré et les lumières éteintes, il ne va pas disparaître dans la nature une nouvelle fois ? Est-ce qu'il va rester pour t'aider à tout ranger ? Comment sais-tu qu'il sera là pour toi cette fois-ci ?

— Je crois qu'il sera là.

— Il y a une différence entre je crois et je sais.

— Je sais qu'il sera là pour moi cette fois-ci.

— Est-ce que ça t'étonnerait d'apprendre qu'il y a

une heure il m'a demandé de passer le week-end avec lui ?

— Il pensait m'avoir perdue.

— Je crois que c'est normal que ton témoin ait vu les choses de cette façon.

— On ne peut pas vivre l'un sans l'autre.

— Tu t'es plutôt bien débrouillée jusqu'à présent.

— Eh bien, c'est fini.

— Martha, puis-je te poser une question ? Est-ce que récemment quelqu'un t'a mis un coup sur la tête avec un objet particulièrement lourd ?

Martha s'extirpa du fauteuil avec une profonde lassitude.

— Nous revoilà au point de départ, Jo. Je sais ce que je fais.

— Puis-je savoir ce que tu prépares au juste ?

— Glen et moi allons partir ensemble.

— Maintenant ?

— Maintenant.

— Tu n'as pas un psy à appeler ? Tous les Américains en ont un, non ?

— Exact. J'ai une psy.

— Appelle-la alors. Tout de suite. Écoute ce qu'elle pense de quelqu'un qui s'enfuit le jour de son mariage.

— Elle dirait que je dois suivre mon instinct.

— Dans ce cas, c'est une mauvaise psy ! C'est moi que tu dois écouter.

— Je vais écouter mon instinct qui me dit de m'en aller.

— Mais tu ne peux pas faire une chose pareille, Martha.

— Il le faut.

— Pas du tout. Retourne en bas comme si rien ne s'était passé, danse avec Jack, souris aux invités, bois du champagne, le plus possible, et coupe ton gâteau. Et ensuite donne-toi six mois, au moins six mois, pour bien réfléchir. Vous ne vous êtes pas vus depuis tellement longtemps que quelques mois ne feront aucune différence.

— Je ne peux pas attendre si longtemps.

— Quelques semaines alors ?

Martha resta immobile.

— Quelques jours...

Martha resta silencieuse.

— Jusqu'à demain ?

En jouant avec sa traîne, Martha sembla remarquer pour la première fois qu'elle était plus colorée qu'au départ.

— Martha, je t'en supplie ! Ne laisse pas Jack avec tous ces gens, tout ce gâteau, et toutes les explications à fournir, complètement seul.

— Je veux être avec Glen dès ce soir. Et je veux que tu m'aides, dit-elle en prenant la main gantée de Josie, qui était toujours mouillée.

Josie recula de quelques pas.

— Oh, non. Oh, non, non et non.

— Je veux que tu le dises à Jack.

— Non et non. Trois fois non.

— Tu es ma cousine. C'est à toi de le faire pour moi. S'il te plaît.

— Ce n'est pas dans mon contrat de demoiselle d'honneur. C'est hors de question.

— Tu n'as pas lu les lignes en petits caractères.

— Non !

— Je ne pourrai jamais l'affronter.

— Il le faut, Martha. Tu lui dois au moins ça.

Martha tira de toutes ses forces sur son voile et son diadème sans réussir à les déplacer d'un centimètre.

— Il faut que je me débarrasse de ce truc qui me fait mal.

— Ce n'est rien par rapport à ce que Jack va subir, lança Josie.

36

Je n'ai pas très envie d'être avec toi, grommela Holly en donnant des coups de pied dans la neige entassée sur le trottoir.

Ses cheveux plats semblaient avoir été gominés et elle grelottait sous son manteau. Elle alluma une cigarette de ses doigts tremblants, approchant ses lèvres pincées pour tirer dessus avant de recracher la fumée dans les flocons qui virevoltaient.

— J'ai l'impression que tu envahis mon espace vital.

— J'essaie de te transmettre un peu de chaleur, dit Matt.

— Je n'en ai pas besoin.

— Mais si. Tiens, prends mon manteau, proposa-t-il en le déboutonnant.

— Tu vas avoir une attaque d'hypothermie. Garde-le.

Je vais continuer à souffrir. Je voulais juste que tu saches que je souffre.

— On va tous les deux souffrir d'hypothermie. Retournons dans la voiture, poursuivit Matt.

— Hitler ne me laissera pas fumer dans son taxi.

Sur le trottoir étroit, ils regardaient les voitures passer dans l'attente du taxi de remplacement demandé depuis un bon moment déjà par leur chauffeur qui fumait une cigarette sans les regarder, appuyé sur le capot. Il portait un manteau en peau de mouton et une casquette d'aviateur, lui.

— Tu ne peux pas te passer de cette cigarette ?

— Non, Matt, je ne peux pas. J'arrive à me passer de pas de mal de choses en ce moment, dont toi, mais je ne peux pas me passer de fumer. Ça aide ce qu'il me reste de nerfs à rester dans l'ordre dicté par mon ADN.

Matt jugea bon de donner lui aussi des coups de pied dans la neige.

— Je suis désolé pour ce soir. Ç'a été un peu n'importe quoi, pas vrai ?

Holly ricana.

— Je te laisse décider de la suite, promit Matt.

— Quelle suite ? Tu repars demain.

Elle le fixa intensément.

— Je reviendrai. Bientôt. Je vais organiser ça, dit-il.

Holly ricana de plus belle.

— Et ensuite on fera ce que tu voudras. On ira dans un endroit sympa. Sortir avec moi est amusant, en temps normal.

Holly ricana si fort que le chauffeur se tourna vers eux. Matt s'excusa du regard et le chauffeur reporta son attention vers sa dose de nicotine. Il fut tenté de donner un petit coup de coude à Holly mais il préféra garder sa jovialité pour lui-même.

— Le mariage de Martha va nous remonter le moral. On pourra boire un coup, danser et écouter les Headstrong.

Il fit bouger son bassin pour l'encourager. De la buée s'échappa du nez de sa compagne. Le mascara de Holly coulait le long de ses joues et elle commençait à ressembler au membre de Kiss le moins séduisant. Mais comment le lui reprocher ? C'était sa faute s'ils se retrouvaient dans un tel pétrin.

— Aller au mariage de Martha est la dernière chose que j'aie envie de faire sur cette terre. J'ai envie de rentrer chez moi, de prendre un bain chaud et de m'écrouler dans mon lit, énonça-t-elle lentement.

Les yeux de Matt s'éclairèrent. Peut-être devraient-ils suivre ensemble ce programme ? Il devrait abandonner ses recherches sur Josie Flynn qui commençaient à ressembler à la quête du Saint-Graal des Monty Python, et opter pour la solution «bain moussant et aventure sans lendemain».

— Seule, ajouta-t-elle en écrasant son mégot de cigarette de toutes ses forces.

Merde, se dit Matt. Ou pas merde, selon d'où on se place. Pourquoi n'arrivait-il pas à laisser tomber ce truc avec Josie ? Et quel truc, d'abord ? Il n'y avait absolument aucun truc ! Un livre parlait d'un homme qui était tombé amoureux fou d'une femme qu'il ne connaissait pas. Ça s'appelait le syndrome de Clérambault. Celui qui en est atteint voit des messages d'amour secrets derrière les buissons, dans les nuages comme dans les cris des moutons. Il pense qu'ils sont envoyés par télépathie alors qu'ils ne répondent qu'à ses désirs. Les rock stars en souffrent toutes. Des gens obsédés et tarés qui croient tout savoir sur elles sans jamais les avoir rencontrées. Il y avait cette femme qui était convaincue que chaque chanson de John Lennon avait été écrite pour elle, et pas seulement quand elle déprimait ou qu'elle venait de se faire plaquer et qu'en écoutant la radio elle se disait « ah, cette chanson est faite pour moi ! » Non, elle pensait vraiment « John l'a écrite exprès pour moi ». Effrayant. Comment avait-elle interprété « Yellow Submarine[1] » ? Ou ce petit moment d'égarement était-il la faute de Paul ?

Matt leva les yeux vers les nuages. Le seul message envoyé par l'être aimé *via* les éléments était que la neige

---

1. Le sous-marin jaune... difficile de se sentir concernée !

allait continuer de tomber. Il fallait qu'il trouve Josie. Il ne savait pas pourquoi mais il le fallait. S'il ne souffrait d'aucun syndrome ni d'aucun trouble obsessionnel, peut-être ne s'agissait-il que de la bonne vieille maladie d'amour ? Tout simplement. Quelque part au fond de lui, il savait qu'il ne devait pas perdre Josie, ce quelque part se situant au deuxième pli de son colon s'il en croyait son mal de ventre. Il sentait qu'elle le ramenait vers elle et qu'il lui était destiné. Savoir qu'elle était quelque part dans cet enfer urbain qui s'étendait hors de sa portée malgré tous ses efforts le torturait.

À ce moment précis, leur taxi de remplacement vint se garer à côté d'eux. Holly s'engouffra à l'arrière avant que Matt ait eu le temps de lui tenir la porte.

— Je veux rentrer chez moi, lui annonça-t-elle alors qu'il se glissait sur la banquette.

— Est-ce que ça te dérangerait vraiment que j'aille au mariage de Martha sans toi ? demanda-t-il, la goutte au nez.

— Tu veux aller au mariage de mon amie sans moi ? répliqua-t-elle en lui faisant face.

— Euh, oui. Si ça ne te dérange pas, dit Matt.

Les picotements qu'il ressentait n'étaient pas dus au réchauffement de la température de son corps mais au plaisir. L'excitation battait dans ses veines en l'irritant comme un mauvais pull en laine.

— Est-ce que j'ai raté quelque chose, Matt ? lui demanda-t-elle en le regardant dans les yeux.

— Je crois que nous avons tous les deux raté quelque chose, Holly.

Il fut étonné de constater que sa voix avait des accents rêveurs.

37

Josie ! s'exclama Glen en la voyant revenir dans la salle de repos avec Martha.

Il avait tout de quelqu'un qui a besoin d'une cigarette et d'un verre d'alcool fort. Ou alors d'un appareil de téléportation. De tout ce qui pourrait l'éloigner sans douleur de cette situation difficile.

Martha se posa devant la table de maquillage. C'était la mariée la plus morne que Josie ait jamais vue. Josie envoya à Glen le regard le plus méprisant qu'elle eût hérité de sa mère, celui qu'elle réservait aux agents de la circulation, aux livreurs et aux élus de la ville. Le regard qui faisait que les hommes se sentaient tout petits. Glen se flétrit instantanément. Heureusement qu'il s'était rhabillé, se dit Josie. La vue d'un homme qui rétrécit sans son caleçon aurait été doublement insupportable. Martha avait raison. Glen avait de belles fesses. Elle regrettait seulement de les avoir vues dans de telles circonstances.

— Je sais ce que tu penses, commença Glen.

— Non, Glen. Ça m'étonnerait.

— Tu dois te dire que je suis un sacré connard.

— Mes mots étaient plutôt « vrai » et « salaud », pour tout te dire.

— Nous ne voulions pas en arriver là...

— Alors pourquoi l'avoir fait ? Personne ne vous a forcés, poursuivit Josie.

— Je l'aime.

— Je pense que tu t'aimes encore plus sinon tu n'aurais jamais pu lui faire une chose pareille. Si tu l'aimais, tu serais resté à l'écart. C'est son mariage, à la fin ! Tu es le témoin de son époux ! Comment as-tu pu faire ça ?

— Je crois qu'il serait inutile d'essayer de t'expliquer.

— Ce n'est pas à moi que tu dois des explications, mais à Jack.

— Ça ne serait pas juste...

— Non ? Mais il te semble juste de t'enfuir avec sa femme et de me demander de faire le sale boulot à votre place, espèce de lâche...

— Josie ! Il faut que j'enlève cette robe, dit fermement Martha.

Josie se dirigea vers sa cousine pour faire glisser la fermeture de sa robe.

— Nous n'avons pas le temps. Nous devons partir au plus vite, coupa Glen.

— Je ne peux pas y aller dans cette tenue ! protesta Martha.

— Il va pourtant falloir.

— Laisse-moi au moins enlever ça, gémit-elle en tirant vainement sur son voile.

Josie l'aida, passant les doigts sous les kilomètres de tule.

— Tu as dans les trois cents épingles et pinces à cheveux là-dessous. Je ne peux pas l'enlever.

Elle se demanda ce que penserait Béatrice en apprenant que sa coiffure avait été plus solide que le mariage.

— Laisse tomber, Martha. On t'achètera des affaires demain. Des vêtements, des chaussures, tout ce que tu veux. Tout ce dont tu auras besoin. Jack pourrait monter d'un instant à l'autre.

— Je ne veux pas le voir, murmura Martha au bord des larmes.

— Je n'arrive pas à détacher ce truc. Béatrice l'a foré dans ton crâne, grogna Josie. (Peut-être est-ce pour cette raison que tu n'as pas toute ta tête !)

— Que vais-je faire ?

— Il a raison, Martha. Si vous devez vous enfuir,

alors allez-y. Partez tout de suite. Laissez les autres ramasser les pots cassés.

— Et mon ensemble de voyage de noces ?

— Laisse tomber. Moins tu emporteras de souvenirs et mieux ce sera, soupira Josie.

Glen aida Martha à se lever. Elle était en larmes.

— Josie, tu vas parler à Jack, n'est-ce pas ?

— Oui.

— Dis-lui que je n'avais pas l'intention de lui faire du mal.

— Ça ne devrait pas lui faire beaucoup d'effet, Martha. On ne fait pas ce genre de choses à quelqu'un qu'on ne veut pas blesser.

— Tu m'aimes toujours, ma Jo ?

— Pour l'instant, Martha, je n'éprouve pas la moindre affection pour toi.

Les larmes coulèrent sur le visage de Martha.

— Tu as dit que je devais écouter mon cœur. Je ne sais pas de quoi tu parlais précisément, mais c'est ce que tu as dit.

— Tu ne devrais pas m'écouter. J'ai passé la plupart du temps à parler de mon nombril. Maintenant, je te suggère de partir avant qu'il soit trop tard.

— Merci, Josie, dit Martha en l'enlaçant.

Et malgré sa volonté d'être dure avec sa cousine, Josie fondit en larmes à son tour.

Sois heureuse, cousine.

— Je vais l'être.

Elles pleuraient, enlacées, tandis que Glen restait à l'écart, mal à l'aise.

— Allons-y, la pressa-t-il.

Martha s'écarta à contrecœur de sa cousine.

— Appelle-moi pour me dire où tu es, dit Josie.

Martha fit oui en essuyant ses larmes avec sa manche en dentelle, ajoutant du mascara à la liste des innombrables taches disgracieuses qui recouvraient sa robe. Ils ouvrirent la porte, jetant un œil dans le couloir pour vérifier que la voie était libre, comme dans un film de série B. Bien sûr, la voie était libre.

— Au revoir, Josie.

— Appelle-moi.

— Tu l'as déjà dit.

— Je ne sais pas quoi dire d'autre.

— Il n'y a rien d'autre à dire.

Josie haussa les épaules.

— Au revoir, alors.

— Au revoir, Jo.

Martha l'embrassa de nouveau et sortit en se cramponnant à la main de Glen. Son geste était exagéré puisqu'il n'y avait personne en vue. Josie se sentit extrêmement lasse.

— Martha ! Tu voulais que tout le monde se souvienne de ton mariage, lui cria-t-elle.

Martha se retourna en souriant tristement à travers ses larmes.

« Quelque chose me dit qu'ils ne sont pas près de l'oublier », se dit-elle.

Josie essuya ses larmes de son bras nu en avançant sans enthousiasme sur la moquette veloutée. Devant elle, Martha et Glen disparaissaient furtivement dans la nuit. Ils accélérèrent le pas en gloussant comme des jeunes mariés partant en lune de miel.

— C'est terrible, murmura Josie en frottant ses mains gantées et mouillées sur son visage.

Elle redescendit. En bas des marches, un serveur tenait un plateau de coupes de champagne. Josie en attrapa une qu'elle avala cul sec.

— Je ne suis pas assez ivre pour l'occasion, grommela-t-elle.

Saisissant un autre verre, qu'elle but à la même vitesse que le précédent, elle étouffa un rot avant de se diriger à contrecœur vers la salle de réception.

De l'entrée de la pièce, elle observa la fête qui battait son plein. C'était un mariage réussi. L'émotion provoquée par l'étrange tournure des événements l'écrasa avec la force d'un tacle de rugby. Le groupe de rock avait commencé son concert. Quatre jeunes adolescents au déhanchement travaillé interprétaient une version rap d'un vieux morceau des Beatles. À en croire l'enthousiasme des Siciliens lâchés sur la piste, leur musique était appréciée.

— *Tout le monde est vert parce que j'suis celui qui a gagné ton cœur...*

Headstrong ! Josie se souvint d'où elle connaissait ce nom ! Mais Jack apparut sans lui laisser le temps de digérer l'information, l'accueillant d'un baiser sur la joue. Son sourire était plus large que la ville de Birmingham.

— As-tu retrouvé Martha ? demanda-t-il en la prenant par le bras.

Elle n'aurait jamais imaginé entendre quelqu'un prononcer cette réplique, hormis dans une série télé.

— Jack, il faut qu'on parle, annonça-t-elle à voix basse.

— J'ai une surprise pour elle.

— Je crois qu'elle aussi en a une pour toi, poursuivit-elle en lui touchant la main.

— Un feu d'artifice. Elle en est folle ! Je l'ai organisé en cachette. Elle n'est pas du tout au courant. Ça va bientôt commencer, dit-il avec un sourire grandissant.

— D'accord, mais c'est urgent, insista-t-elle doucement.

— Est-ce que Martha va bien ? demanda-t-il avec inquiétude.

— Ça dépend de ce que tu entends par là.

Les invités se dirigeaient vers la terrasse pour admirer le spectacle.

— Laissons-les en profiter. Nous allons trouver un endroit tranquille.

— Tu as une mauvaise nouvelle à m'annoncer, n'est-ce pas, Josie ?

— Oui.

Son sourire disparut, emportant avec lui tout le courage de Josie.

— Viens, dit-elle.

Elle eut l'idée d'emmener Jack dans l'abri à bateaux, essayant de ne pas penser à l'ironie de sa dernière visite dans cet endroit. Il allait faire froid dehors et cette fois-ci elle n'aurait pas la veste de Glen pour se protéger. Elle avait du mal à croire ce qui se passait. C'était comme un très mauvais rêve, pareil à ceux qui vous réveillent en pleine nuit, en nage. Comme elle aimerait découvrir qu'elle était au lit et qu'elle allait sortir de son sommeil sans avoir à vivre la suite de la scène ! Le réveil allait peut-être se déclencher d'un instant à l'autre et une nouvelle journée de travail commencerait dans le monde des techniques de l'information du vieux lycée délabré de Camden. Elle se sentait incapable de poursuivre. Glen Donnelly. Quelle ordure ! Il n'était qu'un trouillard, un poltron, une ordure avec des jolies fesses ! Lui et Matt Jarvis seraient de bons candidats au premier prix du Salaud de l'année.

Tout en slalomant entre les tables, elle regarda Jack à la dérobée. Sa bouche suivait le tracé tombant de sa moustache et l'appréhension se lisait sur son visage. Au passage, elle saisit une bouteille de bulles à demi vide qui traînait sur une table, et deux verres assez propres.

— Je ne bois pas d'alcool, lui rappela-t-il.

— Tu vas en avoir besoin. Crois-moi.

Le taxi jaune s'arrêta devant Zeppe's Wedding Manor dans un bruit de freinage et un nuage de fumée. Damien avait fini par faire comprendre au chauffeur ce qu'il entendait par « dépêchez-vous ». Il se demanda si Rhett Butler aurait été aussi populaire s'il avait eu besoin de trouver des taxis pour se déplacer. Damien régla sa course en oubliant délibérément de laisser un pourboire. Pourquoi donner de l'argent à un homme qui avait eu un accident alors qu'il était chargé de le conduire au plus vite à un mariage ? Il était enfin arrivé, plus qu'à temps.

En sortant de la voiture, Damien remarqua qu'il ne neigeait plus. Le ciel était dégagé et l'air était glacial. Il se frotta les mains pour surmonter le froid et relancer son enthousiasme débordant. Il avait du mal à se contenir, et d'ailleurs il ne connaissait pas très bien le sens de ce mot. Est-ce qu'un homme qui se contient prend l'avion, affronte tant de complications et dépense tout son argent dans le seul but de prouver son amour éternel ? Il en doutait.

Il s'empara de son sac de voyage et claqua la portière.

— Hey, pourriez-vous retenir ce taxi pour nous ? lui cria un homme.

— Attendez. Il y a un client pour vous, dit-il au chauffeur.

En levant les yeux, il vit Martha. Elle semblait clairement plus beurrée et dépenaillée qu'une mariée digne de ce nom.

— Martha ?

Martha reconnut Damien. Elle le fixa de ses yeux rouges et confus qui semblaient sur le point de tourner sur eux-mêmes. Cette fille avait dû s'enfiler quelques bouteilles de champagne pour être dans un tel état, se dit-il. Elle était connue pour ça. Martha, la lionne dans un monde de brutes, pouvait faire concurrence aux meilleurs d'entre eux. Il espéra que ce gars savait à qui il avait affaire. Les yeux de Martha arrivèrent à converger vers lui.

— Damien !

— Tu es splendide ! s'exclama-t-il.

— Que fais-tu là ?

— Pour rien au monde, je n'aurais raté l'occasion de féliciter ma cousine par alliance préférée ! Félicitations ! dit-il en l'embrassant sur la bouche.

Autant dire qu'elle était moins que ravie. Elle espéra qu'il n'avait pas effectué tout ce trajet rien que pour la féliciter ! Cette cérémonie n'avait pas besoin d'un rabat-joie.

— Nous partons, dit-elle.

— Ne me dis pas que j'ai fait tout ce chemin pour arriver à la fin !

— Non. C'est moi qui... euh...

Martha se tut.

— Où est la grande parade de départ ?

— Il n'y en a pas, dit-elle en regardant alentour avec nervosité.

— Vous filez en douce, hein ? Je comprends. Tu vois un peu ce que je veux dire.

— Quelque chose comme ça.

— Vous allez où alors ?

— Je ne sais pas, murmura Martha qui semblait perdue.

— Ah, c'est un secret ? Une île des Caraïbes, j'espère.

— Je vois ce que tu veux dire...

L'homme qui avait demandé à Damien de lui garder le taxi s'approcha avec un air menaçant.

— Martha, on ferait bien d'y aller.

— Ça doit être ton mari, dit Damien en lui serrant vigoureusement la main.

La main de l'homme semblait molle dans la sienne et ses efforts pour sourire le faisaient grimacer. Bon sang ! Ce mariage avait vraiment dû être du tonnerre pour que les jeunes mariés soient dans un tel état !

— Félicitations, mon pote. Tu es un sacré veinard ! dit Damien en lui tapant l'épaule large comme un hangar.

— Je sais.

Martha contemplait le sol.

— Tu dois avoir un truc spécial pour avoir réussi à l'attraper. Je n'aurais jamais imaginé qu'elle puisse se marier sans y être forcée !

— Martha, reprit l'homme en dirigeant son regard vers le taxi.

Martha jouait avec les pans de son voile.

— C'est une longue histoire, Damien et je n'ai vraiment pas le temps de tout t'expliquer en détail.

— Bon, céda Damien plus qu'un peu déçu.

— Nous devons y aller.

— Passez une belle lune de miel. Ne faites pas trop de bêtises !

Les jeunes mariés échangèrent un regard.

— À bientôt, dit l'armoire à glace en entraînant Martha dans le véhicule qui les attendait.

Damien cogna contre le toit.

— J'espère que vos soucis ne sont pas graves !

— Josie est toujours à l'intérieur. Tu devrais parler avec elle, lança Martha en se penchant par la fenêtre.

C'est exactement ce qu'il était venu faire.

— Je suis désolée pour le divorce et tout ça, ajouta Martha avant de disparaître dans la nuit.

Damien se retrouva seul sur le trottoir. Martha avait gâché la surprise de sa grande arrivée. Il se sentait vexé.

— Attends un peu, Martha. Tu vas voir, grinça-t-il dans le vide en tapotant sa poche pour se rassurer.

Le feu d'artifice explosa dans le ciel noir, acclamé par les invités admiratifs. La marche nuptiale accompagnait le spectacle. Le moment où Martha et Jack avaient remonté la nef sur le même air, pleins d'espoir et de promesses quant au début de leur nouvelle vie à deux, semblait si lointain ! Deux nouvelles vies en une seule journée. Martha ne faisait décidément rien à moitié.

À l'abri dans la cabane à bateaux, Jack et Josie admiraient les reflets colorés du spectacle dans l'eau calme du lac. Une douche de rose, de vert et de jaune se répandit sur la surface avant de fondre dans l'obscurité. Les canards semblaient imperturbables.

— Je l'aime Josie, dit Jack la tête dans les mains.

Josie s'était enroulée dans une couverture recouverte de toiles d'araignée qu'elle avait trouvée sur le banc. Elle s'efforçait de ne pas penser à la taille des propriétaires des toiles en question. Elle servit un verre de champagne.

— Tiens, bois ça.

— Non.

Il repoussa le verre pour s'emparer de la bouteille dont il vida la moitié du contenu avant de s'essuyer la bouche du plat de la main.

— Pas mal, dit-il en lisant l'étiquette.

— Ça va ? demanda Josie.

— Non.

— Je n'arrive pas à croire qu'elle ait pu te faire ça.

Jack rit mais avec une amertume qui résonna contre les parois en bois de l'abri.

— Elle est tellement belle, tellement drôle, tellement aimante. Quand elle a accepté de m'épouser, je n'en suis pas revenu.

— Bah...

— Toi aussi tu as eu du mal à y croire ?

— C'est que... je...

— Tu l'as très bien caché.

Il éclata de rire une nouvelle fois, mais avec plus de douceur. Whizzz. Boum. Oooooh. Une pluie d'éclats blancs flotta sur l'eau calme.

— Martha est très confuse depuis le décès de Jeannie. Ça a été difficile pour tout le monde. Je ne sais pas ce qu'elle veut. Elle ne le sait pas elle-même. Ma mère dirait que tout ce dont elle a besoin c'est d'une bonne taloche, dit Josie.

— J'aurais pris soin d'elle, Josie. J'aurais été un bon mari pour elle. Je l'adore.

— Alors c'est elle qui a perdu quelque chose. Je ne suis pas certaine que Glen va l'adorer.

— Je n'avais aucune idée qu'elle et lui étaient...

— Ils n'étaient rien. Ce n'est qu'aujourd'hui. (Il fallait que ça arrive aujourd'hui !)

— Je ne sais pas si ça me fait du bien ou du mal.

Il but de nouveau à la bouteille et se mit à tousser.

— Oh, Jack. Je suis tellement désolée, dit Josie en posant sa tête sur son épaule.

Jack passa son bras autour d'elle.

— Ce n'est pas la peine. Tu n'aurais rien pu faire.

— J'aurais peut-être pu la forcer à m'écouter. J'ai fait ce que j'ai pu pour l'arrêter. Vraiment.

— C'est une forte tête.

Josie chancela en repensant au nom du groupe que Matt était venu interviewer. Les Headstrong. Les fortes têtes.

— Elle est si bornée que quand sa décision est prise, rien ne peut la faire changer d'avis. Ça fait partie de ce qui me plaît en elle, dit-il.

— Même si c'est ma cousine et que je l'aime, je pourrais la tuer !

— La colère mal dirigée peut être très néfaste, dit Jack.

— Elle n'est pas mal dirigée. Je sais exactement à qui j'en veux ! persista Josie.

— L'essentiel à présent est comment vais-je m'en sortir. Que puis-je dire à tous ces gens ? Ils vont être tellement blessés. Et le père de Martha ? Est-ce qu'il est au courant ?

Jack porta la bouteille à ses lèvres, mais elle était vide.

— Et merde. Pauvre oncle Joe. Je l'avais complètement oublié, dit Josie.

— Il faut lui dire.

— Je crois qu'il va nous offrir une autre explosion multicolore. On doit y réfléchir, Jack. Quand il va apprendre pour Martha, ça va ressembler à un deuxième feu d'artifice.

— Et tous les cadeaux ?

— On pourra les renvoyer. Quelques serviettes de toilette devraient être le dernier de tes soucis, le rassura-t-elle.

Jack se mordit la lèvre.

— Merde, Josie. Je vais pleurer.

Josie le serra contre elle en berçant l'homme en sanglots.

Whizzz. Boum. Oooooh. Une explosion dorée suivie de plumes rouges. Très beau.

— Ne t'en fais pas, Jack. On va trouver une solution.

Les crépitements s'amplifièrent et l'odeur de cordite emplit le ciel pendant le bouquet final. Les invités acclamèrent le dernier tir, extravagant, joli et inutile, qui se termina aussi vite qu'il avait commencé.

Pensive, Josie s'adossa contre le mur en faisant tourner son verre entre ses mains. Bon, alors, elle avait dit à Jack qu'elle allait trouver une solution. Elle se demanda ce qu'elle allait bien pouvoir inventer.

38

Quand Damien déboula dans la salle de réception, il ne vit personne. Tout le monde était sorti admirer le feu d'artifice spectaculaire qui éclairait le ciel de Long Island. Assez impressionnant. Mais rien comparé au petit bijou qu'il avait dans la poche.

Il prit une coupe de champagne de la main d'un des serveurs qui attendaient la reprise des festivités, puis il se dirigea vers la porte. Quatre musiciens affublés de casquettes de base-ball, qui n'avaient rien à faire dans l'immédiat, fumaient discrètement des joints. La pièce déserte semblait avoir été la scène d'une bagarre de nourriture. De toute évidence, la fête avait été grandiose.

Damien s'assit à l'extrémité du buffet et se servit quelques canapés disposés sur un plateau dans le coin de la table. Il examina les petits-fours en essayant de deviner leur parfum. Il avait imaginé faire une autre entrée. Il s'était vu surgir en pleine fête, être embrassé par des mariés ravis de le voir comme un parent aimé qui leur avait tellement manqué. Il aurait finalement enlacé une Josie émue aux larmes avant de tomber à ses pieds pour lui annoncer leurs nouvelles fiançailles, en appui sur un genou, devant une foule éberluée et admirative. Voilà ce qu'il avait imaginé. Damien recracha le caviar qu'il avait mangé par mégarde. S'il y avait une chose qu'il détestait, c'étaient les œufs de poisson. S'emparant d'un autre canapé, qu'il espéra meilleur que le précédent, il l'avala en entier en se disant qu'il fallait manquer de chance pour tomber sur deux mauvais amuse-gueules de suite.

La foule se calma et revint progressivement dans le hall, discutant avec animation. Damien se resservit du champagne en trinquant à ce qui l'attendait. Il ferait bien d'aller chercher la femme qu'il entendait convaincre de rester Mme Flynn.

Dans le taxi, Holly boudait. Mais les coins de sa bouche commençaient à se redresser. Et sa jambe s'était rapprochée de celle de Matt, dans un mouvement qu'un étudiant en langage corporel interpréterait aisément comme un encouragement. Matt se pencha vers elle en souriant.

— Quoi que tu fasses, ne me souris surtout pas, dit-il.

Ses lèvres se mirent à trembler et elle les serra de son mieux. Matt sourit plus largement.

— Ne souris pas, la taquina-t-il.

Le mouvement de ses lèvres dévoila ses dents.

— Non !

Holly éclata de rire et elle martela le bras de Matt de coups de poings.

— Matt Jarvis, vous êtes un véritable emmerdeur !

— Personne ne me l'avait jamais dit avant toi.

— Ça m'étonnerait. Je ne sais pas comment tu as pu m'entraîner là-dedans, dit-elle en reprenant sa place.

Lui non plus n'en avait aucune idée. Il y avait une minute, elle tapait du pied en refusant de le suivre, et la minute d'après ils se dirigeaient vers Long Island dans un taxi cabossé. Ils n'étaient plus très loin du Zeppe's Wedding Manor et Matt contrôlait mal son agitation. Ils avaient poursuivi leur route sans incident. Ils allaient arriver à destination sans avoir vécu aucun autre carambolage, ni de pluie de météorites, et sans se faire kidnapper par des extraterrestres.

Malgré son calme apparent, Matt avait la bouche sèche. Il savait d'instinct qu'il s'agissait du bon mariage et de la bonne Martha, et non pas d'une mariée bidon avec des demoiselles d'honneur en jaune citron. Il allait rencontrer la vraie Martha avec ses accompagnatrices en robe de mousseline lilas, dont Josie Flynn. Il le sentait dans le fond de son cœur, de son ventre, jusque dans la moelle de ses os.

— Je n'ai même pas envie d'assister à ce mariage, se plaignit Holly.

— Mais si. On va bien s'amuser. Je te le promets, dit Matt.

Il n'était pas fier de ce qu'il faisait à Holly. La forcer à venir jusqu'ici pour courir après une autre femme. Il essaya de se convaincre qu'il ne faisait que lui rendre service, et que sans lui elle aurait fini par complètement rater le mariage de son amie. Mais en rassemblant tous les faits, il s'aperçut que son explication ne tenait pas la route.

Qu'allait-il faire une fois là-bas ? Courir après la captivante jeune femme en abandonnant Holly ? La maintenir en bouclier devant lui au cas où Josie tenterait de lui en coller une ? La laisser entre les mains des quatre moins que talentueux membres du groupe pour aller danser jusqu'au bout de la nuit avec la femme de ses rêves ? C'était le genre de comportement que l'on attribuait à Warren Beatty et à ceux dont les magazines *people* vous révèlent le côté mauvais garçon. Ça ne lui ressemblait pas du tout. Au contraire. D'habitude, c'était plutôt les femmes qu'il adorait qui se défilaient, depuis toujours, depuis Julia Mulville qui, en CM1, lui avait brisé le cœur en préférant Kevin Kirkby pour sa collection de disques. Eh oui ! Julia Melville n'avait été que l'annonciatrice de ses histoires d'amour futures. Un avenir qui n'avait pas fait de lui un briseur de cœur, mais un cœur brisé.

Le taxi dépassa un grand portail en fer forgé avant de remonter une allée bordée de chênes qui formaient un treillis hivernal. Des fontaines de feux d'artifice de toutes les couleurs éclairaient le ciel. Tout cela réveilla son instinct de journaliste. À voir l'environnement, cet endroit était chic et il regretta de ne pas être mieux habillé. Autrement qu'avec son vieux manteau et sa cravate South Park.

Holly était toujours aussi belle malgré les attaques météorologiques. Ses doigts se faufilèrent sous son bras.

— Dis-moi qu'on ne va pas rester longtemps, Matt. Il y a d'autres choses que j'aimerais faire ce soir, dit-elle.

Elle leva vers lui son visage doux et non dénué de charme.

— Compris, dit Matt.

Et soudain, au moment où tout commençait à s'arranger, il se demanda si ça ne pourrait pas aller encore plus mal.

39

— Comment te sens-tu, ma chérie ? demanda Glen en serrant le bras de Martha.

— Un peu bizarre.

Elle se sentait même vidée, lessivée, coincée, libérée, malheureuse, enchantée. De plus, être en voiture lui donnait mal au cœur. Le taxi les conduisait à l'hôtel. Elle pensa à la suite des jeunes mariés du Waldorf Astoria, vide dans l'attente de la voir arriver avec Jack. Le lit resterait proprement fait, la bouteille de bain moussant ne serait pas vidée, et le champagne ne serait pas bu, ce qui n'était pas plus mal étant donné tout ce qu'elle avait déjà avalé.

Glen desserra sa cravate en réprimant un bâillement.

— On a passé une sacrée journée. Je n'aurais jamais imaginé qu'elle se terminerait ainsi, dit-il.

— Non.

Martha scrutait l'obscurité par la fenêtre. Glen se rapprocha d'elle.

— On aurait pu aller chez moi. Je pense que mon appartement va te plaire, murmura-t-il.

— Y aller directement ne me fait pas plaisir, Glen. Un endroit neutre me semble plus approprié. J'ai besoin de temps pour m'adapter à la situation.

— Je comprends, chérie. C'est un grand pas.

Martha sourit sans amusement.

— Un pas aussi grand que de se marier.

— Es-tu certaine d'avoir pris la bonne décision ?

Martha acquiesça en retenant ses larmes.

— Je suis sûre que Jack sera d'accord avec moi. Avec le temps, il comprendra.

— Il va nous falloir un endroit plus grand. Je vais chercher un nouvel appartement. Peut-être dans le même coin. De mon immeuble, on a une vue splendide sur le parc. Ça m'ennuierait de perdre ça, annonça Glen en s'adossant tranquillement.

— Et si nous cherchions plutôt une maison dans le nord de l'État ? New York n'est pas un endroit où élever des enfants, suggéra Martha.

— Bien sûr, dit Glen.

Martha entendit une certaine hésitation dans sa voix. Le taxi s'arrêta au péage et Glen lui donna l'argent du passage.

— Même s'il vaudrait mieux que je garde un appartement en ville pour y vivre pendant la semaine. J'accueille beaucoup de clients et je ne peux pas les laisser prendre un train de banlieue dès leur arrivée, expliqua-t-il tandis qu'ils entraient dans Manhattan.

— Peut-être est-ce un peu tôt pour avoir ce genre de conversation ? Nous devons d'abord réapprendre à nous connaître.

— Tu as raison. Viens près de moi. Embrasse-moi, Mme Labati.

— Ne m'appelle pas comme ça, Glen. Ça me fait bizarre. Cette situation me met mal à l'aise.

— Ça ne t'a pas trop dérangée dans la salle de repos, dit Glen en faisant sa moue de séducteur.

— Ce n'était pas la vraie vie. Maintenant, nous y sommes, dit-elle.

Il l'attira vers lui en l'enlaçant. Il baisa ses cheveux auxquels le voile était toujours solidement fixé. Sa coiffe lui donnait mal à la tête et elle se dit qu'une opération chirurgicale allait être nécessaire pour la détacher.

— Ça m'a paru tout à fait réel. Tout va bien se passer. Tu ne regretteras pas ton choix, la rassura-t-il.

Elle allait le regretter. Elle le savait. Elle allait se réveiller en plein milieu de la nuit, et se retourner dans son lit en se demandant comment elle avait pu faire ça à un homme si bon et si attentionné dont la seule faute avait été de tomber amoureux d'elle. Qu'en aurait pensé Jeannie ? se demanda-t-elle. Elle aurait dit la même chose que Josie : reste jusqu'au bout et tu décideras quand tu auras dessoûlé et que tes sentiments ne seront plus aussi confus que la trajectoire d'une boule de flipper. Si Jeannie avait été là, elle n'aurait peut-être pas pu s'enfuir. Ou peut-être sa mère ne l'aurait-elle jamais laissée se marier tout simplement.

Qu'allait dire son père ? C'était terrible de se rendre compte qu'il avait été mis à l'écart des événements. Elle n'avait même pas pensé à lui en parler, probablement parce qu'elle savait que lui non plus ne l'aurait pas laissée faire. Maintenant que sa mère n'était plus là pour arbitrer leurs conflits, leurs rapports étaient plus mauvais que jamais. Mais si les Siciliens étaient attachés à quelque chose, c'était bien à la famille. Il se serait assuré qu'elle restait pour assumer ses responsabilités familiales. Cette forme de loyauté semblait avoir sauté une génération et elle savait qu'elle allait le décevoir horriblement, l'humiliant devant ses amis un jour comme celui-là.

Il allait falloir l'informer sans trop tarder. Elle l'appellerait de l'hôtel pour lui dire qu'elle allait bien sans lui préciser où elle était. Sinon, elle savait qu'il viendrait avec l'oncle Nunzio et ses cousins les plus baraqués pour la ramener de force. À bien y réfléchir, il valait mieux qu'elle ait disparu sans le consulter.

Elle se lova dans les bras de Glen qui étaient si chauds comparés à la faible protection que représentait sa robe en dentelle. Tout cet argent gaspillé ! Tous ces gens qui ne voudraient plus jamais lui adresser la parole ! Elle avait commis un faux pas en public, et on aurait du mal à le lui pardonner. Elle serait la première à ne pas parvenir à se pardonner.

L'hôtel était fait pour les gens de la haute, les frimeurs, les stars de la musique et du cinéma, les rois, les reines, les chefs d'État, les touristes fortunés, les gagnants du Loto et, semblait-il, pour les jeunes mariés. Elle y était venue une fois dans le cadre de la promotion d'un artiste africain radical et minimaliste, mais elle ne parvenait pas à se rappeler le nom de l'endroit. Ni celui de l'artiste, d'ailleurs. Il faut dire que ses neurones n'étaient pas au maximum de leurs performances. Martha se sentait mal à l'aise dans sa robe de mariée en piètre état, à attendre que Glen s'occupe de la chambre.

— Puis-je me permettre de vous féliciter, madame. La direction va aménager la chambre exprès pour vous, dit le réceptionniste à Glen.

— Nous ne sommes pas..., commença Martha.

— Nous ne sommes pas prêts à partir en voyage de noces avant demain, interrompit Glen en souriant largement.

— Oui, voilà. Demain, dit Martha en tirant délibérément sur son voile.

— Avez-vous des bagages ?

— Euh, non...

C'était au tour de Glen de se sentir embarrassé.

— Si vous avez besoin de quoi que ce soit, le service d'étage se tient à votre disposition, monsieur.

— Merci bien.

Le sourire de l'employé ne faiblit pas lorsqu'il tendit la clé à Glen.

— Je souhaite que votre court séjour parmi nous soit des plus agréables.

Martha se demanda ce qu'il pensait du fait qu'ils avaient réservé à la dernière minute, et de l'allure moins que soignée de la mariée qui semblait avoir pleuré et n'avait pas de brosse à dents. Avec tact, il s'occupait déjà d'entrer leurs informations dans l'ordinateur.

— Pourquoi as-tu fait comme si nous étions mariés ? demanda-t-elle à Glen en le suivant vers l'ascenseur.

— Essentiellement parce que tu portes une robe de mariée, chérie. Ai-je eu tort ? dit-il en souriant sèchement au groom.

— Non, je ne crois pas. C'est juste que je ne me sentais pas très à l'aise.

— Pour moi aussi, tout cela est nouveau et étrange,

Martha. L'un comme l'autre, il va falloir que nous apprenions à nous adapter.

— Je sais. Je suis désolée, dit-elle.

Une fois dans l'ascenseur, Glen la prit dans ses bras. La porte se referma sur eux.

— Nous avons toute la vie pour ça, ma chérie.

L'ascenseur décolla et l'estomac de Martha retomba violemment.

Toute la vie. Cette notion commençait à virer à l'obsession.

40

Josie prit le visage de Jack entre ses mains pour le regarder dans les yeux. Il avait cessé de pleurer mais il était pâle et fatigué. Comme un homme qui s'est fait larguer le jour de son mariage.

— Ça va mieux ?

Jack fit oui.

— Je vais peut-être rester encore un peu ici.

— Tiens bon ! Je resterai avec toi aussi longtemps qu'il le faudra, si tu en as envie, offrit Josie en lui donnant un baiser.

Jack fit un petit sourire.

— J'aimerais bien, oui.

— Comme c'est mignon ! Putain, c'est vraiment trop mignon, dit une voix venant de la porte de l'abri à bateaux.

Josie tenta d'identifier la silhouette dans le noir. L'homme s'appuya contre le chambranle de la porte avec une arrogance qui lui était familière. (Ça ne pouvait pas être lui !) Il avança vers un endroit éclairé par les lanternes qui entouraient le lac.

— Damien !

— Ah, tu te souviens de moi, lança-t-il.

— Mais qu'est-ce que tu fabriques ici ?

— Je me sens un peu comme l'andouille laissée à l'écart pour l'instant. Je ne m'attendais pas à le trouver ici, dit-il en montrant Jack d'un geste du pouce.

— Jack ? Et pourquoi pas ?

Josie et Jack se regardèrent avec étonnement.

— Si ta mère m'avait dit qu'il serait avec toi, je ne serais pas venu jusqu'ici.

— Qu'est-ce que ma mère vient faire dans l'histoire ?

— C'est elle qui espère qu'on se réconcilie.

— Toi et moi ? Je crois qu'elle préférerait me voir mariée à Hannibal Lecter plutôt qu'à toi, dit Josie en éclatant de rire.

— Qu'est-ce que tu lui trouves ? Il est assez vieux pour être ton... ton... grand frère, dit sombrement Damien en parlant de Jack.

Jack et Josie se regardèrent de nouveau.

— Qu'est-ce que je lui trouve ? Damien, je crois que tu te trompes de cible.

Damien ricana avec cynisme.

— Tu veux que je règle ça, Josie ? demanda Jack en se levant.

Damien le poussa et Jack se rassit, surpris.

— Je crois que tu en as assez fait comme ça, mon bonhomme. Elle est toujours mariée, tu vois. J'imagine qu'elle a dû te le dire, non ?

— Je suis au courant du statut marital de Josie. Mais je ne crois pas que vous connaissiez le mien.

Jack se releva et prit une sorte de position de kung-fu qui semblait dire « je vais t'éclater ».

— Je me fous pas mal du tien. En fait, si, ça m'intéresse. Tout ce qui concerne ma femme m'intéresse, affirma Damien en s'avançant vers lui.

— Ça n'a absolument rien à voir avec ta femme.

Jack fit ce drôle de geste des mains signifiant qu'il tentait de dompter sa colère.

— Et moi je trouve que si.

Damien frappa Jack à la poitrine. Jack refit ce drôle de battement, comme s'il écrasait quelque chose d'invisible.

— Je pense que nous devrions nous calmer pour nous recentrer un moment.

— Tu peux penser tout ce que tu veux, répliqua Damien avant de reculer pour envoyer un coup de poing dans le nez de Jack.

Josie était sidérée. Le temps de cligner des yeux, tout

était terminé. Damien était sur le point de frapper Jack, et l'instant d'après il était face à terre.

— Ah, ah, argh, gémit-il.

Jack avait posé son pied sur l'épaule de Damien dont le bras était replié à l'envers, ses doigts accrochés à Jack. Le visage de ce dernier incarnait la sérénité suprême. Si Josie avait été à sa place, elle aurait tabassé Damien en appréciant chacun des coups. Damien tentait en vain de se débattre. Josie croisa les bras en toisant cette forme qui s'agitait furieusement.

— Je crois que le moment est venu de faire les présentations. Jack, je te présente Damien, mon ex-mari.

— Enchanté, Damien.

Damien, qui mangeait la poussière, ne vit pas le mouvement de salut de Jack.

— Damien, je te présente Jack. Il est expert en arts martiaux. Et également le mari de Martha.

Matt pénétra dans le hall du Zeppe's Wedding Manor d'un pas aussi détendu et nonchalant que possible pour quelqu'un qui entend se jouer dans sa tête la fin assourdissante de « I am the Walrus » composée de vagissements, de pets et de coups de Klaxon discordants. Parmi tous les merveilleux morceaux écrits par Lennon et McCartney, il n'avait jamais aimé celui-là. Et il l'appréciait encore moins quand il lui envahissait le cerveau, le cœur et l'estomac.

À ses côtés, Holly était pieds nus. Sans dire un mot, elle déposa ses chaussures cassées dans un bac à fleurs. Matt ôta son manteau recouvert de neige, et prit celui de Holly pour les déposer aux vestiaires. Son petit rire lui indiqua qu'elle lui avait pardonné. Chacun pour des raisons différentes, ils étaient soulagés d'être enfin arrivés.

Sous sa chemise, son cœur émettait des battements lourds et rapides qui, chez un homme d'âge plus mûr, annonceraient un infarctus. Il y était. Le moment de vérité était arrivé. Il avait du mal à croire qu'après toutes ces épreuves, ces tribulations et ces faux départs, il y était parvenu. Il s'essuya nerveusement la bouche en effleurant sa barbe naissante qui ferait concurrence à « Roquet Belles oreilles ». Merde, il aurait dû se raser. Quelque part dans toute cette course, il avait complètement oublié son apparence délabrée. Est-ce que Josie prêterait attention à ça ? Bien sûr que oui. Elle avait des yeux, non ? Il allait falloir l'aveugler avec des propos brillants. Ce qui l'amena à se poser une question plus pertinente : qu'allait-il lui dire, au juste ? Comment lui exprimer ce qu'il éprouvait sans paraître lourd ? Comment lui dire, sans passer pour un évadé de l'asile, que depuis qu'il l'avait rencontrée l'envie de la retrouver n'avait cessé de le ronger ? Pas facile.

Holly lui prit le bras. Elle était petite sans ses talons. Il avait l'impression d'être le grand méchant loup tant il l'avait mal traitée. À ce moment-là, une demoiselle d'honneur passa devant eux. Pas La demoiselle d'honneur, mais l'une d'elles. Une demoiselle d'honneur en tenue lilas. La robe dos-nu et sans manches était ridicule, exactement comme Josie l'avait décrite. Matt avait envie de crier de joie. Il préféra se contenter de fermer les yeux.

De l'entrée, ils virent les Headstrong sur scène. Holly les salua et Matt parut amusé.

— Ils jouent « Got to get you into my life[1] » !

— Je sais. Ils ne savent même pas que c'est un morceau des Beatles. Ils croient que c'est Oasis. Mais tu ne leur dis pas, s'il te plaît, dit Holly en soupirant.

— Ils ne s'en sortent pas trop mal, je trouve.

Matt remarqua avec joie que son pied battait la mesure.

— On danse ? proposa Holly.

— Tu ne veux pas trouver Martha d'abord ?

— Peut-être. Ça ne devrait pas être difficile. Il ne doit pas y avoir beaucoup de gens avec une robe blanche volumineuse. On fait le tour ?

— Je crois que je vais te laisser faire. Je vais plutôt aller faire un tour au petit coin. Ma vessie ne tient plus après toutes ces aventures exaltantes, répondit Matt.

---

1. « Il faut que tu fasses partie de ma vie » ! Les Headstrong seraient-ils plus doués pour la voyance que pour la musique ?

— Ça marche. On se retrouve ici dans quelques minutes ? proposa-t-elle.

— D'accord. Je ne serai pas long.

Holly s'enfonça dans la foule de danseurs, faisant bouger son arrière-train à son intention. Matt se frotta les mains comme les méchants qui préparent un sale coup. Et maintenant il allait trouver Josie.

Trois tours de piste plus tard, il était en pleine déprime. Il l'avait cherchée partout, sans l'avoir même entraperçue. Matt se gratta la tête, comme les méchants qui n'arrivent pas à leurs fins. Elle était forcément quelque part. Il se trouvait au bon endroit, le bon jour et avec la bonne Martha. Il ne manquait plus que l'apparition de la bonne demoiselle au moment opportun.

41

Martha s'assit au bord du lit où, quatre cent vingt-six épingles à chignon plus tard, le voile solidement attaché par Béatrice se désolidarisa enfin de son cuir chevelu. Avec un énorme soulagement, elle sentit le sang revenir dans ses follicules capillaires. Elle gazouilla de délice. Glen se tourna vers elle en souriant. Sur une chaise, reposaient sa veste de smoking et son nœud papillon. Il avait déboutonné le col de sa chemise et enroulé les manches jusqu'aux coudes. Ses cheveux n'avaient plus cet aspect figé par le gel.

— J'ai bien cru que je n'allais jamais réussir à me débarrasser de ce fichu truc. Je me suis vue passant ma vie avec un voile sur la tête et allant faire des courses comme ça, dit Martha.

— Tu aurais fait tourner encore plus de têtes que d'habitude.

— C'est fort probable.

Employer une expression de Josie attisa son envie de voir sa cousine. Elle aurait tant aimé qu'elle soit là pour l'aider ! Elle ne s'était pas amusée en enlevant toutes ces épingles seule, et à présent elle ne savait pas de quoi elle avait envie. Josie lui aurait dit quoi faire. Sauf qu'elle n'écoutait jamais les conseils de Josie. Martha sentit l'indécision l'envahir. Peut-être aurait-elle mieux fait de l'écouter.

— Veux-tu que nous commandions du champagne ? suggéra Glen.

— Du champagne ?

— Pour trinquer.

— Pour trinquer ?

Qu'y avait-il à fêter ? Sa fuite le jour de son mariage pour tomber dans les bras d'un autre homme ? Il n'y avait pas de quoi porter un toast.

— Je me disais que tu voudrais peut-être faire quelque chose pour marquer le coup.

Martha soupira. Que ferait Josie à sa place ? Elle prendrait sans aucun doute une tasse de thé.

— J'ai bu assez de champagne pour aujourd'hui. Si je continue, je vais être malade. Il faut que je me sorte de ce truc, dit Martha en tirant sur sa robe en dentelle qui commençait à l'irriter.

— Tu veux que je t'aide ?

Son sourire avait un accent libidineux qui aurait mieux convenu aux séries à l'eau de rose de l'après-midi. Il s'assit près d'elle. Repoussant les cheveux qui lui cachaient le visage, il embrassa son front et ses tempes. Ses lèvres qui, plus tôt, étaient tièdes et terriblement tentantes, étaient désormais froides et humides. Il effleura sa nuque, jouant avec l'encolure de sa robe, ce qui la fit frémir. Non, elle n'avait pas envie qu'il l'aide à se déshabiller. Non, elle ne voulait pas de champagne. Et non, elle ne savait pas ce qu'elle voulait vraiment !

Elle prit soudain conscience de la situation et son corps se raidit comme si elle avait fait trop de sport.

— Je crois que j'ai besoin d'être seule un instant, Glen. J'ai beaucoup de choses en tête. Je vais peut-être prendre un bain, annonça-t-elle en faisant rouler ses épaules.

Glen la rapprocha de lui.

— Tu veux que je te rejoigne dans ton bain ?

— Je crois que toute seule serait peut-être mieux pour l'instant. Glen, je trouve tout cela très bizarre, dit-elle en s'éloignant de lui.

— Moi aussi, chérie. C'est pour ça que je fais plein d'efforts pour te faire plaisir. Et que je n'y arrive pas du tout ! dit-il en embrassant le bout de son nez.

Martha lui rendit son baiser et le malaise qui régnait entre eux s'évapora.

— Je suis désolée.

— Ce n'est pas grave. Je crois que nous sommes tous les deux confus. Ça faisait longtemps qu'on ne s'était pas retrouvés ensemble. Je vais tout faire pour qu'on soit bien tous les deux, Martha. Tu verras, promit-il en la prenant par la taille.

Martha sentit sa nuque se décontracter.

— Pourquoi n'appelles-tu pas le service d'étage ? Commande-toi quelque chose pendant que je trempe.

Glen se massa le ventre.

— Je ne peux plus rien avaler. Quelle réception c'était ! Ton père va recevoir une facture monstrueuse pour cette soirée.

— C'est dommage que ce soit le seul souvenir concret qu'il en gardera.

Glen tomba à genoux devant elle et planta ses yeux dans les siens.

— Tu as fait le bon choix. Peut-être que tu en doutes encore pour l'instant, mais tu n'aurais pas été heureuse autrement. Les gens apprendront à l'accepter.

Elle pensa à Jack qui allait devoir l'accepter. Elle pensa à son père qui allait devoir l'accepter. Et elle savait que sa mère aurait préféré la tuer plutôt que de l'accepter.

— Il faut que j'appelle papa. Je devrais lui dire que je vais bien et que je n'ai pas été contrainte d'agir contre ma volonté. Il reste tard devant la télé, le soir, et vu les émissions qu'il a l'habitude de regarder, il doit se dire que tu es un alien.

— Il va lancer tous les Siciliens à ta poursuite, dit Glen.

— J'imagine qu'ils sont trop ivres pour prendre le volant. Mais je vais quand même masquer le numéro, au cas où, dit Martha en rigolant.

— Voilà ce que je vais faire. Je vais descendre au bar de l'hôtel, prendre un dernier verre pour te laisser tranquille. Ça te semble bien ?

— Ça m'a l'air parfait.

Il s'étira. Il avait l'air fatigué. Ses joues commençaient à s'ombrer et les rides de ses yeux s'étaient creusées. Pour lui non plus, la journée n'avait pas été facile.

— Je n'ai pas envie de te laisser seule. Tu es sûre que ça va aller ? s'enquit-il.

— Oui, ne t'inquiète pas. Vraiment.

— Je reviens vite, dit-il en prenant sa veste.

— Prends ton temps.

Il l'embrassa sur la bouche et lui fit un clin d'œil.

— Tu me manques déjà, lança-t-il avant de quitter la chambre.

L'eau chaude jaillissait en cascade des robinets, remplissant la baignoire de courants tourbillonnants. Martha versa un bouchon de bain moussant offert par l'hôtel en respirant la douce odeur artificielle qui emplissait l'air. Après une pause, elle vida toute la bouteille. Tant qu'à avoir de la mousse, autant que ça déborde. Se faisait-elle des illusions en comptant sur les bulles pour la soulager de tous ses soucis ? Probablement.

Elle frotta le miroir du plat de la main pour ôter la buée. Puis elle observa son visage entouré de gouttelettes de condensation. Elle avait les yeux fatigués, cernés, sans compter les dégoulinades d'eye-liner et de mascara. Son rouge à lèvres avait coulé et son blush avait disparu depuis longtemps. Si elle était dans cet état, à quoi devait ressembler Jack ?

Levant les bras, elle se débattit pour enlever sa robe. Elle avait de nouveau besoin de Josie. Un millier de boutons perlés fermaient le dos de sa robe, tous cousus à la main de façon à la mouler, l'emprisonnant dans le tissu. Elle fut tentée de la déchirer, mais sachant qu'elle n'en aurait pas la force, elle s'avoua vaincue.

Elle s'assit au bord de la baignoire, et passa sa main sous l'eau courante. Glen ne tarderait pas à revenir. Elle avait compris qu'il avait hâte de se mettre au lit. Et comment le lui reprocher ? Elle aussi devrait en avoir envie. Mais elle avait seulement envie de s'allonger et de dormir d'un sommeil long et profond qui éloignerait les événements de la journée de son esprit.

Le moment d'appeler son père était venu. Martha retourna dans la chambre en rongeant ses ongles parfaitement manucurés. S'installant au bureau, elle s'empara du combiné et composa le code d'appel vers l'extérieur. Qu'allait-elle dire ? Elle raccrocha en attaquant de nouveau ses ongles. Quel numéro devait-elle appeler ? Celui de l'hôtel ou celui du portable de son père ? Où serait-il moins enclin à lui hurler dessus ? Elle pouvait déjà s'estimer heureuse qu'il n'ait pas fait de crise cardiaque, ou si c'était le cas elle ne le savait pas encore.

Martha prit une profonde inspiration en plaçant le combiné contre son oreille. Elle prit une autre inspiration et raccrocha de nouveau. Quel cauchemar ! Elle aurait de quoi s'évanouir. Comment avait-elle pu laisser Jack se débrouiller seul avec tout ça ? Cher, adorable Jack. Josie avait vu juste. Elle espéra que sa cousine prenait soin de lui, et qu'ils n'avaient pas fabriqué une poupée en pâte d'amandes à son effigie pour lui enfoncer des aiguilles.

Elle entendit des alarmes retentir à l'extérieur, leur son plaintif trouvant écho en elle. Pendant combien de temps allait-elle être dans cet état ? se demanda-t-elle. S'attendait-elle vraiment à ce que s'enfuir avec Glen soit facile ? Elle ne s'était sûrement pas imaginé que quitter Jack sur un coup de tête fût si difficile. Son regard se promena sur le lit. Le lit qu'elle allait bientôt partager avec Glen. Ce n'était pas exactement ce qu'elle avait envisagé de vivre le soir de son mariage. Martha se moqua d'elle-même en se voyant dans cette chambre, somptueuse certes, mais si impersonnelle. Ils s'étaient juré de faire un bébé ce soir, elle et Jack. Un bébé conçu la nuit de leur union officielle pour commencer leur avenir, pour sceller leur bonheur et construire une famille. Quand l'envie lui serra le ventre, elle sut que ce moment finirait par arriver. Glen en aurait-il envie ? Était-il prêt à un tel engagement ? Elle n'avait emporté aucun moyen de contraception et elle ignorait si lui en avait. L'hôtel pouvait-il leur en fournir ? Comment lui dire que son corps le réclamait ? Elle avait toujours eu tellement de mal à lui parler, sauf quand le sujet collait avec son planning. Et à présent, il était un étranger pour elle. Un étranger intime. Un bébé entrerait-il dans sa liste de ses « choses à faire absolument » ?

Abandonnant l'idée de téléphoner, Martha se dirigea vers la fenêtre. Elle ouvrit les longs rideaux en velours pour laisser l'obscurité envahir la chambre tout en admirant la vue nocturne sur la Cinquième Avenue. Le visage collé contre la vitre froide, elle en apprécia la fraîcheur. La neige avait fondu. Sa blancheur impeccable avait disparu, ne laissant comme trace de son passage que la brillance humide des rues, un miroir temporaire pour les lumières de la ville et les phares des voitures. À l'extérieur, deux filets d'eau coulèrent le long des vitres comme deux larmes solitaires glissant sur un visage. Martha suivit leur route sinueuse du bout des doigts, s'étonnant de constater qu'elle aussi pleurait.

Elle avait fait le mauvais choix. Elle le savait à présent. Pourquoi n'avait-elle pas écouté Josie ? Comment avait-elle pu faire ces promesses, prononcer ces vœux pour se raviser à la première tentation ? Qu'est-ce qui avait rendu Glen brusquement si attirant, au point qu'elle fasse demi-tour, blessant tous ces gens, et surtout Jack ?

En combien de temps le poids de la culpabilité finirait-il par détruire son nouveau couple ? Combien de temps avant que les « et si ? » prennent tellement de place qu'elle n'entende plus qu'eux ? Combien de temps avant qu'ils puissent tous continuer comme si rien ne s'était passé ?

Martha regarda le téléphone. Il n'y avait qu'une seule solution. Une seule chose à faire. Une vague de mélancolie l'envahit. Elle avait pris sa décision. Ça serait mieux pour tout le monde.

Le salon de l'hôtel était somptueux et l'éclairage tamisé. Glen porta son troisième brandy à ses lèvres avec un manque d'entrain significatif. Les clients parlaient tous à voix basse. Deux femmes en minijupe semblaient avoir trouvé un intérêt professionnel en la compagnie d'un groupe d'hommes d'affaires japonais avec qui elles partagaient une blague osée. À l'opposé, un pianiste en smoking blanc jouait une sorte de jazz, mais dans cette pièce haute, avec les canapés en velours rouge et les sièges à dossier doré, il peinait à créer une ambiance feutrée en dépit de tous ses efforts. Tout comme Glen avec Martha, finalement.

En dernier recours, Glen se tourna vers le barman qui faisait semblant d'être occupé à polir les verres. Même lui évitait de croiser son regard. Glen se demanda si l'heure était venue de rejoindre Martha. Il ne voulait ni remonter trop tôt ni s'éloigner d'elle trop longtemps. L'ambiance, tout comme dans ce bar, était tendue et affectée. Il avait l'intention de tout faire pour détendre l'atmosphère.

— Un message pour M. Glen Donnelly, cria le groom en uniforme rouge et épaulettes dorées en traversant la pièce avec toute la concentration nécessaire à sa mission.

— Oui !

Glen leva son verre dans la direction du groom qui approcha.

— Monsieur Donnelly ? demanda le jeune homme.

— C'est bien moi.

— J'ai un message pour vous, monsieur.

— Je vous écoute.

— Nous avons un petit problème urgent avec votre chambre, monsieur, l'informa-t-il en baissant la voix.

Le brandy figea la langue de Glen.

— Quel genre d'urgence ?

Le barman le regarda avec curiosité pour la première fois de la nuit, son chiffon en arrêt.

— Je ne sais pas bien, monsieur. Le responsable est monté avec un pass mais nous aimerions que vous soyez présent. Pourriez-vous m'accompagner, je vous prie ?

Glen termina son verre d'un trait avant de descendre de son tabouret haut. Il suivit le groom qui avait accéléré le pas. Une fois dans l'ascenseur, ils restèrent silencieux, tous deux mal à l'aise dans l'ascension vers l'étage de Glen et Martha.

Au moment où ils déboulèrent dans le couloir, ils trouvèrent le responsable penché sur la poignée. Dans sa hâte d'ouvrir la porte, il avait bloqué la serrure électronique et les lumières rouge et verte clignotaient en même temps. Il leva les yeux vers Glen, laissant au système et à l'homme une chance de se calmer.

— Que se passe-t-il ?

— La chambre d'en dessous nous a signalé une fuite d'eau venant du plafond.

Glen fut soulagé.

— De l'eau ?

— Ça pourrait venir de votre baignoire, monsieur.

— Ce n'est que ça ? Vous m'avez fait monter en courant pour une fuite de ma baignoire ? dit Glen.

Le groom et le responsable échangèrent un regard inquiet.

— Où est votre femme, monsieur ?

— Ma femme ? Ah, je vois. Elle... euh, ma... ma femme prend un bain, je crois. Peut-être est-ce le robinet qui fuit ?

— Nous avons essayé d'appeler votre chambre, monsieur, mais personne ne répond.

Son sang ne fit qu'un tour.

— Donnez-moi ça, ordonna-t-il en arrachant le pass des mains du responsable qui sembla soulagé de lui laisser cette responsabilité.

Il ouvrit si violemment la porte que la poignée vint cogner contre le mur, enlevant un bout de papier peint au passage. À l'intérieur, il n'y avait aucun signe d'une présence humaine.

— Martha ! Martha ! appela Glen en se dirigeant vers la salle de bains.

Dans la pièce d'eau, un nuage de vapeur aromatisé à la vanille le saisit à la gorge. Une montagne de mousse blanche passait par-dessus le bord de la baignoire, se frayant un chemin jusqu'au carrelage où le niveau de l'eau avait atteint deux centimètres. Glen pataugea pour accéder aux robinets.

Une chose était certaine, Martha n'était pas dans son bain. Le responsable semblait mécontent même si son visage avait repris ses couleurs.

— Je suis désolé. Je ne sais pas ce qui s'est passé, dit Glen.

— Je vous envoie une femme de ménage, monsieur, répondit poliment le responsable.

— Je vous remercie. Je paierai pour tous les dégâts, marmonna Glen, l'air absent.

Il retourna dans la chambre en se passant la main dans les cheveux.

— Je laisserai une note à la réception, monsieur. Je ne voudrais pas que ce petit incident gâche votre nuit de noces. Aimeriez-vous être transférés dans une autre chambre ?

Glen se retrouva devant la fenêtre. Les rideaux étaient ouverts et les fenêtres embuées. Il resta cloué sur place.

— Je ne pense pas que ce soit nécessaire. Merci. Peut-être pourriez-vous préparer ma facture ? Je ne vais pas tarder à quitter l'hôtel, dit-il.

— Bien, monsieur, dit le responsable en sortant sans poser de question, entraînant le groom stupéfait avec lui.

Glen fit de nouveau face à la fenêtre, la regardant sans la voir. Dans la buée, Martha avec écrit : « J'ai cru que je t'aimais mais je ne peux pas faire ça. Pardonne-moi. »

Glen toussota, la gorge serrée. Il ferma les rideaux sur la nuit et sur le message d'adieu de Martha. Puis il s'assit sur le lit, prit sa tête entre ses mains et pleura comme la dernière fois qu'il avait laissé Martha lui échapper.

42

— Comment aurais-je pu deviner qu'il était le mari de Martha ? geignit Damien.

— En essayant de te servir de ta tête au lieu de tes muscles. Et en faisant usage de ta bouche et non de tes poings. Ça peut aider parfois, lui dit Josie.

— C'est injuste. Qu'étais-je censé penser ? Je venais de voir Martha monter dans un taxi avec une espèce de Hulk tout poilu.

— C'était Glen, le témoin du marié.

— Je me suis fait avoir.

— Tu n'es pas le seul.

— Comment ça ?

— Non, rien, répondit Josie en secouant la tête.

Ils longeaient le lac. Ils avaient laissé Jack réfléchir tranquillement à ce qu'il allait raconter aux invités. Elle espérait qu'il finirait par trouver le courage de retourner auprès d'eux. Josie était toujours enroulée dans son châle couvert de toiles d'araignée. Quelques canards pataugeaient bravement à la surface du lac. Ils avaient l'air transis de froid.

— Je me demande s'ils vont entrer dans le *Guinness Book* pour le mariage le plus court du monde.

— C'est probablement le dernier de leurs soucis.

Ils marchaient côte à côte, tout proches. Elle sentait le tissu du costume de Damien frôler la partie nue de son bras. Elle espéra que cette sensation n'était pas la cause de ses frissons. Ça faisait longtemps qu'ils ne s'étaient pas retrouvés seuls et, en d'autres circonstances, ce moment aurait pu être romantique. La pleine lune brillait au-dessus d'eux. Josie observa son mari à la dérobée. Il était très beau et la dureté de ses traits laissait présager l'énormité de son amour-propre. Il avait une telle confiance en lui que les femmes ne lui résistaient pas. Josie lui sourit tristement. Si seulement il était plus doux, plus souple par moments. Si seulement il avait pleuré devant *The Sound of Music*[1], ou aimé Winnie l'ourson, ou n'avait pas trouvé que

---

1. Comédie musicale des années 1960. Julie Andrews y incarne une gouvernante qui veut devenir nonne avant de tomber amoureuse du beau capitaine qui est destiné à une baronne. Elle apprend à chanter à ses enfants qui finissent par aimer leur future belle-maman. Plutôt un truc de filles...

« Lady in red » n'était qu'un tube bidon. Josie réorienta ses pensées vers l'instant présent.

— Tu ne m'as toujours pas dit ce que tu faisais ici, avança-t-elle en jouant avec les gravillons.

— Je croyais que c'était évident.

— Je ne savais pas que tu aimais Martha à ce point. Tu ne m'en avais jamais parlé, commenta Josie.

— Je n'aime pas du tout Martha. Elle est complètement allumée, la pauvre !

— C'est faux ! Elle est un peu perdue, c'est tout, répliqua Josie.

Certes, les événements de la journée n'appuyaient pas trop sa défense.

— Elle est aussi perdue que toquée. De plus, je t'ai déjà donné la raison de ma présence, poursuivit Damien.

Josie n'y comprenait rien.

— Selon les mots de Tammy Wynette [1], notre divorce est sur le point d'être prononcé. Et je ne le veux pas, avoua Damien dans un long soupir.

Josie éclata de rire.

— Tu n'es pas sérieux, Damien ?

— Pourquoi ris-tu ? Bien sûr que je suis sérieux !

---

1. Surnommée « L'héroïne des cœurs brisés », Tammy chantait la solitude et les problèmes de couple. L'un de ses titres s'appelle « Divorce » et traite du moment où les papiers officiels sont signés...

Il semblait terriblement vexé. Josie rigola de plus belle.

— Tu ne l'es pas.

— Évidemment que je le suis !

— Et tu as pris l'avion juste pour me dire ça ?

— Bien sûr que oui !

Josie s'arrêta pour lui faire face.

— Pourquoi ?

Damien semblait perplexe.

— Comment ça, pourquoi ?

— Réponds-moi. Pourquoi ?

Damien se mit à trépigner.

— Pourquoi ?

Il gigotait de plus en plus.

— Pourquoi ?

— Pourquoi me compliques-tu les choses ?

— C'est faux. Je veux juste savoir pourquoi.

— J'ai quitté Melanie pour toi, dit-il.

— Tu as fait quoi ?

— Je l'ai quittée. Hier soir, déclara-t-il.

— Comme ça ?

— Que pouvais-je faire d'autre ? C'est toi que j'aime, pleurnicha Damien.

— Et que pense Machine de ton départ précipité ?

— Melanie... Machine n'était pas très contente. Elle m'a lancé des assiettes à la tête.

— Je trouve que tu as de la chance de t'en être

tiré sans avoir été arrangé comme John Bobbit[1], ricana Josie.

— Je sais.

Ils reprirent leur balade au bord du lac. De la musique s'échappait de la salle de réception. Jack n'y était donc pas encore retourné pour dire à tout le monde de remballer leurs affaires et de rentrer chez eux.

Damien semblait être sur le point de prendre la main de Josie mais il se ravisa.

— Tout ne se passe pas exactement comme prévu. Si je suis venu au mariage de Martha, c'était pour te faire tourner la tête et te demander de m'épouser de nouveau.

Josie s'arrêta net et resta bouche bée.

— Je t'ai même apporté une bague, dit-il d'une voix chargée d'espoir.

— Alors tu as débarqué avec tes gros sabots pour faire étalage de ta vie privée devant tout le monde ?

— Euh... oui.

— Et gâcher le mariage de Martha par la même occasion ?

— Hé, une minute ! Je crois qu'elle s'en est chargée toute seule, protesta Damien.

— Tu n'as pas de cœur, Damien Flynn.

---

1. Sa femme, Lorena, avait manifesté son mécontentement en lui tranchant le sexe...

— Tu dis ça comme si c'était une mauvaise chose ! dit-il d'un air renfrogné.

— C'en est une ! Évidemment que c'est une mauvaise chose ! J'en ai marre que tu me manipules. J'ai refait ma vie, Damien, et tu n'en fais plus partie.

— Je crois que tu vas un peu vite en besogne, Josie.

— C'était ton choix, Damien. Tu te rappelles ?

Damien sortit la boîte en velours de sa poche.

— C'est une très grosse bague, précisa-t-il en soulevant le couvercle.

Josie en eut le souffle coupé, et Damien sourit.

— Mais, Damien, elle est magnifique.

— Je savais qu'elle te plairait.

— Aucune femme ne la trouverait moche.

Après avoir jeté un œil sur les graviers, Damien s'agenouilla à contrecœur.

— Je t'aime, Josie.

Il prit la bague entre ses doigts pour la lever devant ses yeux. Josie s'empara du bijou, les yeux écarquillés.

— Je n'ai jamais rien vu de pareil.

Les reflets de la lune allumaient des myriades de couleurs dans le diamant. Il semblait étinceler et danser par lui-même.

— Fiançons-nous, Josie. Annulons le divorce et recommençons tout à zéro, dit Damien.

— C'est impossible.

— Si, c'est possible.

— Damien, c'est impossible.

— Nous le pouvons. Il suffit d'arrêter la procédure administrative.

Josie regarda la bague en soupirant.

— Ce n'est pas si simple.

Damien changea de genou d'appui.

— Pourquoi ?

Les bras de Josie retombèrent, éloignant dans leur mouvement la bague de l'impact de la lune.

— Parce que je ne t'aime plus.

Damien se releva en faisant claquer le couvercle de la boîte vide qu'il enfourna dans sa poche.

— Je n'en crois pas mes oreilles ! C'est à cause de lui, hein ? s'exclama-t-il en effectuant des allées et venues. Il s'arrachait les cheveux de frustration.

— De qui parles-tu ?

Damien désigna un endroit éloigné dans le vide.

— De lui !

— Qui, lui ?

— Qui, lui ? L'homme que tu as rencontré ! L'homme avec qui tu partages des petits dîners. Cet homme qui est si important pour toi. Ah, ça doit être sérieux parce que tu n'en as pas parlé à ta mère alors que tu lui dis tout !

Josie éclata de rire.

— C'est donc ça, Damien. Ce n'est pas parce que tu veux de nouveau être avec moi. C'est parce que tu

ne supportes pas de me savoir heureuse avec un autre.
Tu veux prouver que tu vaux mieux que lui.

— Est-ce qu'il t'achète des diamants ?

— Non. Nous n'avons pas ce genre de rapport. En
fait, je trouve ton geste frivole et sans intérêt. J'ai
besoin d'être rassurée, de savoir que tu regrettes, d'être
en confiance et de me savoir aimée, Damien. Pas d'une
bague grosse comme un ballon de foot.

Le visage de Damien était aussi sombre que le ciel.

— Ce diamant m'a bouffé vingt mille billets.
Autant que tu saches que j'aurais pu acheter toute une
ferme à ce prix-là.

— Tu aurais mieux fait. Et d'y emménager aussi.
Même si ta présence aurait de quoi inquiéter les moutons, dit Josie.

— Comment s'appelle-t-il ?

Josie resserra la couverture autour de ses épaules.

— Euh... son nom ? Matt.

— Comme un matelas ?

— Comme Matt Jarvis.

— Est-ce que tu l'aimes ?

— Oui. Oui, je l'aime, affirma-t-elle en le défiant
du regard.

— Que fait-il dans la vie ? C'est un de ces enseignants qui fument la pipe, portent un anorak et votent
socialiste ? Tu l'as rencontré dans la salle des profs ?

— Je suis ravie que tu aies une telle opinion de mes

goûts en matière d'homme, Damien. Après tout, je t'ai choisi.

Damien jubila.

— Je parie que j'ai mis en plein dans le mille !

— C'est un... musicien. De rock, lança-t-elle les poings sur les hanches.

— Un rocker ! Que fiches-tu avec un musicien ?

— Je prends du bon temps, dit-elle.

Damien montra la bague du doigt.

— Cela est le signe de mon engagement, et tout ce que tu sais faire, c'est me la jeter au visage. Comment peux-tu rester de marbre ? Que veux-tu de plus ? Une nouvelle voiture ? un lave-vaisselle ? On peut s'offrir l'un de ces voyages chic et chers si ça te fait plaisir.

— Tu es complètement à côté de la plaque, Damien. Ce n'est pas ce que j'attends d'une relation. Tu ne peux pas m'acheter.

— Tu n'as vraiment aucune reconnaissance, Josie Flynn.

— Et toi, tu es un ex-mari malavisé et plein d'*a priori*. Et ce n'est pas au visage que je te la jette, mais dans le lac, dit-elle en lançant la bague.

Le bijou retomba dans l'eau sombre, à côté d'un canard surpris d'être importuné pendant sa promenade. Avec un joyeux coin-coin, il plongea son bec dans l'eau avant de relever la tête en déglutissant. Josie et

Damien l'observaient, sidérés. Le monde tourna au ralenti jusqu'au moment où Josie reprit la parole.

— Je m'en vais. J'en ai marre des hommes. Et j'en ai surtout marre de toi, Damien Flynn. Et j'en ai plus qu'assez de ce mariage !

Elle tourna les talons et disparut dans la nuit. Paralysé, Damien contemplait les ondulations de l'eau. Il se sentait incapable de bouger et incapable d'empêcher Josie de sortir de sa vie. Il gardait les yeux rivés sur le canard qui venait d'avaler sa bague en diamant. Même dans cet état de choc, il savait qu'il devrait agir – passer à l'attaque, lancer un caillou, ou au moins crier au voleur – mais ses membres ne répondaient plus. Le canard émit un coin-coin étranglé, s'ébroua et continua à voguer paisiblement. Et si Damien n'avait pas été un être raisonnable, il aurait juré qu'il souriait.

43

Comment avait-elle pu épouser un tel... un tel... connard ! Josie fulminait en silence. Dans le hall, elle attendait la voiture qu'elle avait commandée en tapant du pied. Entre autres signes de fureur réprimée, elle se tordait les mains afin d'éviter de s'arracher les cheveux ou de pousser des hurlements à s'en rompre les cordes vocales. Les joues en feu, elle avait chaud pour la première fois de la journée mais frottait malgré tout ses bras nus.

Comment Damien avait-il pu croire qu'en lui faisant miroiter cette babiole outrancière elle se pâmerait d'admiration en lui tombant dans les bras ? C'était si caractéristique de son manque de réflexion et, plus globalement, de son manque de compréhension de la vie. Elle s'était tellement battue à Londres pour parvenir à joindre les deux bouts. Comment avait-il osé faire étalage de sa richesse devant elle ? Même Le-chat-anciennement-connu-sous-le-nom-de-Prince avait été privé de ses absurdes petites boîtes pour gourmets : délice de crevettes et queues de homards à la sauce caviar, goujons sur aspic de truffes, soupçons de calamars et mousse de crabe. Il était passé au basique Kit et Kat, avec des morceaux de viande. Sauf pour les grandes occasions. Et il lui en voulait toujours. Cependant, Damien n'avait pas hésité à lui apporter un cadeau équivalent à son salaire annuel. Peut-être l'aurait-il plus impressionnée en payant les remboursements de ses découverts ou de ses emprunts pendant un semestre. Même si ce geste n'était généralement pas considéré comme ouvertement romantique.

Quoi qu'il en soit, et connaissant Damien, c'était du baratin. Cette bague devait être un cadeau d'entreprise. Ou alors il l'avait gagnée en collectionnant les points d'une marque de céréales. Ce diamant n'était précieux que d'apparence. Il n'aurait jamais dépensé une telle somme, sauf en cas de désespoir absolu. Et Damien n'était pas du genre à désespérer. Son front se plissa. Tout de même, elle n'aurait peut-être pas dû la jeter aux canards...

Elle considéra la fête à travers les portes vitrées. Malgré l'absence notoire de la mariée, les invités s'amusaient toujours. Le groupe de chanteurs, les Headstrong, était assez bon. Si elle avait été d'humeur et que ce mariage n'avait pas viré à la catastrophe du siècle, elle aurait pu se laisser tenter. Sans compter qu'elle faisait de son mieux pour ne pas penser à Matt Jarvis, ni à son interview avec eux, ni à la cause de sa défection à L'Alamo.

La lèvre de Josie était sur le point de trembler. À l'intérieur, certains couples avaient l'air heureux. Ou, s'ils ne l'étaient pas, ils n'avaient pas non plus l'air du contraire. Elle n'en demandait pas plus. Était-ce trop vouloir ? Elle devrait songer à mettre une annonce dans la rubrique des âmes solitaires du journal local. « Divorcée frustrée recherche homme sympa. Fumeurs, radins, ratés, gros ventres, buveurs de bière, chauves, pervers, agents immobiliers, fans de foot, lecteurs de magazine *people* et détraqués dangereux, s'abstenir. » L'avantage étant que son champ d'action serait considérablement réduit. Qui resterait-il ? De nos jours, les hommes avaient tous des problèmes. Pourquoi n'arrivait-elle pas à trouver quelqu'un qui pût aller plus loin que la lettre « b » comme « baise » pour pousser jusqu'au « e » de « engagement » ?

Quand la voiture de Josie arriva, elle se précipita dehors où elle retrouva la froideur d'une nuit de février. En montant à bord, elle vérifia que Damien ne surgissait pas de derrière un buisson pour sauter sur le siège à côté d'elle. Elle n'avait aucune envie d'une autre dispute et elle avait eu assez de surprises pour le restant de ses jours. Elle voulait simplement rentrer à son hôtel, ôter ses adorables chaussures lilas qui continuaient de l'estropier, pour prendre un bain bouillant en vidant le contenu de son minibar.

Matt et Holly dansaient sur « I'm happy just to dance with you[1] », une autre des reprises des Beatles par les Headstrong. Au milieu des nombreux danseurs, Matt se faisait bousculer par des milliers de coudes pointus. Comment les gens arrivaient-ils à glisser sereinement à l'époque de la valse, du quickstep ou du fox-trot ? Les pistes de danse avaient dû être plus vastes. À présent, il y avait à peine la place de se tenir debout sans marcher sur ses propres pieds. Sans parler de ceux du partenaire. Holly semblait totalement ignorer son inconfort.

— Tu as vu Martha ? demanda Matt, l'air de rien et pour la quarantième fois.

— Non. Je me demande où elle peut être. Quelqu'un m'a dit qu'elle n'était pas encore partie, alors j'imagine qu'elle doit se trouver dans les parages.

Ils s'agitèrent encore un moment, mais les jambes de Matt cessèrent de lui obéir, tandis que ses bras suivaient leur volonté propre, à contretemps.

---

1. « Danser avec toi suffit à me rendre heureux ».

— Ils ne chantent que des morceaux des Beatles ? demanda Matt.

— Presque. Ceux qui ont des paroles en tout cas, admit Holly.

— Et personne n'a jugé bon de leur dire ?

— Ce n'est pas très sympa, hein ?

— Je ne vois pas de raisons de le leur cacher. Tu aurais dû me le dire avant que je leur saute à la gorge. Ça nous aurait évité des histoires.

— Je ne pense pas qu'ils t'en veuillent, dit-elle.

— Je ne peux pas en dire autant !

— Matt, minauda-t-elle avec un regard suppliant.

— La blessure intérieure est plus profonde que mes égratignures, crois-moi.

— Est-ce qu'autre chose te tracasse ? Tu m'as l'air sur les nerfs et je ne peux pas croire que ce soit à cause de quelques chansons des Beatles.

Matt se figea. Ses jambes étaient paralysées. Toutes ces danses traditionnelles qu'il avait effectuées en début de journée l'avaient exténué.

— Je ne suis pas d'humeur à danser, Holly. Ça t'ennuierait que j'aille prendre l'air cinq minutes et que je te laisse toute seule ?

— Non, vas-y. Je vais aller rejoindre les gars. Ils ont bientôt fini, dit-elle.

— Je reviens vite.

Il quitta la piste et se dirigea vers l'extérieur dans l'espoir de trouver du calme, et Josie. Pas forcément dans cet ordre-là.

Au moment où Matt arriva dans le hall, une portière claqua et une voiture s'éloigna. Dans la quiétude de l'endroit résonnaient les boum boum boum de « You've got to hide your love away[1] » massacré par le groupe. Heureusement qu'il n'en recevait que des échos. Les autres invités semblaient très bien s'en arranger. Mais une foule de gens ivres peut danser sur n'importe quoi, comme The Eagles l'ont prouvé en de multiples occasions.

À présent qu'il avait trouvé un refuge, il avait l'impression de ne rien avoir à y faire. Matt regretta de ne pas fumer. Avec tout ce stress, il ne tenait pas en place et il ne savait pas quoi faire de ses dix doigts. Il était si nerveux qu'il serait bientôt un candidat de choix au Lexomil. Il se dit qu'il pourrait se lancer dans une habitude constructive comme se curer le nez, se ronger les ongles, ou compter ses pellicules. En fin de compte, c'était l'un de ces jours où l'on aimerait tout recommencer à zéro. Et tout refaire correctement. Josie devait bien se trouver quelque part. Elle n'avait pas pu disparaître juste devant ses yeux. Pas le jour du mariage de sa cousine.

---

1. « Tu dois cacher ton amour ».

Damien avait enlevé ses chaussures. Ses Patrick Cox à deux cent cinquante livres n'étaient pas faites pour jouer dans l'eau. Il avait également enlevé ses chaussettes qu'il avait proprement rangées dans ses chaussures. Sous ses pieds nus, la pelouse qui entourait le lac était glacée. Il allait sûrement falloir lui amputer les orteils s'il ne se rhabillait pas dans cinq minutes. Maximum. Il était en ce moment même en train d'enrouler ses jambes de pantalon tout en essayant de localiser le canard mangeur de diamant, sans tomber la tête la première.

— Viens ici, espèce de sale petit monstre. Viens voir papa, appela Damien avec un rictus à la Jack Nicholson.

— Coin-coin, fit le canard qui ne bougea pas d'un centimètre.

Damien s'approcha du bord de l'eau.

— Je sens que cette expérience va être extrêmement désagréable, dit-il en serrant les dents.

À la main, il tenait la couverture abandonnée par Josie lors de son retour express vers le manoir.

— Viens par ici, gentil petit canard. Fais ça pour moi, murmura tendrement Damien.

— Coin-coin, dit le canard en rejoignant le milieu du lac.

— Bon, écoute. Je veux juste t'enfoncer ma main dans la gorge pour récupérer mon diamant. Est-ce trop demander ? cria Damien.

— Coin-coin, répondit le canard.

Damien regarda l'eau aussi noire que ce truc à l'encre de seiche que l'on verse sur les pâtes hors de prix dans les restaurants branchés. Elle allait être très très très froide. Damien avança de quelques centimètres, laissant l'eau frôler ses orteils. Elle était si glaciale qu'il en eut le souffle coupé. Il émit un cri, le même qu'il poussait quand l'adorable Melanie daignait les lui sucer.

— Coin-coin, lança le canard.

— Si tu bouges un seul muscle, c'est dans ton petit derrière de canard que je vais enfoncer ma main, histoire de se marrer un peu ! menaça Damien.

Le canard se redressa en battant des ailes. Puis il se hissa au-dessus de la surface qu'il survola sur quelques mètres avant de se poser.

— Que je t'y reprenne ! J'en ai marre de courir après tout le monde ce soir, s'emporta Damien.

Les pieds de Damien s'enfoncèrent lentement dans la vase visqueuse. Il ne sentait plus rien en deçà du genou. Debout dans l'eau, il pesta en poursuivant sa progression.

— Et merde de merde de bordel de merde !

44

Josie se laissa tomber sur le lit de sa chambre d'hôtel, envoyant promener ses chaussures dans un mouvement délicieusement libérateur. Ses gros orteils craquèrent de plaisir. Elle glissa son corps frigorifié sous le duvet chaud et accueillant. Les lumières de la ville passaient à travers les rideaux, tout comme le bruit incessant des sirènes de police. Elle se demanda où était Martha. Pas dans la suite des jeunes mariés du Waldorf Astoria avec son mari, Jack, comme prévu. Ça, elle en était certaine.

Elle souhaitait ardemment que Martha soit bien avec Glen, que tout se passe pour le mieux entre eux, mais au fond d'elle persistaient des petits doutes insidieux. Pouvait-on compter sur lui pour prendre soin de Martha cette fois-ci ? Elle l'espérait. Cependant, ses sourcils se rejoignaient au milieu. Sa mère aurait vu là le signe d'un abominable criminel. Comme ses propres critères de jugement n'avaient jamais été très probants, elle devrait peut-être songer à écouter sa mère.

Les bras dans le prolongement du corps, Josie s'étira en appréciant la sensation de chaleur qui gagnait ses os. L'envie de dormir commençait à l'envahir. Elle aurait tellement aimé avoir quelqu'un qui la câline, et s'endormir lovée contre lui. Non sans un certain agacement, elle pensa à Matt. Où se trouvait-il dans cette ville sale, bruyante et excitée ? Était-il sorti ? Ou était-il dans sa chambre d'hôtel ? Était-il seul ou en bonne compagnie ? Avait-il emballé une autre pouffiasse crédule pour lui briser le cœur ? Ou fixait-il le plafond en se sentant aussi seul qu'elle ? (Non, Josie Flynn, ce type de raisonnement ne te mènera nulle part ! S'il a manqué la fille du siècle, c'est tant pis pour lui !) Elle avait connu suffisamment de catastrophe, de désespoir et de franche déprime pour aujourd'hui. C'était l'heure de se remonter le moral selon l'usage consacré !

(Boire un verre. Prendre un bain. Et bonne nuit.) Avec ce programme revigorant en tête, Josie rassembla le peu d'énergie qui lui restait dans le but de s'extraire du lit. (Commençons par le commencement, quand même.)

Josie ôta rapidement sa robe lilas et la jeta dans la corbeille à papier sans lui accorder plus d'attention.

(Bon débarras !) Elle ne porterait plus jamais de vêtements lilas de sa vie. De toute évidence, cette couleur portait malheur.

Se glissant dans le peignoir mis à disposition par l'hôtel en taille Pavarotti, Josie s'attaqua à la partie de son programme qui lui remonterait le mieux le moral. Elle ouvrit le minibar pour faire l'inventaire. Elle porta sa préférence sur des mignonnettes de vodka et sur la plus petite bouteille de tonic qu'elle trouva pour boire en vitesse et sur-le-champ. Le bruit des bulles du tonic se vidant dans le gobelet la fit soupirer d'aise. (À présent, le bain !)

Un plateau encourageant de produits de beauté aromatisés l'attendait sur l'étagère de la salle de bains. Elle se voyait déjà plonger dans l'eau parfumée, fermer les yeux et faire comme si ces deux derniers jours n'avaient été qu'un très mauvais rêve. Josie passa les petits flacons en revue. Muguet, jasmin, narcisse, œillet, rose. Des odeurs envoûtantes qui l'emmèneraient directement dans la campagne anglaise. Elle n'avait qu'à choisir et verser le contenu. Mais alors qu'elle venait d'ouvrir les robinets, le téléphone sonna. Ça pourrait être Martha ! Avec un regard amoureux à l'attention des savonnettes en forme de coquillage, Josie coupa l'eau avant de courir répondre.

— C'est ta mère, annonça la voix inimitable à l'autre bout de la ligne.

Josie se laissa tomber sur le lit. Quelque part entre le bain et la bonne nuit, elle avait oublié le bigophone. Mais boire un verre pourrait toujours lui être utile. Elle descendit sa vodka cul sec.

— Salut, maman.

— Tout va bien ?

— Très bien, merci.

— Je voulais parler du mariage de Martha. Tout s'est bien passé ?

— Bof, dit-elle en se demandant si le cordon du téléphone serait assez long pour atteindre le minibar.

— Comment ça « bof » ? Je savais que j'aurais dû venir, dit Lavinia.

— Je crois que ça n'aurait pas changé grand-chose.

— À quoi ? Pourquoi fais-tu autant de mystères sur le mariage de Martha ? Pourquoi ne pleures-tu pas en m'expliquant à quel point c'était touchant ?

— C'est une longue histoire, maman. Je te raconterai en rentrant.

Le fil était trop court de vingt centimètres. (Zut !) Une conversation à sec avec sa mère. Josie perdit tout courage.

— Elle a dit oui au moins ?

— En quelque sorte...

— Que veux-tu dire par là ?

— Il faut que je te laisse. Quelqu'un a frappé à la porte.

— N'ouvre pas. Ça pourrait être un agresseur qui se fait passer pour un employé de l'hôtel.

— C'est un risque que je dois prendre.

— Attends ! Josephine ! J'ai une mauvaise nouvelle pour toi...

(Oh, non.) Abandon du programme de fin de conversation.

— Une mauvaise nouvelle ?

— Damien t'aime toujours !

— Je sais. C'était horrible, pas vrai ? répliqua Josie en souriant.

— Je suis tellement navrée pour toi. Mais comment ça, tu es au courant ?

— Il est venu.

— Au mariage de Martha ! Mais il n'était pas invité !

— Ce n'est pas le genre de détails qui suffit à dissuader Damien.

— Quelle canaille !

— C'est ce que j'ai dit. Damien, tu n'es qu'une canaille !

Josie s'allongea sur le lit chaud et confortable. Un oreiller tombait pile sous sa nuque.

— Je sais bien que vous les femmes d'aujourd'hui avez des mots plus expressifs, mais ça revient au même. Il avait l'air vraiment décidé à se remettre avec toi, ma chérie. J'espère sincèrement que tu ne vas pas succomber à ses charmes, lui expliqua sa mère.

— Je ne me suis jamais laissé séduire de toute ma vie.

Josie crut entendre sa mère ricaner mais il pouvait s'agir de parasites. Disons qu'elle succombait rarement au charme de quelqu'un.

— Promets-moi, ma chérie.

— C'est promis. Damien a plus de chance de se faire... de tomber amoureux d'un canard que de m'épouser de nouveau, affirma Josie.

— Tu ne peux pas savoir à quel point ça me rassure.

(Et encore ! Tu ne sais pas à quel point c'est la vérité, maman !)

— Pendant que je t'ai au téléphone, je ferais bien de te parler de l'ongle incarné de Mme Bottomley.

Josie ferma les yeux, les odeurs de muguet, de jasmin, de narcisse, d'œillet et de rose devenant un souvenir de plus en plus lointain.

— Ça va te coûter une fortune, maman.

— Je n'en ai pas pour longtemps. Une minute à peine.

Ça s'élevait généralement à une soixantaine.

— Est-ce que je t'ai dit qu'elle avait été obligée d'aller chez le docteur Pilkington pour se le faire percer ?

— Non.

— Il a dit qu'elle avait eu de la chance de ne pas le perdre...

— Vraiment ?

— Et Mme Golding ne va pas mieux. Tu te souviens de Mme Golding ?

— Non.

— Mais si. Elle avait une sœur qui enseignait la musique à l'école élémentaire où tu es allée. Ce n'est pas bien de dire du mal des gens malades, mais c'est elle qui a refusé de t'aider avec ton magnétophone. On a écouté le même morceau au petit déjeuner, au déjeuner et au dîner pendant trois mois jusqu'à ce que le magnétophone soit mystérieusement cassé.

Après des semaines de recherche, Josie avait fini par le retrouver en pièces détachées dans le fond du tiroir à lingerie de sa mère.

— Tu te souviens d'elle ?

— Oui. (Non !)

— Elle a un cancer des intestins. Enfin, elle l'avait encore il y a peu, pour autant que je sache. Toutes ces années de transit irrégulier ont fini par la rattraper. C'est pour ça que je tiens autant à mes All-Bran...

— Mmmm.

— Josephine, est-ce que tu m'écoutes ?

— Oui, maman.

Elle bâilla avant de se rouler en boule. À l'extérieur, dans cette ville vivante et exaltée, les gens s'amusaient.

Ils dînaient dans des restaurants somptueux. Ils buvaient des cocktails exotiques avec des amis dans des bars branchés. Ils tombaient parfois amoureux. Certains, les salopards, faisaient l'amour. Matt Jarvis pourrait bien être l'un d'entre eux. Dire qu'au lieu de ce voyage à New York tant attendu elle aurait pu passer ses vacances en voyage scolaire. Elle aurait pu se rendre en Île-de-France avec trente-deux adolescents victimes de bouleversements hormonaux et quelques enseignants barbus et fumeurs de pipe, pour ne parler que des femmes.

Josie laissa le sommeil la gagner tandis que Lavinia poursuivait son monologue sur les maladies de ses amis, de ses voisins, du laitier et d'autres inconnus dont elle connaissait pourtant les problèmes physiques. Pour elle, Josie Flynn, cette journée parfaite se terminait en beauté.

45

— Allez, espèce de petit salopard !

Damien avait de l'eau jusqu'aux genoux et continuait à s'enfoncer dans la boue.

— Coin-coin, fit le petit salopard en s'éloignant à toute vitesse de Damien qu'il prenait pour un imbécile.

Prêt à bondir, Damien leva les bras à la façon de Peter Cushing[1] dans un film d'horreur.

— Tu vas avoir le choix entre l'enfer et l'eau glacée, l'avertit-il, furibond.

Les autres canards commençaient à s'intéresser à lui, nageant autour de ses jambes.

— Allez, dégagez tous ! Ce n'est pas vous que je

---

1. Acteur anglais indissociable du cinéma fantastique des années 1950 et 1960. Il détient le record d'interprétation du baron Victor Frankenstein avec cinq films !

veux. C'est Donald, là-bas. Laissez-le se défendre tout seul, dit-il en leur faisant peur.

Les mouvements de l'eau éloignaient également Donald.

— Oh, mais c'est pas vrai ! Je vais y passer la nuit, ma parole ! cria Damien à la lune qui s'en moquait pas mal.

Donald se mit à émettre des cris franchement agressifs.

— C'est bon maintenant !

Damien ôta sa veste de costume et desserra sa cravate. Visant la petite jetée décorative, il fit tourner sa veste au-dessus de sa tête avant de la lancer de toutes ses forces. Elle retomba dans l'eau, à quelques centimètres de la cible.

— Conneries, jura Damien qui avait toujours aussi peu de chance.

Avec un frisson de dégoût, il plongea dans l'eau. Damien partit à la poursuite de Donald.

— Autant que tu saches que j'ai eu mon premier prix de cinquante mètres nage libre à l'âge de cinq ans ! C'est rare, non, fanfaronna Damien qui avait le souffle coupé par l'eau glacée.

Donald nagea plus vite, et Damien aussi.

— À treize ans, j'étais le champion de natation de l'école. Ça m'étonnerait que ça ne te fiche pas la trouille !

Donald avait atteint l'autre rive. Il se hissa sur la berge boueuse où l'attendait un groupe de copains canards. Il secoua ses plumes avec élégance. Convoitant sa queue, Damien tenta de sortir du lac en tanguant. Mais il s'embourba de nouveau. Son cri de douleur effraya Donald. L'animal fila à toute vitesse tandis que Damien plongeait dans la vase pour enrouler ses deux bras autour du canard terrifié.

— Je t'ai eu ! s'écria Damien.

Victorieux, il résista à l'envie de lever le poing vers le ciel de peur de laisser l'animal s'échapper. Donald poussait des cris d'effroi. Des nuages noirs menaçants passèrent devant la lune. Une brise froide souffla, faisant dresser les cheveux dans la nuque de Damien et les plumes de la queue de Donald. Trempé, Damien s'assit dans la gadoue, tenant entre ses mains un canard choqué avec un diamant dans le ventre. S'il pouvait ressentir un certain soulagement à l'idée d'avoir retrouvé l'objet de ses investissements, ce sentiment fut rapidement tempéré par la pensée qu'il allait devoir trouver un moyen de l'extraire de Donald.

Damien glissa avec précaution ses doigts dans la bouche du canard en se demandant si son geste parviendrait à lui faire vomir la bague. Donald serra brusquement le bec en poussant des cris stridents. Damien avait l'impression d'avoir les doigts pris dans un étau.

— Aïe ! Espèce de salaud ! hurla Damien en dégageant sa main.

Damien et Donald s'observaient avec répugnance. Dans sa vie, Damien avait fait des choses dont il n'était pas fier, et qu'il avait fini par regretter, mais il n'avait jamais, à ce jour, tué un être vivant de sang-froid. Il s'efforça de se montrer suffisamment menaçant. Le canard perçut le changement d'ambiance et poussa un coin-coin pitoyable.

— Merde, dit Damien.

Les mots les plus érudits de son vocabulaire lui échappaient totalement. Il suffirait d'un coup net, bien placé et tout serait fini. Il essaya de serrer le cou de Donald. Paniqué, le canard agita les ailes.

— Ne fais pas ça. Tu ne vas presque rien sentir, le supplia Damien.

Alarmé, le canard faisait coin-coin tout en tentant de s'échapper, tandis que Damien essayait de le serrer plus fort.

— C'est promis, tu ne vas rien sentir. Ça va me faire plus de mal qu'à toi.

Les battements enragés des ailes de Donald prouvaient qu'il n'était pas dupe. Regardant ailleurs, Damien resserra son étreinte. Le canard brailla comme si sa vie en dépendait, ce qui n'était pas faux.

Quand ses genoux furent recouverts de chiures de canard alors que Donald était encore bien en vie,

Damien finit par laisser tomber. Vaincu, il s'écroula dans la fange. S'il avait plein de défauts, il n'était pas un tueur-né. Tenant Donald sous son bras, il pataugea en s'extrayant de la boue.

— Allez, viens. Toi et moi allons devoir trouver un moyen plus humain...

Et Damien, dans son costume Paul Smith souillé au plus haut point, rejoignit la fête de Martha, la tête haute.

Dans le hall, Matt n'arrivait pas à décider de ce qu'il devait faire. S'il avait planifié ses derniers agissements selon une logique assez torturée, il n'avait réussi qu'à se mettre dans un pétrin sans nom. Il venait d'être rejoint par un petit homme basané d'origine sicilienne qui semblait combler sa petite taille en affichant un air qui appelait le respect. Il faisait penser à Marlon Brando dans *Le Parrain*, mais en plus petit, plus maigre et infiniment plus laid. L'homme le considéra avec intérêt et lui adressa un signe de tête viril. Matt lui rendit son geste avec un sourire prudent.

— Les demoiselles d'honneur ont des beaux nichons, dit l'oncle Nunzio.

— Vraiment ? Je n'ai pas encore eu l'honneur de les voir. Mais je garde espoir, répondit Matt en prenant un air pensif.

L'oncle Nunzio dévoila son absence de dents dans un large sourire. Avant qu'ils puissent pousser plus loin la description des charmes anatomiques des invitées, leur attention fut accaparée par l'arrivée d'un homme extrêmement boueux. De son bagage jaillissaient des coin-coin étouffés. L'homme se dirigea vers la porte principale de l'hôtel, le menton en avant et le regard fixé vers son but avec détermination. Matt et l'oncle Nunzio se regardèrent en haussant les épaules.

Damien se tourna vers eux, le visage sombre et menaçant.

— Il y a quelque chose qui vous dérange ? demanda-t-il.

Matt vérifia qu'il ne parlait pas à quelqu'un d'autre. Il n'y avait personne d'autre en vue.

— Non, non. Mais c'est vous qui semblez avoir un problème, répondit-il.

— Oh, non. C'est vous ! soupira Damien en laissant tomber son sac et le canard.

— Oh, non. C'est vous ! répondit Matt en écho.

— Vous êtes le gars du taxi !

— Vous aussi ! Je ne vous avais pas reconnu avec toute cette saleté, s'écria Matt.

Damien lui lança un regard noir.

— Que faites-vous ici ?

— Moins de choses que vous, apparemment, rétorqua Matt en regardant le sac cancanant avancer tout seul.

— Êtes-vous un ami de Martha ? demanda Damien.

— Pas tout à fait...

— Il se tape la demoiselle d'honneur, l'informa l'oncle Nunzio avec un sourire bienveillant.

— C'est faux ! protesta Matt.

— Laquelle ?

Le visage de Damien était de plus en plus noir.

— Aucune. Enfin, Josie. Merci, espèce de vieux Sicilien fouteur de merde, dit Matt en se tournant vers l'oncle Nunzio.

— Josie ?

Damien se mit à baver comme un chien enragé.

— C'est-à-dire que je ne me la suis pas précisément « tapée ». Je ne lui ai d'ailleurs rien fait de précis mais je n'aurais rien contre, expliqua posément Matt.

Matt fit un signe complice aux hommes.

— Oh, vous n'auriez rien contre ?

— Elle a des super-nichons, intervint l'oncle Nunzio.

— Quel argument pourrions-nous opposer à ça ? dit Matt en souriant.

— J'en ai un. Il se trouve que Josie est ma femme, murmura Damien d'une voix menaçante.

— Votre femme ?

Matt se demanda pourquoi il avait subitement la bouche sèche.

— Ma femme, répéta Damien en serrant les dents dans un geste qui l'apparentait au rottweiler.

— Je suis certain qu'elle m'a dit qu'elle était divorcée...

— Je suis quoi dans ce cas-là ? De la brume écossaise ?

Matt peinait à rassembler ses pensées au moment où il en aurait le plus besoin mais il restait convaincu que cette personne apparemment très en colère qui se trouvait devant lui était plus solide et effrayante qu'un peu de vapeur des Highlands.

— Cher ami, je peux vous garantir qu'elle est tout ce qu'il y a de plus mariée.

— C'est marrant. Elle ne m'en a pas parlé, affirma Matt dans un élan de courage, bien que sa langue semblât collée à son palais.

— J'ai l'air de blaguer ? demanda Damien.

Effectivement, il n'avait pas l'air mort de rire. Bien que Matt lui eût volontiers fait la peau, tout humour mis à part.

— C'est un super bon coup, renchérit l'oncle Nunzio qui semblait bien s'amuser.

— Mais ça suffit ! Où avez-vous appris à parler l'anglais ? En tout cas, votre langage a besoin d'un petit nettoyage, s'emporta Matt.

— Attendez une minute... Vous ne seriez pas le fameux Matt par hasard ? l'interrogea Damien en plissant les yeux.

— Euh...

Matt réfléchit à l'éventualité de nier. Après tout, il devait exister des milliers de Matt à New York qui pourraient affirmer connaître une Josie. Voire des millions.

— Matt Jarvis, précisa Damien en piochant son nom dans le fin fond de sa mémoire.

— Euh...

— Le musicien de rock, ricana Damien.

— Euh...

Musicien de rock ? Ça faisait sexy, alors pourquoi le contredire ?

— Celui dont ma femme, Josie la demoiselle d'honneur baisable, est amoureuse.

— Vraiment ?

Le visage de Matt s'illumina soudain.

— Je ne sais pas ce qui vous fait tellement plaisir. Je devrais vous faire avaler vos dents.

— Où est Josie ? demanda Matt.

— En quoi est-ce que ça vous regarde ?

— C'est que je me demandais...

— Vous feriez mieux d'arrêter de vous poser des questions !

— Est-elle là ?

— Non, elle n'est pas là, répondit Damien.

— Où est-elle alors ?

— Je pensais que vous pourriez me le dire.

— Non.

Matt était perplexe.

— Écoutez. À cause de vous, j'ai gâché des milliers de livres sterling durement gagnées en venant ici, et je me suis complètement ridiculisé. À cause de vous, un chat vit sans son père. À cause de vous, ma femme est partie. À cause de vous, il y a un énorme diamant hors de prix à l'intérieur d'un canard. À cause de vous, mon costume Paul Smith est recouvert d'une sale boue répugnante. À cause de vous, mes mocassins préférés sont complètement foutus. À cause de vous, j'ai découvert le goût de la merde de canard. À cause de vous, je vais avoir mal aux articulations. Parce que j'ai décidé que j'aurais dû suivre mon instinct lors de notre rencontre suite au regrettable accident de taxi, je vais vous faire bouffer chacune de vos putains de dents !

Damien brandit son poing sous le nez de Matt. Ce dernier montra le sac de voyage du doigt.

— Attention, votre canard se fait la malle !

Damien dut constater que le sac s'éloignait d'un pas incertain. Saisissant sa chance, Matt s'enfuit pour se retrouver nez à nez avec Holly, poings sur les hanches et la moue boudeuse.

— Tu ne peux pas rester seul cinq minutes sans avoir des histoires, pas vrai ? Qu'est-ce qui se passe à présent ? gronda Holly.

— Je vais tout t'expliquer, se défendit Matt une fraction de seconde avant de recevoir le poing de Damien en plein dans le nez.

Un feu d'artifice explosa dans sa tête, exactement comme celui qui avait éclairé le ciel de Long Island plus tôt dans la soirée, rendant toute explication véritablement impossible.

Matt se sentit tomber à terre dans un bruit sourd. Physiquement et métaphoriquement. Pourquoi Josie ne lui avait-elle pas dit qu'elle était mariée ? Il pensait se souvenir qu'elle lui avait affirmé, à travers les brumes de l'alcool, qu'elle était séparée. Si elle l'était, son mari ne semblait pas être au courant. N'avaient-ils pas comparé leurs blessures de guerre ? N'avaient-ils pas comparé leurs honoraires d'avocats ? L'avait-elle mené en bateau juste pour s'amuser un peu ?

Il était probable qu'il ait passé l'intégralité de son séjour à New York à rechercher un mirage lilas alors que la cagnotte avait déjà été attribuée à un autre homme. Quel monde cruel ! Après tout ce qu'il avait vécu, il était hors de question qu'il se lance dans une histoire avec une femme mariée ! Ça allait contre tous ses principes ! Il n'en avait pas beaucoup mais il s'accrochait à eux comme des poils de chat sur un pantalon noir.

Un maelström de confusion bloquait ses fonctions intellectuelles. Il n'y a pas de plaisir sans souffrance, se dit-il à travers le brouillard qui régnait devant ses yeux. Tandis qu'il se roulait en boule en se laissant tomber dans un sommeil sans rêves, une seule pensée s'accrocha clairement à sa conscience avec la ténacité de la Super Glue. Josie avait peut-être omis de lui parler de la jalousie persistante de son mari, mais il était certain qu'elle avait affirmé audit mari qu'elle était amoureuse de lui, Matt — le musicien de rock — Jarvis.

À présent, et plus que jamais, il avait besoin de lui parler afin d'obtenir des réponses. Alors que le brouillard gagnait du terrain, il comprit pour la troisième fois en trois jours que son seul problème était de la trouver.

46

En fait, Matt se trompait en supposant que trouver Josie était le seul problème à résoudre. Il ne s'était pas attendu à se réveiller avec la perspective d'affronter Holly et d'avoir une explication qui lui convienne. Rien ne semblait pouvoir la satisfaire.

Holly avait ses propres questions auxquelles elle entendait obtenir des réponses et Matt ne savait pas par où commencer. Il aurait préféré ne pas être dans le coltard pour pouvoir réfléchir à des mensonges convaincants. Monsieur Moralité avait dû prendre un jour de congé. Devant lui, Holly tapait impatiemment de son pied nu. Ses cheveux étaient encore plus en broussaille depuis qu'elle n'arrêtait pas de tirer dessus, et son visage avait pris la tonalité du ketchup, couleur provenant d'une combinaison de colère et d'alcool.

Malgré la contrariété, elle n'avait rien perdu de son charme indescriptible. Si Matt n'avait pas été si mal en point, il aurait pu tenter d'esquisser un sourire.

— Et n'essaie même pas de sourire, ordonna Holly.

— Je n'allais pas..., murmura Matt.

— Il faut te mettre un steak là-dessus, dit violemment Holly en montrant l'endroit où un cocard n'allait pas tarder à apparaître.

— Je croyais que ça ne se faisait que dans les dessins animés.

— Je ne sais pas, Matt. Je ne suis pas ta putain d'infirmière, même si ça commence à y ressembler.

Sa tête le faisait souffrir en divers endroits. À demi assis, à demi adossé contre le bureau de l'accueil, sa position lui donnait mal au dos. La mèche folle d'un palmier en pot faisait ami-ami avec ses cheveux. Il ne se sentait pas prêt à bouger.

— Je suis désolé. Je ne te cause que des ennuis, articula-t-il.

Holly croisa les bras mais sa voix se radoucit.

— Oui, c'est exact. Rentrons. Tout le monde est parti.

À ce moment précis, les quatre membres pétillants des Headstrong déboulèrent.

— À la prochaine, Holly. On se voit demain ? dirent-ils en chœur.

— Ouais. Beau concert. Vous avez fait plaisir à plein de vieilles dames, répondit-elle d'un ton las.

Matt s'effondra un peu plus, sans les saluer puisqu'ils ne l'avaient pas salué, bien qu'il eût pu jurer que celui qu'il avait cogné hier – Barry, Larry, Gary ou quelque chose comme ça – souriait un peu trop. Ils partirent en faisant un petit signe à Holly, emportant avec eux leurs pantalons trop larges, leurs coupes de cheveux bouffantes et leurs hormones débordantes. Matt se frotta le visage.

— Où est passé le monstre au canard ?

— Parti. Avec son canard. Il avait un avion à attraper, expliqua Holly.

— Ça ne serait pas mieux que ce soit l'avion qui l'attrape, de préférence en pleine tête ?

— Possible, dit Holly.

— Et Martha ?

— Partie.

— Et les demoiselles d'honneur ?

— Parties.

— Tout le monde est parti ?

— Eh oui !

Matt la regarda avec étonnement.

— Je n'ai aucune idée de ce qui s'est passé. Peut-être une migraine générale. C'est le mariage le plus bizarre que j'aie jamais vu, dit Holly.

— Alors il ne reste plus que nous deux.

Matt essaya vainement de se redresser. Holly fit bouger ses orteils sur le carrelage froid.

— On dirait bien.

— Je voulais te dire...

À ce moment-là, l'oncle Nunzio apparut, suivi par un homme gigantesque en manteau noir qui avait l'air de porter un étui à violon à bout de bras. Sauf qu'il tenait deux adolescents par les oreilles. Il s'arrêta devant Matt, les jambes écartées pour soutenir son grand gabarit. Sa silhouette bloqua l'éclairage du hall, ce qui plongea Matt dans une semi-obscurité.

— L'oncle Nunzio voudrait s'excuser, annonça-t-il d'une voix révélant une consommation de cent cigarettes par jour.

— Je désolé, affirma l'oncle Nunzio, une main sur le cœur.

— Il a l'impression que c'est sa faute...

— Non, pas du tout..., dit Matt.

— Ma faute, répéta l'oncle avec un mouvement de tête.

— Non, ce n'est pas votre faute.

Matt protesta d'un signe de la main puis il se ravisa.

— Oui, en fait, c'est votre faute.

— L'anglais de l'oncle Nunzio n'est pas très bon. Ça lui fait des histoires. Il voudrait que tout soit clair, expliqua le grand bonhomme en donnant une tape sur la tête des garçons sans les regarder.

— Clair, répéta solennellement l'oncle Nunzio.

— En Sicile, l'honneur est important pour nous.

— C'est ce que j'ai entendu dire, dit Matt d'un air narquois.

— On applique le « œil pour œil, dent pour dent ». Il faut punir ceux qui le méritent, comme on dit dans la famille.

— Euh, d'accord, fit Matt d'une voix hésitante.

— Où est l'homme au canard ? demanda le gros homme à Holly.

— À JFK, dit Holly.

— À JFK, répéta l'homme.

L'oncle fit un geste à peine perceptible.

— Ne vous en faites pas, mon ami. Nous allons laver votre honneur, lança l'homme en prenant la main de Matt qu'il serra comme si ses doigts étaient du raisin ramolli.

— Honneur, dit l'oncle Nunzio en s'inclinant légèrement.

Puis ils s'en allèrent, traînant les garçons jusqu'à la voiture aux vitres teintées qui prenait un peu plus que la longueur du bâtiment.

Le hall d'accueil redevint étrangement silencieux. Matt et Holly se regardèrent d'un air ébahi. Il se dit qu'il lui faudrait plus que l'aide des Siciliens pour laver son honneur.

— Tu crois qu'on a bien fait de leur dire où il est allé ?

— Mais ici c'est l'Amérique du XXIe siècle, pas la Sicile du XIVe ! Que vont-ils faire ? Lui piquer son canard pour le manger tout cru ?

— Je ne sais pas. Mais je n'aimerais pas leur devoir de l'argent et les croiser dans une ruelle sombre et déserte avec cinq dollars en poche, dit Matt.

Holly se gratta le menton.

— Je crois qu'un jour Martha m'a dit que sa famille avait des liens avec la Mafia...

— Non ! s'écria Matt.

Holly éclata de rire devant l'air éberlué de Matt.

— Ah, c'est très drôle, mademoiselle Brinkman. Frapper un homme à terre, grinça Matt d'un ton acerbe.

Holly cessa de ricaner.

— Tu aurais dû voir ta tête. Tu regardes trop de films, désapprouva Holly.

— J'aime le sexe et la violence gratuite.

— Moi aussi. Le sexe, en tout cas.

Matt se sentit rougir. Holly se pencha pour l'aider à se rhabiller.

— Tu te charges de la violence gratuite pour nous deux. Allons te nettoyer tout ça, proposa Holly.

Matt se releva à grand-peine et en grognant. Elle

passa son bras autour de lui et, avec toute la force de ses quarante-huit kilos, l'aida à se mettre debout.

— Merci, dit Matt en grimaçant de douleur.

Se penchant vers elle, il essaya de faire prendre à sa bouche une expression pleine de gratitude. Pour la millième fois il se demanda pourquoi il courait après un papillon insaisissable − et apparemment marié par-dessus le marché − alors qu'une fille absolument superbe et disponible était à son bras. Non pas que Holly puisse être assez bête pour faire quoi que ce soit avec lui vu qu'il n'avait cessé de se défiler. Penser que, malgré ses bonnes intentions, il y avait des moments où il ne pouvait pas s'empêcher de se comporter en homme le rendait malade. Holly leva les yeux au ciel en s'apprêtant à parler.

— J'ai du mal à croire ce que je vais te dire. Avant que les mots ne sortent de ma bouche, je sais que je vais le regretter jusqu'à la fin de mes jours ! Tu veux venir prendre un dernier verre chez moi ?

Elle le regarda en soupirant. Si la lèvre de Matt n'avait pas été sur le point de se fendre en deux, il lui aurait probablement offert son sourire le plus sincère.

47

Tout le monde était parti, sauf Jack. Dans la grande salle sombre, il était perché sur le podium à côté des somptueux fauteuils de jeunes mariés qui restaient vides et abandonnés. Autour de lui, s'étalaient des cotillons défraîchis et des cadeaux de mariage. La boule à facette années 1970 tournait lentement sur elle-même, dispersant des éclats lumineux autour de la pièce dans un mouvement désespéré.

Même M. Rossani était parti, et il avait eu beaucoup de mal à le convaincre de s'en aller. Jack n'avait pas réussi à dire au père de la mariée que sa fille avait déserté son propre mariage, s'évanouissant dans la nuit avec son témoin. Comment annoncer ce genre de nouvelle sans briser le cœur de quelqu'un ? Jack s'était entêté à affirmer que Martha se reposait à l'étage et qu'elle avait la migraine. Avec une bonne dose de persuasion, il avait encouragé son père à rentrer sans la saluer.

Il lui dirait la vérité demain, et ce moment viendrait bien assez vite. Demain, une fois qu'il aurait dessoûlé et qu'il aurait moins envie de partir à la recherche de Glen avec un fusil à canon scié et un groupe de cousins siciliens baraqués.

Le regard de Jack survola les tables encombrées de verres de champagne à moitié bus et d'assiettes de canapés à moitié mangées. À l'intérieur, il se sentait aussi inerte que le champagne éventé, aussi froid et rassis que la nourriture abandonnée. Il n'avait pu le dire à personne. Lui et Josie étaient les seuls à savoir ce qui s'était passé, en dehors de Martha et de Glen. Il ricana sans rancune. Tout le monde l'avait cru submergée par les émotions de la journée, ce qui, d'une certaine manière, n'était pas faux. À présent, les invités s'étaient envolés, tout comme le rêve.

Jack se prit la tête entre les mains. Se mordant la lèvre, il retint les larmes qui menaçaient de couler à nouveau. Si prendre conscience de ses émotions l'amenait à ça, il préférait s'en passer ! Qu'est-ce qu'il pouvait raconter comme idioties parfois ! Ce n'était pas le moment d'explorer ses sentiments profonds. C'était l'heure de boire jusqu'à plus soif. Jack se versa un autre verre de champagne sans bulles et en avala la moitié. Comment avait-il pu s'imaginer que quelqu'un comme Martha voulait de lui ? Elle correspondait mieux à un homme comme Glen, un homme plus riche, plus jeune, plus beau. Glen donnerait à Martha tout ce dont elle aurait besoin dans une enveloppe plus séduisante que Jack ne pourrait jamais lui fournir. Et pourtant Jack aurait décroché la lune pour la lui servir sur un plateau d'argent s'il en avait eu l'occasion.

Il s'en remettrait, et il recommencerait tout à zéro. Il ne pourrait jamais supporter les ragots d'une petite ville comme Katonah. Peut-être les habitants l'avaient-ils déjà tous montré du doigt car ils savaient que son histoire avec Martha était vouée à l'échec. Il ne voulait pas qu'ils sachent qu'ils avaient vu juste. Peut-être que s'il n'avait pas essayé d'être parfait pour Martha, de se contrôler tout le temps... Si seulement elle avait su à quel point il avait besoin d'elle — de sa lumière, de sa vie, de son monde —, peut-être ne l'aurait-elle pas quitté ?

La porte s'ouvrit et une silhouette s'avança dans l'obscurité. Le personnel de nettoyage devait avoir envie de passer à l'action pour pouvoir rentrer. Chez eux, vers leur vie, auprès des êtres qui leur étaient chers. Ils voulaient balayer tous les détritus de la fête. Jack se demanda s'il parviendrait à se débarrasser des décombres de son mariage. Il leva les yeux.

— Salut, dit Martha en marchant d'un pas incertain dans sa direction.

Les lumières pailletées survolèrent son visage, illuminant sa pâleur. Elle avait l'air exténuée et Jack se dit qu'il devait être dans le même état de fatigue. Elle ne portait plus son voile, mais elle avait gardé sa robe de mariée et était toujours aussi belle.

— Salut, répondit Jack.

Martha soupira du plus profond de son cœur. Jack lui indiqua d'un geste la place à ses côtés et Martha vint s'asseoir dans un mouvement lourd. Il prit le seul verre propre qui restait sur le plateau.

— Tu veux boire un peu de champagne sans bulles avec moi ?

— Tu ne bois pas, s'étonna Martha.

— Maintenant, si.

Il lui servit un verre qu'il lui tendit. Sa main tremblait et il eut envie de la lui prendre. Se ravisant, il trinqua avec elle.

— À quoi buvons-nous ? demanda Martha.

— Je ne crois pas que ce soit à moi de répondre, Martha.

Elle soupira en portant le verre à ses lèvres. Elle savoura le champagne malgré son goût ignoble. Ses yeux parcoururent la pièce.

— Quel carnage, commenta-t-elle.

— Ils vont vite nettoyer tout ça.

— Ce n'est pas ce que je voulais dire.

Elle s'empara d'un ruban de papier qu'elle enroula autour de son doigt. Jack remarqua que sa bague de fiançailles et son alliance étaient toujours à leur place.

— Je voulais parler de nous.

— Je sais.

Les mains de Martha étaient si crispées que ses phalanges devenaient blanches. Elle serrait si fort sa flûte que Jack eut peur qu'elle ne se brise.

— Qu'a dit papa ?

Jack regarda le plafond.

— Rien. Je ne lui ai pas dit. Je n'en ai parlé à personne, avoua-t-il.

— À personne ?

— Absolument personne. Josie est la seule à être au courant.

— Mais pourquoi ?

— Je ne savais pas comment m'y prendre pour que ça n'ait pas l'air si terrible. Ça aurait gâché leur journée. J'ai raconté que tu avais mal à la tête.

Martha eut un rire forcé.

— Tu ne peux pas t'empêcher de faire attention à moi.

— Tu n'es pas la seule responsable de ce qui s'est passé.

— Bien sûr que si, Jack ! Je me suis sauvée avec ton

meilleur ami. Le jour de notre mariage, expliqua-t-elle en se tournant vers lui.

— Tu as dû avoir tes raisons.

— Je ne suis pas sûre qu'elles soient suffisantes, reprit-elle en soupirant de nouveau.

— Est-ce que ça servirait à quelque chose que tu les partages avec moi ?

— Je ne sais pas si ça aiderait, mais je crois que c'est le minimum que je te dois, dit-elle en souriant.

— Il ne s'agit pas de ce qu'on se doit ou non, mais nous devons essayer de comprendre pourquoi ça n'a pas marché, Martha.

— Il ne s'est rien passé de précis. Rien de mal. Tout est parti de travers ! J'ai paniqué, Jack. D'un coup, « toute une vie » m'a donné l'impression que ça allait durer... toute la vie. J'ai l'habitude de penser pour moi seule. Toute ma vie, c'était moi, moi et moi. J'ai toujours eu tout ce que je voulais. Tout m'a été apporté sur un plateau d'argent, et quand j'ai vu Josie avec Glen, je me suis rendu compte que je ne pourrais plus l'avoir. Je n'allais plus être une personne, j'allais être deux. Tout ce que j'aurais à faire dans l'avenir, pour toujours, impliquerait de prendre une autre personne en considération. Peut-être... deux ou plus. Tous nos projets m'oppressaient et je ne savais pas si j'étais prête mais c'était déjà trop tard... Oh, et puis je ne sais pas. Je me trouve des excuses là où il n'y en a aucune.

Martha se moucha avant de se frotter le visage. Elle se leva brusquement puis enleva ses chaussures.

— Elles m'ont fait souffrir le martyre toute la journée, ajouta-t-elle sur un ton plaintif.

Elle boitillait légèrement en se dirigeant vers le gâteau qui trônait dans toute sa magnificence.

— Nous n'avons même pas coupé le gâteau, gémit-elle en promenant ses doigts sur les fleurs en sucre dont les couleurs lilas, bleues et turquoise évoquaient une guirlande de petits hématomes.

— Nous n'en avons pas eu l'occasion, lui rappela Jack.

— Je meurs de faim. Tu en veux un bout ? proposa Martha en s'emparant du couteau qui attendait patiemment d'être utilisé.

— Je n'en ai pas trop envie.

— Je ne peux pas le couper toute seule, Jack. Ça porte malheur.

— Tu crois que ça compte ? Ce n'est pas exactement le début de la vie d'homme marié que j'espérais.

Martha le regarda dans la semi-obscurité.

— Je t'ai énormément blessé. Je ne le voulais pas. Je ne sais pas quoi dire, dit-elle d'une voix monocorde.

Jack se servit du champagne.

— Viens couper le gâteau, Jack. S'il te plaît, le pressa-t-elle.

Il se leva pour aller rejoindre Martha d'un pas lourd

comme s'il avait du plomb dans ses chaussures. Sa femme – même si l'appeler ainsi lui faisait bizarre – ressemblait à un enfant qui n'arrive pas à se contenir. Il comprit qu'aussi belle qu'elle fût, Martha avait encore besoin de grandir. Peut-être la journée d'aujourd'hui serai-elle un déclencheur. Martha tenait le couteau dressé au-dessus du gâteau, sa pointe frôlant le glaçage.

— Allez, pose ta main sur la mienne, ordonna-t-elle.

Jack fit ce qu'elle lui demandait. La main de Martha ne tremblait plus à présent mais elle était froide comme du marbre.

— Tu as froid, dit-il en serrant sa main.

— Et toi, tu as chaud. Prêt ? demanda-t-elle en le regardant dans les yeux.

— Prêt.

Jack appuya sur sa main jusqu'à ce que la lame s'enfonce dans le gâteau. Martha dirigea la lame de façon à découper une petite part.

— C'est facile, non ?

— On dirait.

Prenant la part dans sa main, elle la tendit à Jack.

— J'ai perdu l'appétit, protesta-t-il.

— Mange, l'enjoignit Martha.

Il se pencha pour croquer une bouchée.

— Il est bon. C'est un bon gâteau. Nos invités l'auraient apprécié, dit-il.

Martha reposa le restant de la part et s'appuya contre la table. La boule à facettes pivotait en silence. Jack observa le pouls de Martha qui battait à la base de sa gorge. Sa main toucha ce point, ses doigts épousant la courbe de son cou. Jack pensa la voir avaler sa salive avec difficulté.

— J'ai vraiment commis une terrible erreur. Je ne sais pas comment faire pour tout arranger, Jack, geignit-elle au bord des larmes.

Debout, il regardait les paillettes lumineuses danser sur ses chaussures vernies aussi neuves qu'inconfortables.

— Pourras-tu me pardonner un jour ?

— Je t'aime, Martha. Rien ne pourra jamais changer ça. Je t'en ai fait le vœu solennel, affirma-t-il en regardant sa mariée débraillée.

— Moi aussi je t'ai fait ce vœu et je ne l'ai pas honoré. Je l'ai cassé en petits bouts juste sous ton nez.

Martha se mit à pleurer.

— Chut, ne pleure pas. Pas le jour de ton mariage. Ça va aller.

— Comment pourrais-je jamais arranger les choses ?

Jack prit son visage entre ses mains pour lever sa tête vers lui.

— Martha, pourquoi es-tu revenue ?

— Parce que ailleurs je n'étais pas à ma place, confessa Martha entre deux sanglots.

— Ça me suffit.

Martha renifla bruyamment. Il la serra contre lui.

— Formons de nouveau un couple, Martha. Mari et femme. Nous pouvons tourner la page et continuer comme si rien ne s'était passé.

— Comment pouvons-nous faire ça ?

— Avec un petit effort et beaucoup d'amour.

— Je t'ai trompée, Jack.

— L'infidélité n'a pas besoin d'être l'élément le plus dévastateur d'un couple.

— Le jour de notre mariage !

— Tu aurais peut-être pu mieux choisir ton moment.

— Que vont dire les gens ?

— Personne n'est au courant. Il est inutile qu'ils l'apprennent un jour, dit Jack.

Martha ne semblait pas convaincue. Jack prit ses mains dans les siennes.

— Si tu me dis que Glen est un accident, alors je pourrai vivre avec. Mais je ne pourrai jamais vivre avec si on en fait une erreur irrémédiable.

La bouche de sa femme était toujours tombante et sa lèvre tremblait dangereusement.

— Comment peux-tu être aussi indulgent, Jack Labati ?

— Martha. J'ai attendu tellement longtemps, et dans une telle solitude avant de trouver quelqu'un avec qui j'aie envie de passer le restant de ma vie. Je ne vais pas tout mettre en l'air pour rien.

— Même si c'est ce que j'ai failli faire, dit Martha en reniflant.

— Quels vœux avons-nous échangés ? « Dans la richesse et dans la pauvreté, pour le meilleur et pour le pire. » Je pense qu'on pourrait ranger ça dans le pire, par exemple, proposa Jack en séchant les larmes de sa femme.

— Je fais la promesse solennelle de t'être fidèle jusqu'à ce que la mort nous sépare. C'est mon vœu solennel, dit Martha.

— À dire et à tenir...

— Serre-moi fort, Jack.

Il passa ses bras autour d'elle.

— Je crois que c'est le moment où je dois embrasser la mariée...

Jack goûta les lèvres de Martha. Elles étaient sucrées avec le petit goût salé des larmes en plus.

— Je t'aime, madame Labati. Je t'aimerai toujours, affirma-t-il.

— Je t'aime aussi, Jack, répondit Martha.

Il l'entraîna vers la piste de danse.

— Mon épouse accepterait-elle de m'accompagner pour notre première danse de couple marié ?

Ils entendirent tous deux de la musique, une chanson douce rien que pour eux. *T'ai-je dit à quel point je t'aime...*

— Tu crois qu'on va réussir à tourner la page, Jack ?

— J'espère que le jour de notre vingt-cinquième anniversaire de mariage, nous sourirons en repensant à quel point nous étions jeunes et bêtes, dit-il.

— Comme j'étais jeune et bête, précisa Martha en posant sa tête sur l'épaule de son époux.

48

Donald se démenait comme un canard possédé et le sac cognait violemment les genoux de Damien. Il serrait ses jambes pour contrer les tentatives d'évasion de l'animal, mais en prenant garde de ne pas lui faire rendre son dernier souffle. Quoique l'idée ne fût pas si mauvaise. L'hôtesse au sol qui enregistrait Damien lui jetait des œillades suspicieuses.

— Avez-vous des bagages à main ?

— Juste celui-ci, répondit Damien en baissant les yeux vers son entrejambe.

L'hôtesse suivit froidement son regard et, en réponse aux mouvements de son bagage et à sa tenue boueuse, fit passer son chewing-gum de l'autre côté de sa bouche.

— J'ai eu un accident. En venant. J'ai une tenue de

rechange avec moi, expliqua Damien en tapotant sur son sac.

Donald fit coin-coin.

— Avez-vous fait vos bagages vous-même ?

— Oui.

Damien regarda nerveusement les autres comptoirs d'enregistrement. Il se demanda comment faire pour que la transpiration cesse de perler au-dessus de sa lèvre supérieure, et comment l'essuyer sans avoir recours à sa manche.

— Avez-vous laissé votre bagage sans surveillance à un moment ou à un autre ?

— Non.

Comment laisser un sac contenant un diamant à l'intérieur d'un canard condamné ?

— Quelqu'un vous a-t-il demandé de transporter des effets lui appartenant ?

— Non.

Soudain, derrière le guichet, apparurent trois hommes très forts, au regard très noir posé sur lui.

— Voyagez-vous avec de la drogue, des explosifs ou des armes dangereuses ?

Damien se pencha au-dessus du comptoir.

— Les trois.

L'hôtesse haussa les sourcils.

— Je rigole, dit Damien.

Elle ne parut pas amusée.

— Non, je n'ai ni drogue, ni bombe, ni revolver.

— Voyagez-vous avec un animal ?

— Euh... non.

L'employée se pencha sur le côté.

— Puis-je vous demander pourquoi votre sac a l'air de bouger tout seul, monsieur ?

— C'est un jouet. Presque un objet d'art. C'est le nouveau gadget à la mode. Il nage, il fait coin-coin, et il va bien avec une sauce aux olives.

Elle le fixa d'un air glacial.

— C'est un robot en forme de canard. C'est pour ma fille... ma nièce... la nièce de mon amie... (Et merde !)

— Nous allons vous demander de bien vouloir suivre les contrôles de sécurité usuels, monsieur.

— Pas de problème. (Double merde !)

Damien aurait juré avoir vu l'hôtesse esquisser un début de sourire.

— Voici votre carte d'enregistrement, monsieur. Les informations liées au départ seront affichées sur les écrans. Je vous souhaite une bonne journée.

Elle avait bien souri. D'un sourire dédaigneux.

— Tu peux te la mettre au cul, marmonna Damien en s'éloignant.

— Pareillement, monsieur, répondit-elle sans lever les yeux.

Damien trouva le bar le plus proche du terminal et s'assit sur un tabouret. Il laissa tomber le sac contenant Donald à ses pieds et le canard émit un coin-coin de mécontentement. Ces jours-ci, Damien passait trop de temps dans les aéroports, des endroits on ne peut plus désolés. Et c'était entièrement la faute de Josie. Il lui restait des heures à tuer avant le décollage. Des heures à rester assis en se demandant comment il avait pu se mettre dans un tel pétrin. Pourquoi ne s'était-il pas contenté de ce qu'il avait, si ce n'est avec Josie, du moins avec Melanie, au lieu d'aller toujours voir si l'herbe n'est pas plus verte ailleurs alors que, où qu'il aille, il la trouvait marron ? Et même quand l'herbe est verte et luxuriante, c'est généralement le résultat de pluies incessantes.

Tout était fini avec Josie à présent, et il le savait. Il l'avait toujours su, en fait. Elle était trop terre à terre et trop raisonnable pour lui. Il lui avait fallu beaucoup de temps pour comprendre qu'il était un électron libre, une source de lumière, une énergie en perpétuelle effervescence qui avait besoin de quelqu'un qui lui permette de rayonner librement. Pas d'une femme qui l'attache au cloaque de la vie domestique. Il avait besoin d'une compagne qui gambaderait nue dans les champs de l'excès avec lui, et pas d'une mémère qui le force à mettre un anorak et un bonnet de laine avant de sortir, même en plein été. Aurait-il été capable de s'engager pleinement avec Josie si elle avait dit oui une deuxième fois ? Aurait-il gardé une Melanie, ou quelqu'un d'autre, de côté ? Peut-être aurait-il toujours besoin d'avoir deux femmes : une qui se charge de l'aspect stable et pratique de sa vie – l'amour, la nourriture et les chemises repassées –, et une autre plus passive, mais prête à lui offrir l'amusement et la joie illicite du sadomasochisme léger. Et pourquoi pas ? Certains hommes y parvenaient bien, des vedettes de la musique, des hommes politiques, des prêtres. C'était aussi banal que de porter des chaussettes bleues. Avec un sentiment de regret, il baissa les yeux vers les siennes, sales et bonnes à jeter à la poubelle.

Tout en gardant l'idée de joie illicite dans un coin de sa tête, il se demanda où était Melanie en ce moment. Il ressentit un accès de tendresse pour la femme qui avait failli lui faire la peau pas plus tard qu'hier. Elle n'était pas si mal, un peu « froufrou » sur les bords, mais avec des seins durs comme de l'acier et une volonté de fer pour aller avec. Elle le laisserait revenir. Un peu de drague à la Flynn et il serait rapidement de retour dans son lit. Il sourit à ce qu'il considérait comme le bon vieux temps, tous ces bons moments qu'ils avaient vécus ensemble, tout en restant conscient que la plupart de ces souvenirs se constituaient d'activités à l'horizontale.

Il n'aurait peut-être pas été si tranquille et si fier de lui s'il avait pu voir ce que Melanie avait fait depuis son départ. Il n'allait pas tarder à découvrir qu'elle avait passé la matinée sur Internet, à commander des tas de bijoux fantaisie, des vêtements Jasper Conran et quelques appareils électriques absolument inutiles. Elle avait ensuite, malgré la fatigue due au shopping, tapé sa lettre de démission sur son ordinateur personnel, prenant le temps de traiter son supérieur d'imbécile heureux − ce qu'il était − avant de reproduire avec talent la signature de président de Damien en bas du courrier. Elle avait ensuite emballé l'ordinateur, ainsi que son imprimante à jet d'encre, son scanner, son appareil photo numérique et tout un tas de jeux débilitants, dans un colis adressé à son amie Valerie qui s'occupait d'un foyer afin qu'elle puisse commencer à pervertir le cerveau des jeunes enfants du quartier. Après tout ça, elle avait composé le numéro à appeler pour participer à « Qui veut gagner des millions ? » depuis la ligne privée de Damien en laissant le téléphone décroché. À un dollar la minute, Damien n'était pas prêt de devenir millionnaire. Et enfin, avant d'aller se coucher avec l'une des bouteilles préférées de Damien, Stephen, le manager de leur club de gym, et un petit remords excitant, Melanie avait introduit une toute petite crevette venue de la mer du Nord dans le lecteur de CD de son ordinateur portable qu'il vénérait tellement.

Pour revenir à JFK, Damien respira profondément, tant qu'il le pouvait encore. Il avait décidé de laisser la nature agir et d'attendre que Donald ait envie de faire caca. Mais le temps passait vite et Donald n'avait pas produit la moindre petite crotte. La peur pouvait-elle constiper un canard ? Comment se sortir de cette situation ? Quelle prise de bec ! Comment extraire le diamant de ce canard ? Ce problème était trop complexe pour y réfléchir sans boire quelque chose de fort.

— Qu'est-ce que je vous sers, monsieur ? lui demanda le barman.

Cet homme avait visiblement eu recours à toutes ses années de professionnalisme pour ignorer l'aspect crasseux et débraillé de Damien.

— Un cognac. Un double, dit Damien.

— Tout de suite.

— Ou plutôt deux doubles et une bière, ajouta-t-il.

En peu de temps et de gestes, le barman posa les verres devant Damien qui s'appliqua à les vider avec une efficacité similaire. Après une autre tournée, Donald ne montrait toujours aucun signe de faiblesse. Bien que tanguant sur son tabouret, Damien sentait que le canard essayait de se faire la malle en douce. Damien vida ses deux verres, régla l'addition et se leva.

— Allez, mon canard. Il faut que je trouve quoi faire de toi, dit-il.

En s'emparant du sac, il remarqua de nouveau les

armoires à glace. Ils s'étaient rassemblés autour d'une table du snack voisin du bar. Damien les regarda pardessus son épaule. Ils buvaient un café et s'empiffraient de croissants en balayant les miettes tombées sur leurs manteaux noirs. Damien partit en vitesse, tenant Donald contre sa poitrine. Qui pouvaient-ils être ? Le FBI ? la douane ? Ils avaient peut-être été appelés par l'hôtesse qui n'avait pas été dupe de son histoire de canard robotisé.

Pouvait-on se faire arrêter pour trafic de canards ? Pouvait-on se faire arrêter pour trafic de diamant dans un canard ? Son apparence avait pu les laisser penser qu'il était un criminel, et pas un pauvre malchanceux en amour.

Damien traversa les halls de l'aéroport aussi rapidement qu'il le put, passant entre les retraités en chapeau de paille et tenues bleu ciel qui s'envolaient vers des climats plus cléments. Quelle que soit sa vitesse de marche, le canard mécontent faisait coin-coin. Damien remarqua avec une certaine angoisse que les hommes le suivaient.

Il s'engouffra dans une boutique suréclairée où tous les voyageurs foncent avant d'embarquer, ayant oublié d'emporter ceci ou cela dans leur hâte de partir en vacances. Les hommes s'arrêtèrent à l'extérieur pour le chercher du regard parmi la foule de voyageurs. C'était bien lui qu'ils cherchaient. Contrôlant sa panique,

Damien s'appliqua à marcher lentement dans les allées, son regard survolant les rangées de produits de beauté, de préservatifs et de chewing-gums. Il essaya de réfléchir à ce qu'il devrait faire ensuite, mais ses pensées allaient trop vite pour qu'il pût se concentrer. Il jonglait avec chaque idée comme un artiste du Cirque du Soleil. (Réfléchis, Damien ! Réfléchis, putain de merde !)

Les hommes se trouvaient toujours devant l'entrée du magasin. L'un d'eux s'avança dans sa direction. Damien s'arrêta brusquement, les yeux rivés sur une étagère. Les pieds enracinés dans le sol, tout devint flou autour de lui. Il gardait les yeux fixés sur sa cible avec une clarté extrêmement affûtée. Il se sentait si heureux qu'il aurait pu en pleurer ! Pourquoi n'y avait-il pas songé plus tôt ?

— Merde et merde et merde, dit-il en cherchant de la monnaie dans ses poches.

Sans quitter des yeux l'homme qui s'approchait, Damien tendit une main vers la réponse à ses prières.

— Voilà qui va t'aider à te déboucher ! dit-il avec un franc sourire.

Et il prit la plus grosse boîte de laxatifs disponible.

49

Le taxi avait déposé Matt et Holly devant son immeuble. Dans le froid glacial, ils attendaient que les doigts gelés de Holly trouvent ses clés insaisissables. Le nouveau cocard de Matt le lançait gentiment, tandis que l'ancien, celui hérité de sa rencontre avec les Headstrong, mécontent de se voir remplacé si vite, se développait dans toute sa splendeur. Une douleur en stéréo. Quelle merveille ! Dès le réveil, il irait chercher des lunettes à la Blues Brothers pour cacher ses hématomes violacés et son humiliation. Il ne savait pas s'il y avait un vrai rapport avec Josie, mais il ressemblait de plus en plus à un rocker alcoolique et bagarreur et à bien d'autres choses dont il n'était pas conscient. Il songeait même à ressortir sa guitare et son ampli du placard dès son retour.

Transi de froid et las de voir que Holly ne trouvait pas son trousseau, Matt la souleva pour la déposer en haut de la première marche. Elle était légère comme une plume et ses cheveux lui chatouillaient le nez. Holly lui donna des coups de sac à main.

— Repose-moi, espèce de petit con !

Elle se débattait mais il continuait de la tenir.

— Je me suis dit que tu devais avoir froid aux pieds, précisa Matt en regardant ses pieds nus.

— C'est vrai. Je t'enverrai la facture de mes nouvelles chaussures, dit-elle en claquant des dents.

Il pensa lui faire remarquer qu'il n'y était pour rien dans l'accident de taxi qui avait cassé son talon. Mais en se penchant sur les faits, et sur la globalité de l'histoire, il dut reconnaître que la responsabilité de l'intégralité de cette désastreuse soirée lui incombait.

— Sois gentille avec moi. Ma carte Bleue a une limite de six mille dollars, blagua-t-il.

— Ha, ha ! fit Holly en brandissant d'un geste théâtral la clé récalcitrante.

Matt la reposa le temps d'ouvrir la porte. Il la poussa du pied en reprenant la jeune femme dans ses bras.

— Bon, tu peux me reposer maintenant. Je peux me débrouiller toute seule, dit Holly.

— Tu pourrais marcher sur un objet coupant. Je ne voudrais pas être responsable d'une blessure fatale en plus de tout le reste. Il y a beaucoup de marches jusqu'à chez toi, expliqua Matt en prenant l'escalier.

— Oh oui, confirma Holly avec une lueur de malice dans le regard.

Elle passa ses bras autour de son cou et cligna des cils avec amusement. À bout de souffle, Matt fit la grimace et accéléra le pas.

— C'est ta punition pour toutes tes bêtises depuis ton arrivée, lança Holly.

— Merci, siffla Matt entre deux respirations.

— Ne parle pas. On ne voudrait pas que tu tombes en panne trop vite, ricana Holly en posant un doigt léger sur sa bouche.

— Tu es trop bonne.

— C'était ton idée.

Holly examina ses ongles en balançant ses pieds. Matt grimpait les étages, Holly devenant un peu plus lourde à chaque pas. Ils approchaient à présent du dernier étage et ses jambes avaient toute la puissance d'un flan à moitié cuit.

— Tu devrais maigrir un peu, souffla Matt.

— Tu devrais faire du sport, répliqua Holly.

La porte fut enfin en vue.

— On y est presque, commenta inutilement Holly en agitant ses clés devant son nez.

Matt voyait des tourbillons psychédéliques devant ses yeux, probablement dus à un manque d'oxygène, se dit-il. Sous bien des aspects, cette journée ressemblait à un marathon et son corps n'était pas préparé à accomplir de tels efforts physiques. Toutes ces danses folkloriques avec la tante Dolly avaient causé des dégâts.

— Baisse-toi, ordonna Holly devant sa porte.

Matt se baissa de façon à placer Holly à la hauteur de la serrure. Les muscles de ses genoux et de ses bras le brûlaient et il ne sentait plus son dos.

— Alors, voyons voir, murmura Holly en considérant ses clés.

— Dépêche-toi un peu !

Matt la secoua, la faisant rire. Quand Holly ouvrit la porte, ils pénétrèrent dans l'appartement en riant comme des gamins de cinq ans. Matt courut jusqu'au canapé sur lequel il laissa tomber Holly sans délicatesse. Dans l'élan, ses genoux se bloquèrent et il s'écroula sur elle. Tandis qu'elle gloussait sous lui, il haletait comme un cheval de course en fin de carrière. Leurs rires se turent et leur respiration se fit plus pesante, plus concentrée. La pièce était calme et le seul bruit qui vint ponctuer l'écho de leur pénible respiration fut celui des sirènes de police qui résonnait dans les rues désertes. Matt sentait son corps collé contre celui de Holly, fin et souple. Sa chevelure fière et sauvage encadrait son visage, lui donnant un air dévergondé et vulnérable à la fois. Les mains de Matt immobilisèrent ses petits poignets blancs derrière sa tête, arquant son corps qui se rapprocha du sien. Sur ses lèvres roses et humides, sa langue passait et repassait en tremblant. Matt remarqua qu'elle avait du mal à avaler sa salive. Sa peau rougissait légèrement et sa respiration irrégulière soulevait sa poitrine, frottant ses tétons contre sa chemise. Il sentait la chaleur de ses seins contre son torse. Dans l'obscurité, Matt regarda Holly dans les yeux. Quelle tentation ! Ce serait tellement facile.

— Mademoiselle Brinkman. Je crois franchement avoir un avantage sur vous, dit-il.

— Monsieur Jarvis, je suis certaine que vous allez respecter ma naïveté. Vous, un Anglais, un *gentleman*, répondit Holly sur le même ton.

— Mademoiselle Brinkman, je pense que vous me surestimez.

Matt s'appuya sur un coude.

— Vous avez eu, comme vous devez le savoir, de multiples occasions de me sauter dessus. Et pourtant vous vous êtes entêté à résister à mes charmes qui sont loin d'être insignifiants.

— Je crains que cela ne change rapidement. Dans un moment qui ne saurait tarder, je vais agir en véritable malotru.

— Un malotru, monsieur Jarvis ? Mais monsieur, je suis américaine. Je ne suis pas certaine de savoir quel type de comportement cela implique, minauda Holly.

Matt dégagea les cheveux de Holly de ses yeux.

— Dans ce cas, mademoiselle Brinkman, ce serait un honneur de vous montrer, murmura-t-il en posant ses lèvres sur celles de Holly.

50

Les armoires à glace étaient toujours en train d'attendre quand Damien se faufila en dehors de la boutique de l'aéroport, tenant sa boîte de dragées Fuca avec une joie mal contenue. Tous regroupés autour d'un briquet Zippo, ils étaient concentrés sur leurs cigarettes, ce qui permit à Damien de s'échapper sans être vu. Il tourna furtivement dans un couloir avant de pénétrer dans les toilettes pour hommes. Cette situation était ridicule ! C'était comme être dans un putain de film de Harrison Ford sans bénéficier du statut de la star, ni de la belle copine, ni du gros cachet.

S'adossant contre le mur, il respira à grand-peine, s'efforçant en vain de se ressaisir. Damien posa le sac sur la tablette. D'après le bruit que faisait Donald, il semblait que son compagnon de fortune était lui aussi de plus en plus nerveux. Damien jeta un œil sur l'endroit utilitaire mais décoré d'accessoires chromés et de carrelage blanc. Des enceintes diffusaient « I've had the time of my life[1] » de Bill Medley et Jennifer Warnes, ajoutant une touche de surréalisme à un moment qui n'en manquait déjà pas. Toutes les cabines semblaient vides. Damien se baissa pour vérifier sous chaque porte qu'il n'y avait aucun pied. Personne en vue. À moins qu'un tout petit nain soit en train de chier.

Damien ouvrit doucement la fermeture Éclair du sac avec une précaution extrême. Hélas, il savait d'expérience que ce couillon était capable de mordre. Un seul geste malencontreux et toute la partie pourrait se terminer dans les larmes. Donald sortit sa tête et une désagréable odeur animale s'échappa des profondeurs du sac. Damien l'ouvrit un peu plus largement.

Devant cette petite opportunité de s'échapper, Donald battit des ailes dans une vaillante tentative d'envol. Il s'éleva dans l'espace ouvert des toilettes pour hommes, sa voix annonçant la liberté. Damien le rattrapa à mi-hauteur.

— Je t'ai eu. Désolé, mais ça serait trop facile, mon bonhomme, ricana Damien en lui faisant un clin d'œil.

Donald se débattit un peu avant de s'effondrer dans les bras de Damien.

---

1. « C'était le meilleur moment de ma vie ».

— Je veux juste te donner un bon petit comprimé. Un petit comprimé mignon tout plein. Ou deux.

Damien ouvrit l'emballage de laxatifs et montra la plaquette à Donald.

— Regarde, ça ne va pas te faire mal. C'est encore plus petit qu'une bague en diamant. Ça s'appelle des dragées Fuca. C'est écrit dessus, tu vois. Ça va glisser tout seul, pas vrai ? Hmmm, c'est bon, encouragea-t-il l'animal.

Le canard n'avait pas l'air convaincu.

— Ouvre grand !

Damien saisit le bec du canard en prenant garde à ses doigts. Donald fit assez de bruit pour réveiller un mort.

— Je ne suis pas en train de t'étrangler ! Pas pour l'instant ! insista Damien.

Même Le-chat-anciennement-connu-sous-le-nom-de-Prince, qui se transformait en Brad Pitt dans *Fight Club* à l'évocation des mots « véto » « cachet » ou « poudre antipuces », avalait plus facilement ses pilules vermifuges.

Le canard ouvrit le bec en émettant un plus gros coin-coin que jamais. Damien saisit l'occasion pour vider tous les laxatifs dans son gosier avant de lui refermer le clapet. Puis il regarda l'animal avec un sourire diabolique.

— Nous n'avons plus qu'à attendre.

Ils poireautaient depuis un certain temps. Damien regarda à nouveau l'heure. Quinze minutes sans qu'il se passe rien et il avait déjà mal à la main. Il changea de bras et ferma les yeux pour lutter contre la douleur. Il était agenouillé dans un espace restreint, écrasé contre le mur froid de la cabine, et ses genoux commençaient à le lui faire sentir. Maintenir Donald dans la cuvette des toilettes n'était pas le meilleur moment de sa vie. Pour tout dire, il y a deux ans, on lui avait enlevé un ongle incarné et il s'était mieux amusé qu'en ce moment.

— Allez, allez, on y va. Juste une petite crotte. C'est tout ce qu'il faut pour mettre un terme à ce moment pitoyable. Après on rentrera chacun chez soi, le pressa Damien.

À en croire ses yeux, Donald semblait s'endormir.

— Bon, je vais te chanter une chanson, d'accord? proposa Damien.

Il réfléchit à un morceau qui pût faciliter le transit intestinal d'un canard. Donald ne paraissait pas inté-ressé. Damien eut une soudaine révélation.

— Je sais !

Il s'éclaircit la voix. En temps normal, il lui fallait plus que quelques verres pour pousser la chansonnette. Sa voix oscillait entre la gravité d'un Barry White et la tonalité aiguë des Bee Gees sans jamais trouver l'équi-libre. Il toussota une autre fois.

— C'est la danse des canards, qui en sortant de la mare se secouent le bas des reins ! Et font coin-coin...

Damien s'adossa contre la porte.

— Rien ? demanda-t-il avec espoir.

— Coin-coin, dit Donald.

— Encore ? proposa-t-il.

— Coin-coin.

Damien soupira avant de sourire à Donald pour l'encourager. Son répertoire de chansons pour canards était terriblement limité. Cette petite ritournelle lui rappelait toujours cet horrible week-end qu'il avait passé avec Josie. Alors qu'ils étaient censés passer un moment en amoureux, Josie avait passé la nuit à imiter les cris des animaux de la ferme à l'intention du couple de la chambre voisine dont l'activité sexuelle était sensiblement plus exubérante et libérée que la leur ce soir-là. Et en cet instant, il n'avait pas grande envie de repenser à ça. Damien rassembla tout son courage.

— C'est la danse des canards, et pour que tout le monde se marre, remuez le popotin en faisant coin-coin...

— Coin-coin, répéta Donald.

— Remuez le popotin, et faites coin-coin...

— Coin-coin.

— En faisant coin-coin...

— Coin-coin.

— Avec beaucoup d'entrain, et des coin-coin.

— Coin-coin.

— Remuez le popotin en faisant coin-coin...

— Coin-coin.

— Tu n'es pas là pour chanter avec moi ! Tu vas chier, oui, espèce d'oiseau de malheur ! cria Damien.

— Coin-coin.

Damien s'écroula sur le sol, vaincu.

— Ça ne marche pas, on dirait ?

Le coin-coin que Donald offrit en guise de réponse semblait dire franchement non. Avec un soupir las, Damien installa Donald sur la tablette.

— Écoute-moi bien, mon petit ami à plumes. D'un côté, je saisis toute la difficulté de ta situation. Tu dois te voir comme l'innocent témoin de toute cette mascarade. Tu n'étais pas censé savoir que le morceau de choix qui a atterri devant toi n'était pas un bout de pain rassis, n'est-ce pas ? Tu l'as grignoté de bonne foi, comme n'importe quel canard l'aurait fait, inconscient du fait que c'était le meilleur ami de la femme que tu avalais. D'un autre côté, tu compliques grandement les choses pour rien du tout. J'ai tout essayé pour te faire entendre raison mais le temps joue contre nous. Alors, à moins que tu n'arrives à chier dans les cinq secondes, nous allons devoir nous dire adieu.

Le regardant droit dans les yeux, d'homme à canard, Damien serra une main autour de son cou et avec l'autre il fit couler l'eau chaude dans le lavabo des toilettes. Avant qu'il pût réfléchir à la sagesse de son intention de noyer un canard, Damien attrapa sa proie dont il passa la tête sous l'eau. Donald se démena avec la force de vingt canards, battant des ailes comme un fou et aspergeant Damien de la tête aux pieds.

— Crève, espèce de sale canard de l'enfer. Crève ! cria Damien en se démenant pour maintenir Donald dans le lavabo.

À ce moment-là, la porte s'ouvrit et trois silhouettes baraquées bloquèrent la lumière.

— Je peux tout vous expliquer, bégaya Damien en relâchant son étreinte.

Le canard s'assit sur la tablette en crachotant. Les hommes s'avancèrent. Donald toussa. Damien recula. Il leva les mains vers son visage.

— Ne me faites pas de mal, supplia-t-il.

51

Clignant des yeux, Matt se réveilla progressivement. Il faisait toujours nuit. Les rideaux étaient ouverts mais une petite lueur grise laissait deviner la naissance de l'aube. À voir l'état de la chambre de Holly, on aurait pu croire qu'elle avait été occupée par un groupe de *heavy metal* et non par un unique journaliste de rock. Le sol était jonché de vêtements, de bouteilles et d'autres objets répugnants. Épuisé, il se rallongea, les bras derrière la tête. Son corps avait peut-être peu l'habitude de tenir la distance mais, au besoin, il atteignait un certain niveau de performance. Dans sa tête, Holly devait lui accorder un dix sur dix pour la sincérité de ses efforts, si ce n'était pas pour la prouesse artistique.

Ils avaient fait l'amour sur le canapé, dans tous les sens,

sur le tapis, sous la douche, sur le carrelage de la salle de bains, par terre dans la chambre et pour finir au lit. Ah, et au passage dans la cuisine, contre les placards. Matt était content que Holly ne vive pas dans une grande maison avec plus de pièces. Elle n'était pas tombée à court de préservatifs et il avait fait de son mieux pour sortir de son esprit le fait qu'elle en possède une plus grande collection que l'entrepôt Durex. Si elle s'impliquait autant dans les relations publiques que dans ses rapports sexuels, les Headstrong ne tarderaient pas à conquérir l'Amérique malgré leur manque de talent.

Matt n'aimait pas les aventures d'une nuit. Pas vraiment. Ça lui faisait penser à un champ de mines. Le faire avec quelqu'un qu'on connaît bien est déjà complexe, mais avec une étrangère, tant de paramètres pouvaient vous désarmer ! Tout d'abord, il fallait prendre en considération les éléments physiques : étiez-vous assez bien loti, trop bien (dans le monde des fantasmes), assez rapide, assez lent, alliez-vous jouir trop vite, alliez-vous simplement jouir ? Ajoutons à cela l'insécurité émotionnelle due au fait d'être au lit avec une inconnue, et Matt se demanda pourquoi s'embêter avec tout ça. Mais on se lançait malgré tout parce que invariablement les occasions comme celle de la nuit dernière avaient la sale habitude de se présenter de temps à autre, et cet aspect imprévisible les rendait d'autant plus attrayantes. Ces nuits construites sur trop de drague, trop d'alcool, trop d'efforts conscients, trop de chance, trop de solitude et trop de ce chaos hasardeux bêtement insaisissable et destructeur que nous appelons avec désinvolture l'« alchimie »...

Même quand tous ces éléments étaient réunis, le plaisir de Matt n'était que de courte durée puisqu'il était rapidement suivi par plusieurs semaines de trouble au cours desquelles il se demandait s'il avait été assez bon. Et même quand on lui laissait un petit mot avec un numéro de téléphone ou la promesse de se revoir, le doute subsistait. Il ne voulait pas que ces prouesses intimes fussent le sujet d'une conversation au bar du coin, entre deux Bacardi. Son *ego* était beaucoup trop fragile, et il ne savait que trop bien à quel point les femmes exagéraient tout après quelques verres. Holly avait l'avantage de vivre sur un autre continent, ses histoires n'arriveraient donc jamais aux oreilles des habitués du Slag & Handbag, son bar de prédilection.

Il fallait ajouter un autre élément à tout cela. Il avait trompé Josie. Il avait été infidèle et cette pensée transformait son estomac en bouillie congelée. Bien qu'il ne fût pas certain que, techniquement, on pût tromper quelqu'un qui ignorait totalement la profondeur de votre engagement durable. Quelqu'un qui par ailleurs avait oublié de préciser qu'elle était encore un peu mariée. Néanmoins, le regret envahissait tout son être, ce qui était injuste pour Holly parce que, à sa défense, il n'avait pas manqué d'enthousiasme la veille au soir.

Mais hier était un autre jour, et quelques heures plus tard l'aube naissante apportait le froid et sa faible lumière. Tandis que Matt réfléchissait à ce qu'il devait faire, une jeune femme s'agitait à côté de lui. Les draps se rabattirent sur ses cuisses.

Il détestait ce moment. Plus que tout au monde. Plus que les odeurs corporelles d'autrui, plus que les biscuits à la cuillère, plus que les gens qui conduisent lentement, et plus que son incapacité à comprendre le football américain. Il était juste de dire que, de toute sa vie, il n'avait jamais, jamais couché avec une femme laide mais, hélas, il s'était plusieurs fois réveillé à côté de l'une d'elles. Avec le soleil levant, Holly allait-elle se transformer en petit primate souriant sorti de *La Planète des singes* ? Sûrement en joli singe, mais tout de même en singe. Ça lui était déjà arrivé. À plusieurs reprises, il était allé au lit avec Liz Hurley pour se réveiller avec Roseanne Barr.

Mal à l'aise, il se tourna vers le corps de Holly. Il lui sourit dans la pénombre, soulagé de constater qu'elle était plutôt adorable. Assise dans le lit, les cheveux en désordre, elle tirait sur un joint en regardant les ronds de fumée s'élever vers le plafond avant de disparaître dans le néant. Elle lui sourit aussi, ses dents blanches brillant dans la lumière surnaturelle.

— Salut.

Holly produisit un autre rond de fumée.

— Salut. Ça va ? demanda Matt.

Si elle fit oui, elle semblait nerveuse, les draps pudiquement enroulés autour d'elle dans un geste désuet, tout bien pesé.

— Je ne voulais pas te réveiller, dit Holly.

— Je ne voulais pas m'endormir en te tournant le dos. C'est un truc de mec..., fit Matt d'un air penaud.

— Je sais. J'ai déjà vécu ça.

Holly écrasa son mégot dans un cendrier en forme de coquillage qui semblait avoir fait plus que son temps.

— Je déteste ce moment. Je ne sais jamais quoi dire ni quoi faire. C'est tellement nul de dire « alors, ça t'a plu ? » ou « tu as senti la terre trembler, chérie ? » dit Matt en se redressant.

— Eh bien, si tu me l'avais demandé, je t'aurais répondu que c'était plutôt bien, et même si la terre n'a pas tremblé, j'ai ressenti quelques vibrations, répondit Holly.

— C'est vrai ?

— C'est vrai. Et pour répondre à ta question sur ce que tu devrais faire, tu pourrais me prendre dans tes bras, proposa Holly en se détendant légèrement.

Comme il n'opposa aucune objection, Holly vint se plaquer contre lui et ce fut le tour de Matt de se contracter. Comment avait-il pu se mettre dans une telle situation ? Ils en étaient aux problèmes de chaussures cassées et de demoiselles d'honneur, et l'instant d'après ils faisaient de joyeuses galipettes en participant grandement à la quantité mondiale de déchets caoutchouteux.

— Pour toi aussi, c'était bien ? demanda Holly.

— Ouais. Super. Très bien. Merveilleux. Ouais... Génial.

Matt arriva rapidement au bout de son vocabulaire en la matière.

— Génial ? Assez génial pour avoir envie de recommencer ? interrogea Holly en promenant ses doigts sur son torse avant de descendre vers son ventre.

— Tout de suite ?

— Pourquoi pas ?

— Pourquoi pas ?

Il avait des milliers de raisons pour ne pas recommencer mais il ne pouvait en donner aucune à Holly. L'une d'elles étant qu'il ne savait pas où trouver l'énergie nécessaire.

— Il faut savoir profiter de l'instant présent, ajouta Holly.

— En parlant de ça, quelle heure est-il ? Oh là là !

Il consulta le réveil par-dessus l'épaule de Holly. Elle imita son geste.

— Il n'est même pas six heures.

— Déjà ? Bah, dis donc.

Holly s'éloigna de lui.

— Laisse-moi deviner. Tu dois y aller.

— J'ai un avion à prendre.

— Pas avant cet après-midi.

— Je dois faire ma valise.

— Tu essaies de fuir, n'est-ce pas ?

— Oui.

— Pourquoi ? demanda Holly.

— Je suis un mec. J'ai du mal avec tout le truc du lendemain matin.

Holly n'avait pas l'intention de le laisser s'en tirer aussi facilement.

— Je suis un Anglais, ce qui est encore pire. On est connus pour ça.

— Qu'ai-je fait de mal ?

— Rien. Absolument rien. Tu peux me croire, affirma Matt.

— Alors pourquoi veux-tu te sauver ?

Matt était mal à l'aise. Il avait très envie d'aller aux toilettes mais il n'arrivait pas à sortir du lit et à se montrer nu, mou et minable.

— Je ne cherche pas à me sauver. Enfin, si. Mais ça n'a rien à voir avec toi. On s'est bien marré...

Il prit la main de Holly qui était posée sur sa poitrine et la garda dans la sienne.

— On s'est bien marré ? Marré ? répéta Holly.

Matt n'aimait pas la tonalité négative de ce mot dans sa bouche.

— Ce n'était que ça pour toi ? De l'amusement ?

Même dans l'obscurité, Matt voyait le visage de Holly s'assombrir.

— Euh... oui. Il me semble que c'est ce que tu voulais, avança Matt.

— Tu crois que je fais ça pour m'amuser ?

— Euh... oui.

— Tu comptes pour moi, Matt. Tu as dû t'en apercevoir. Je ne couche pas avec tous les hommes que je rencontre. Tu me prends pour qui ?

— Euh... pour une femme libérée, amusante et qui aime profiter de la vie. Une New-Yorkaise...

— Je viens de l'Oregon.

— Ah bon ? Je ne connais pas...

— Alors je suis une femme libérée, amusante et qui aime profiter de la vie que tu peux fuir au réveil parce que ça te fait plaisir ?

— Holly, je ne veux pas rater mon avion. Tu savais que c'était juste comme ça. Et moi, je savais que j'allais avoir du mal à m'en sortir, déclara Matt en pesant ses mots.

Holly croisa les bras.

— Je ne vois pas où est le problème. Nous aurions pu refaire l'amour. Prendre le petit déjeuner ensemble. Manger une salade de fruits. J'aurais même pu préparer des œufs. Voire des crêpes. Et nous aurions pu nous dire au revoir tranquillement. Je ne comprends pas ton brusque changement d'attitude.

— C'est une bonne idée, des crêpes...

— Va te faire voir !

— C'est moi, Holly. Pas toi, dit-il, résigné.

— En général, ça veut dire le contraire. C'est ma faute et tu n'y es pour rien, corrigea Holly.

— C'est de la culpabilité vieille école. Je ne peux plus te faire l'amour parce que je m'en veux pour tout.

— De la culpabilité ? Mais à quel sujet ? demanda Holly en se redressant.

— Pour tout et rien. Plutôt pour tout.

— Pourquoi ? Nous sommes tous les deux célibataires et libres, non ?

— Euh... oui. C'est juste que tout est différent le matin. Tu ne trouves pas ?

— Je ne sais pas, Matt. C'est à toi de me le dire. Hier soir, j'étais célibataire en me couchant et je le suis toujours pour l'instant. Il ne reste plus que toi...

— Euhhhmmm.

— As-tu quelqu'un, Matt ?

— Ça dépend de ce qu'on entend exactement par là.

— Je veux parler d'avoir une femme, deux enfants, et une maison à la campagne.

— Alors non. Je ne suis avec personne.

— Mais il y a quelqu'un dans ta vie ?

— Euh...

Matt commençait à regretter de ne pas s'être levé, habillé et sorti, au lieu d'être au lit et nu face aux rayons lasers envoyés par les yeux de Holly.

— Depuis le début, je sens qu'il y a quelque chose que tu ne m'as pas dit, lança-t-elle en remuant le bout de son nez.

Les femmes sont capables de sentir le mensonge comme les chats sentent un poulet rôti à des kilomètres. La différence est que, comme Matt s'en était rendu compte, les femmes préfèrent parfois l'ignorer. D'instinct, les chats trouvent l'innocent poulet et lui arrachent une patte sans hésitation. Les femmes peuvent choisir d'ignorer l'odeur la plus puissante, la plus attirante tant que ça les arrange. Pendant des années, elles peuvent patienter avant d'arracher une patte au moment où leur geste aura le plus d'impact. Le nez de Holly se remit à bouger.

— Y a-t-il un rapport avec le mariage de Martha ?

— Oui.

— Et l'histoire de la demoiselle d'honneur ?

— Oui.

— Alors il y a bien quelqu'un d'autre ?

— Oui.

— Et c'est pour cette raison que ce gars t'a frappé ?

— Oui.

— Es-tu amoureux d'elle ?

— Oui.

— Et elle est amoureuse de toi ?

— Je n'en sais rien.

— Dans ce cas, que fais-tu dans mon lit ?

— Je fous en l'air ce qui aurait pu devenir une vraie amitié.

Holly se rallongea et remonta les draps jusqu'à son cou.

— Je crois que tu ferais mieux de partir, Matt.

— D'accord.

Matt se demanda comment il allait passer du lit à ses vêtements et jusqu'à la porte d'entrée sans avoir l'air bête.

52

Deux hommes encadraient Damien et le soutenaient par les coudes, ses pieds touchant à peine le sol, tandis qu'ils l'escortaient à travers le terminal. Un troisième homme suivait avec Donald, dans le fond du sac.

La foule en chapeau de paille et tenues bleu ciel s'écarta pour les laisser passer. Damien se demanda s'ils lisaient la terreur sur son visage, et si oui pourquoi n'agissaient-ils pas ? Il songea à crier mais même dans sa torpeur il devait soigner son image.

— Qui êtes-vous ? demanda-t-il tandis qu'ils sortaient du bâtiment et traversaient la rue.

Ils mettaient sa vie en danger en le faisant passer entre les taxis bruyants. Ils resserrèrent leur étreinte.

— Vous êtes du FBI ? des douanes ? avança-t-il.

— Tais-toi. Quelqu'un veut te voir, lança l'homme à sa droite.

— Me voir ? Vous devez faire erreur.

Ils débouchèrent sur le parking où une limousine noire aux vitres teintées les attendait. L'un des hommes ouvrit la porte et poussa Damien à l'intérieur, lui cognant la tête dans l'encadrement de la portière.

— Aïe, gémit Damien en se frottant le crâne.

L'homme se glissa à ses côtés, prenant Damien en sandwich entre lui et l'oncle Nunzio. Damien se sentit soulagé.

— Oh, merci mon Dieu ! C'est vous ! Du mariage de Martha ! Vous avez failli me faire peur ! s'écria Damien en portant une main à sa poitrine.

— Oncle Nunzio est là pour réhabiliter l'honneur, annonça solennellement son voisin.

Damien remarqua que Donald était paisiblement assis sur ses genoux, sa tête jaillissant avec curiosité.

— L'honneur, confirma l'oncle Nunzio.

— L'honneur ? De qui ? demanda Damien.

— Vous avez causé du tort à notre ami au mariage, et vous devez trouver le moyen de vous racheter.

— Quel ami ? Pas ce blaireau de Matt Jarvis, j'espère ? C'est pas vrai !

— Vous devez réparer le mal que vous avez fait, insista l'homme.

— Réparer le mal ! Cet homme a ruiné mon

mariage à lui tout seul ! La moindre des choses était de lui présenter mon poing !

— Nous avons décidé de prendre votre canard en dédommagement, poursuivit l'homme sans se laisser décourager.

— Mon canard ! Jamais de la vie ! Tu peux t'accrocher, s'emporta Damien.

— T'accrocher ? demanda l'oncle Nunzio.

— Compte là-dessus ! Ce canard est dans ma famille depuis des années.

Damien regretta de ne pas avoir l'air plus intimidant et moins terrorisé.

— Nous voulons le canard, répéta l'homme.

— Personne ne touchera à mon canard, dit catégoriquement Damien.

Les hommes se consultèrent du regard avant de faire craquer leurs phalanges qui résonnèrent comme des tirs de mitraillettes. Damien leva les mains en signe de défense.

— Non, attendez, attendez ! Tout ça parce que vous avez entendu parler de cette connerie d'histoire de bague en diamant ?

Personne ne parla.

— C'est ça ? Vous croyez qu'il y a un diamant à l'intérieur de ce canard. Ai-je raison ? poursuivit Damien.

L'oncle Nunzio et les autres hommes échangèrent un regard lourd.

— Laissez-moi vous dire que vous faites erreur. Comment pensez-vous que je pourrais passer la sécurité avec ça ? Vous ne croyez pas qu'ils le passeraient aux rayons X ? J'ai du mal à croire que vous soyez tombés dans le panneau !

Damien se frappa les cuisses comme dans les pièces pour enfants. L'oncle Nunzio et les autres perdirent de leur assurance.

— C'est un canard « bague diamant ». Il a été fait... c'est une espèce... un genre... d'élevage...

Les armoires à glace consultèrent l'oncle Nunzio du regard. Ce dernier restait impassible.

— Tu nous compliques les choses. Quelqu'un va perdre la face : c'est toi ou c'est nous, dit le plus gros.

— Écoutez, j'en ai plus qu'assez. Je veux que ma face reste exactement où elle est. Je suis fatigué. Je suis à bout de forces. J'ai un avion à prendre. Et je ne veux pas le rater tout simplement parce que j'ai envie de rentrer chez moi. Gardez le canard. Allez-y, prenez-le. Je peux sortir maintenant ? demanda-t-il en poussant Donald vers eux.

Les armoires à glace semblaient perplexes. L'oncle Nunzio haussa les épaules. Les hommes sortirent de la voiture, libérant un espace considérable sur la banquette.

— Je ne peux pas dire que j'ai été ravi de vous rencontrer. Martha connaît des gens très intéressants. J'espère que mon canard et vous allez être heureux ensemble.

Les hommes restèrent de chaque côté de la portière pendant que Damien sortait, redressant la tête pour afficher le peu de dignité qu'il lui restait. De plus, ses jambes étaient plus molles que de la guimauve. Damien donna une dernière tape sur la tête de Donald.

— Prenez soin de lui. Il s'appelle Donald.

Donald poussa un triste coin-coin. Les armoires à glace semblaient au bord des larmes. Damien mordit sa lèvre tremblante. Il se pencha vers le sac.

— Au revoir, mon petit...

Vif comme l'éclair, Damien arracha le sac des mains des baraqués et s'enfuit en courant, zigzaguant à travers les voitures qui klaxonnaient. Donald leur répondait avec rage. Damien regarda en arrière, se moquant des hommes qui, en essayant de le suivre, se retrouvèrent coincés dans une longue file de taxis jaunes sans pitié. Qui a dit qu'ils ne sont jamais là quand on a besoin d'eux ?

Il n'avait plus qu'à trouver un moyen de passer les contrôles de sécurité avec Donald, et pour le moment il était à court d'idées.

53

Josie tenait la pire gueule de bois de toute la ville, et même du pays, du continent, de la planète, voire de l'univers. Elle avait passé une bonne demi-heure couchée, à prier la pièce d'arrêter de bouger et à rassembler le courage nécessaire pour se mettre en position assise.

Elle était à présent sous la douche, faisant couler l'eau très chaude sur sa peau. Les yeux fermés, elle chancelait légèrement, incarnant à la perfection le personnage sur lequel tous les publicitaires s'appuient pour promouvoir des remèdes miracles contre la gueule de bois.

Toute l'horreur des événements de la veille n'avait pas faibli et y repenser l'aida à reprendre ses esprits. Elle se demanda où était Martha et combien de temps son père allait mettre pour la trouver et l'abattre.

Comme preuve flagrante de la profondeur de son traumatisme, elle avait envie d'appeler Lavinia. Josie se sentait tellement seule dans cette grande ville qu'il n'y aurait que l'amour d'une mère pour la réconforter. Puis elle se souvint qu'il faudrait endurer quinze minutes de « il te faut un docteur » répété en boucle et elle décida de se débrouiller seule.

Fermant les robinets de la douche, elle s'enroula dans une grosse serviette chaude, nettoya le miroir recouvert de buée et considéra longuement son reflet. Depuis Tom Cruise dans *Entretiens avec un vampire*, elle n'avait vu personne avec des yeux si injectés de sang. Horrifiée à souhait, Josie s'en retourna dans sa chambre. L'air conditionné et le chauffage central s'affrontaient, produisant une sorte d'atmosphère enfumée, glacée et poussiéreuse. Comme dans tous les hôtels de New York, on manquait d'air et les fenêtres étaient verrouillées, clouées et barricadées.

En dessous d'elle, la Grosse Pomme émergeait petit à petit de son sommeil ce dimanche matin. En dessous d'elle, quelque part, Matt aussi devait bouger dans son sommeil. Elle ouvrit le rideau pour regarder par la fenêtre. Devrait-elle essayer de le retrouver ? En faisant d'énormes efforts, parviendrait-elle à localiser son hôtel ? Se trouvait-il à deux intersections d'elle ou à dix ? Elle était bien incapable de le dire. Cette information, reconnue inutile par son cerveau, avait dû être effacée pour faire de la place aux tristes événements survenus ces dernières quarante-huit heures. Et dans le fond, en valait-il la peine ? Il était peut-être rentré à Londres une fois son interview terminée. Elle ne le saurait jamais.

Une faible lueur rose tenta bravement de réchauffer la lumière crue du petit matin froid. Il n'y avait aucun intérêt à passer sa dernière journée aux États-Unis assise là, à se défiler comme une poule mouillée mélancolique. Demain, trop vite, elle serait de retour dans les profondeurs de Camden et le monde enjoué des technologies de l'information. Elle devait s'activer, aller prendre l'air encore plus frais que dans sa chambre et profiter au mieux du temps qui lui restait.

Josie ouvrit la brochure offerte par l'hôtel aux pages loisirs. Gospel le dimanche à Harlem. (Trop de chants, trop de bruit, trop d'enthousiasme.) Brunch « Chez Lola ». (Manger, mal au cœur, plus jamais manger.) Prendre l'ascenseur pour aller au sommet de l'Empire State Building. (Altitude ? Pas bon. Besoin de garder les pieds sur terre.) Quoi d'autre ? Là ! Ses yeux, rougis et irrités comme si elle les avait frottés au papier de verre, s'arrêtèrent sur une annonce de vélos à louer. Souriant de contentement, elle sentit sa peau tirer. Y a-t-il un meilleur moyen pour chasser la gueule de bois qu'arpenter Central Park, le poumon vert et plein de vie de la ville, à la force des pédales ?

Holly lui avait lancé des fruits à la tête. Matt avait tout fait pour qu'ils se quittent en bons termes, se montrant badin, consolant, flatteur, apaisant, drôle, inquiet. En fait, tout en se rhabillant, il était passé par l'éventail des émotions ressenties dans une situation embarrassante, mais aucune n'avait réussi à faire sortir Holly de sa cachette, de sous les couvertures, ni de son silence. Ce qui, d'une certaine façon, lui importait peu puisqu'il lui était impossible d'enfiler des chaussettes d'un air détaché.

Une fois dehors, tout avait changé. Elle avait ouvert sa fenêtre en grand pour le bombarder d'un assortiment d'abricots, de kiwis, d'oranges et de ces toutes petites bananes sucrées absolument délicieuses, introuvables en Angleterre. Chaque projectile était accompagné d'une insulte assourdissante. Quand elle lui avait proposé une salade de fruits pour le petit déjeuner, il ne l'avait pas imaginée ainsi. Tout en essayant de franchir le barrage des missiles vitaminés, il n'avait pas été frappé que par des fruits mais aussi par l'indifférence générale. Les voisins étaient peut-être habitués à voir Holly lancer une volée de produits exotiques sur des hommes en fuite, ou peut-être était-ce une scène classique d'un dimanche matin à New York ? Il avait fini par sortir de son champ de vision et Holly avait claqué la fenêtre avec un dernier « va te faire foutre ». Il semblait qu'elle avait mal vécu son départ précipité.

Et après, quoi ? Matt avait pris un petit déjeuner, des crêpes, dans un endroit embué, seul, et il se trouvait à présent sur le trottoir à se demander comment remplir le vide qu'était sa dernière matinée dans la Grosse Pomme. Il pourrait se balader jusqu'à l'hôtel où il rendrait sa chambre avant de décider de la suite du programme. Son corps lui faisait mal en divers endroits, lui rappelant les différents accrochages du week-end. Il n'avait qu'une seule envie. S'allonger et dormir. De préférence sans personne.

Le vent froid souleva ses cheveux, lui provoquant des élancements dans la tête. Matt réalisa alors qu'il devait avoir mauvaise mine et qu'en tout cas il ne se sentait pas très bien. Frottant son menton, il massa la barbe naissante qui faisait probablement ressortir la pâleur de sa peau déshydratée et irritée. Joli. Pas étonnant que Holly ait préféré se cacher sous les draps.

Marcher ne pourrait lui faire que du bien. L'air frais l'aiderait à évacuer les derniers vestiges de champagne et de tequila de son cerveau fatigué. Il avait besoin de temps pour réfléchir à ce qu'il avait fait avec Holly. Comment s'y était-il pris pour en arriver là ? Et il avait aussi besoin de temps pour réfléchir à ce qu'il avait fait de travers avec Josie.

À son retour en Angleterre, il pourrait laisser le choix à Holly. Il commencerait par lui envoyer des fleurs, des chocolats, et peut-être une nouvelle paire de Jimmy Choo, voire des fruits, dans l'espoir qu'elle trouve son geste amusant et lui pardonne tout. Et il écrirait un article élogieux sur les Headstrong, comparant le groupe montant aux dernières compositions sublimes de John Lennon, même si ça allait à l'encontre de sa propre éthique. Il préférerait se retrouver coincé dans un ascenseur pendant cinq heures à écouter les plus grands tubes de Jimmy Osmond que de poser à nouveau les yeux sur l'abomination collective que composaient Justin, Tyrone, Bobbie et Stig, autrement appelés les Headstrong. Avec Josie, il allait avoir beaucoup plus de mal.

Matt leva les yeux vers l'étendue du ciel. Le faible soleil de l'hiver avait réussi à chasser la grisaille, laissant régner le bleu du ciel. Elle était là, quelque part, sous le même ciel, et il allait la trouver. D'une façon ou d'une autre. Même si c'était la dernière chose qu'il ferait.

Cette matinée se révélait être de plus en plus belle. Une fine couche de givre recouvrait les extrémités des arbres squelettiques, les faisant scintiller dans la lumière en ajoutant une touche piquante au froid qui mordait le nez et les oreilles laissés nus. Matt resserra son manteau autour de lui avant de se lancer. Si sa démarche était celle d'un homme qui sait où il va, il n'en avait en fait aucune idée.

54

Damien se trouvait face à un dilemme. Derrière lui se tenaient les trois armoires à glace qui avaient slalomé entre les voitures avec l'aisance d'une ballerine avant de traverser le terminal au pas de course, les yeux fixés sur leur cible, Damien Lewis Flynn. Devant lui, trois employés de la sécurité tout aussi volumineux le menaçaient d'un air tout aussi méchant. Au lieu de lui courir après, ils avaient l'avantage de se tenir devant leur guichet sans lui prêter attention.

Donald s'agitait dans son sac et ce n'était pas la première fois que Damien regrettait de ne pas avoir eu le courage de l'étrangler quand cela lui était encore possible. Il n'avait plus le temps d'agir à présent. Il préférait tenter sa chance au passage des contrôles de sécurité que de se retrouver avec l'animal dans l'eau boueuse du port de New York, ou à servir de matériau de consolidation dans les fondations d'un nouveau building. Jetant un regard en arrière, Damien s'avança pour présenter son passeport avant de se diriger vers la porte d'embarquement. Déjoués dans leur infâme tentative de le priver de son ami à plumes, les armoires à glace étaient en arrêt, formant un mur de manteaux noirs. Damien osa leur adresser un sourire narquois. Pendant un court instant libérateur, tout sembla se passer sans encombres. Au moment où il s'approcha des hommes de la sécurité, Donald leur offrit un coin-coin de bienvenue. Les trois hommes l'ignorèrent.

— Veuillez poser votre sac sur le tapis roulant, s'il vous plaît, ordonna le plus impressionnant des trois.

Damien déglutit à grand-peine. Que devait-il faire ? Tout avouer d'emblée ? Ses mains transpiraient et il avait l'impression de transporter vingt kilos d'héroïne pure à la place de son canard rebelle et indestructible. Est-ce que sortir un animal du territoire était considéré comme un délit ? Possible que oui. Ou, quand ils découvriraient le diamant, le prendraient-ils pour un voleur de bijoux international en plein exploit, et Donald pour une simple couverture ? Il pourrait tuer Josie pour l'avoir mis dans une telle situation !

— Votre sac, monsieur, répéta l'employé de la sécurité.

Derrière lui, une file d'attente s'était formée et les gens commençaient à l'observer avec insistance. Damien déposa son sac avec précaution et regarda Donald se faire avaler par le tunnel en métal noir de la machine à rayons X, en faisant coin-coin.

— Monsieur.

L'un des hommes l'invita à passer sous le portail de sécurité. Tandis qu'il s'avança, une alarme retentit, manquant de provoquer l'arrêt définitif des battements désordonnés de son cœur. Peut-être que Donald ne supporterait pas tout ça et qu'il mourrait d'une crise cardiaque à l'intérieur du tunnel à rayons X ? Et il aurait fait tout ça pour rien. Le vigile passa un détecteur de métal sur la longueur de son corps.

— Des clés, dit-il.

Les lèvres de Damien semblaient cimentées.

— Comment ?

— Vous avez des clés dans la poche, monsieur.

— Ah oui, acquiesça Damien.

Après les avoir déposées dans une panière, il repassa sous le portail de sécurité, cette fois-ci sans incident. Il alla jusqu'à l'extrémité du tapis roulant, où les trois vigiles s'étaient rassemblés autour de l'opérateur du tunnel à rayons X.

— Êtes-vous au courant que vous transportez un animal, monsieur ?

— Euh... oui.

— Savez-vous que c'est une violation directe aux lois fédérales du trafic des marchandises ?

— Ah bon ? Je n'en savais rien.

— Pourriez-vous nous suivre, monsieur ? dirent-ils en chœur.

Pour la deuxième fois de la journée, Damien fut saisi par les coudes et entraîné les pieds dans le vide.

— Je crains que nous ne soyons obligés de garder cet animal en détention, insista le responsable de la sécurité qui tenait fermement le sac sous le bras.

La tête de Donald sortit pour regarder ce qui se passait.

— Faire sortir clandestinement un être vivant du territoire américain est une infraction aux lois fédérales.

Damien était assis dans une pièce vide, si petite qu'elle rendait claustrophobe. Il sentait sa santé mentale en danger. Il faisait chaud, il était sale, puant, fatigué et de plus en plus de mauvaise humeur. Il tira sur le col de sa chemise pour desserrer ce qui l'était déjà. Les hommes de la sécurité étaient restés debout et, vus de sa place, semblaient très grands. Damien prit sa tête entre ses mains.

— Je vous l'ai déjà dit. J'ai une raison de vouloir ramener ce canard en Angleterre. Et je ne voulais pas le faire passer clandestinement.

Damien avait l'impression de parler chinois. La dernière fois qu'il avait vu des visages aussi inexpressifs, ils étaient sculptés dans une falaise.

— Ma femme et moi sommes venus pour assister au mariage de sa cousine Martha. Et malheureusement, bien que ce ne soit pas ma faute, nous avons eu une petite que...

— Vous et votre femme ?

— Oui. Une petite querelle d'amoureux. Vous savez ce que c'est quand on est marié depuis un certain temps, poursuivit Damien.

Si c'était le cas, ils n'en montraient rien. Ne se laissant pas démonter, il reprit son explication.

— Et malheureusement ma femme a jeté sa bague de fiançailles dans le lac, où elle a été avalée par un canard... un être vivant. (Saleté de bestiole.)

— Et où est la bague à présent ?

Damien montra Donald du doigt.

— À l'intérieur du canard.

Les trois hommes se regardèrent d'un air ébahi.

— Vous pouvez faire tout ce que vous voulez du canard. Tout ce que je veux, moi, c'est récupérer la bague. Ma femme s'en voudrait tellement de l'avoir perdue.

— Où est votre femme en ce moment, monsieur ?

Cette question était un peu plus complexe.

— Elle va prendre un autre vol, plus tard dans la journée. Elle a préféré rester à New York pour faire les boutiques.

Les vigiles se consultèrent du regard.

— Tout cela a l'air un peu tiré par les cheveux, n'est-ce pas ? dit Damien en riant.

— Nous aimerions bien vous croire, monsieur, fit l'un d'eux.

— Cette histoire est bouleversante, acquiesça un autre.

— Mais... les rayons X n'ont révélé aucune trace de cette bague ni d'un quelconque diamant, finit le premier.

Le peu de vie qui animait encore le visage de Damien disparut brusquement.

— Elle y est forcément.

— Je suis désolé, monsieur. Mais votre canard est plein de... merde de canard.

— Elle est forcément là-dedans ! Où est ma foutue bague ! s'exclama Damien.

Il se leva pour sortir Donald du sac en le secouant violemment. Le palmipède lâcha des coin-coin pleins de souffrance.

— Pouvons-nous le repasser aux rayons X ? Votre appareil est peut-être défectueux ? suggéra Damien.

Cet outrage à leur équipement déplut fortement aux trois hommes.

— Je veux parler de votre machine à rayons X, insista Damien.

— Veuillez nous suivre, monsieur.

Damien les suivit docilement jusqu'à l'appareil, tenant Donald sous le bras.

— Peut-être que si on l'assoit directement sur le tapis au lieu de le faire passer dans le sac, on aura une meilleure image, avança Damien.

Sans attendre leur accord, il planta Donald sur le tapis roulant. Les quatre hommes se rassemblèrent autour de l'écran de contrôle. L'image scannée montrait toute l'anatomie du palmipède. Des côtes de canard, un cœur de canard, des poumons de canard et une multitude de détritus dans l'estomac de canard de Donald, mais, comme l'avaient dit les vigiles, il n'y avait aucune trace d'une quelconque bague en diamant.

— Elle ne fonctionne pas correctement ! cria Damien en tapant sur la machine.

L'un des agents lui prit le bras.

— Monsieur, je vous prie de ne pas vous en prendre à notre équipement.

Donald sortit de la machine. Damien avait envie de pleurer. Il préféra tomber à genoux sur le sol de l'aéroport.

— C'est impossible. C'est impossible. Ça doit être le mauvais canard. J'ai dû prendre le mauvais canard, gémit-il en se massant les yeux.

Les vigiles se regardèrent en haussant les épaules.

— Monsieur..., avança l'un d'eux.

— Gardez-le ! Il ne m'a rien apporté de bon. Tirez-lui une balle, gazez-le, mangez-le. Je m'en fiche. J'ai essayé d'être le plus gentil possible avec lui et voilà comment il me remercie ! Emportez-le hors de ma vue, hurla Damien en se couvrant les yeux.

L'un des hommes emporta l'animal. Damien releva la tête.

— Je peux y aller, maintenant ?

— Pas pour l'instant. Voulez-vous nous suivre ? Nous avons un ou deux formulaires de routine à vous faire remplir avant de vous laisser partir.

Et une fois de plus, Damien suivit les hommes dans la petite pièce blanche et s'assit sur la chaise inconfortable.

— Veuillez patienter, monsieur.

— Puis-je passer un coup de fil ? demanda Damien.

— Nous allons vous lire vos droits dans un instant, répondit l'un des agents avant de refermer la porte au nez de Damien.

Mes droits, mon œil, se dit Damien. Il avait l'intention d'appeler Melanie. Il devait bien y avoir quelque chose à sauver dans tout ce fouillis, et tant mieux s'il s'agissait d'elle. Avec un peu de chance et un peu de baratin à la Flynn, elle l'attendrait les bras ouverts à l'aéroport de Heathrow. Damien sortit son portable de sa poche, répandant une mare d'eau boueuse sur le sol.

— Et merde, dit-il en lançant l'appareil sur la table.

Les agents de la sécurité fumaient une cigarette bien méritée dans la salle de repos. Donald ne les quittait pas des yeux.

— Alors, qu'est-ce qu'on en fait ?

Ils terminèrent leurs cigarettes respectives avant de les écraser dans le cendrier.

— On n'a qu'à le laisser partir. Autant qu'il aille tenter sa chance dans les cieux new-yorkais. Qu'est-ce qu'on pourrait faire de lui ici ?

Ils éclatèrent de rire.

— Une bague en diamant !

L'un des hommes se dirigea vers la sortie de secours et activa la barre de la porte.

— C'est bon, mon pote. On te laisse partir, mais fais gaffe à ta peau, mon canard. Adieu, dit l'un des hommes en poussant Donald vers l'extérieur.

Le canard évalua les lieux avant de lancer un dernier coin-coin d'adieu. Il passa la porte avec souplesse, se dirigeant vers les étendues de verdure qui entouraient l'aéroport.

— Allez, on va passer le mec sur le gril ?

— Je crois qu'il mérite le traitement de faveur.

— C'est sûr qu'il nous cache quelque chose. Les gars dans son genre ont toujours des trucs à cacher. Et j'ai l'intention de trouver de quoi il s'agit.

— C'est toi qui fais la fouille corporelle approfondie ou c'est moi ?

Le plus épais des agents sourit en se frottant les mains. Son collègue lui passa une boîte de gants de chirurgien en taille « extra large ». Il en choisit une paire couleur chair dans laquelle il enfila ses gros doigts en faisant claquer le latex.

— Ça me ferait plaisir de m'en occuper, affirma-t-il.

55

Matt errait sans but depuis plus d'une heure. Ses pieds étaient douloureux et il commençait à avoir besoin d'une injection de caféine ou de chocolat. Un groupe de touristes japonais le doublèrent bruyamment, faisant des courbettes pour s'excuser d'avoir perturbé sa paix. Leur minuscule guide, enroulée dans un manteau matelassé jaune, rouspétait à voix haute dans leur langue natale. Elle brandit un parapluie qu'elle agita dans l'espoir d'obtenir l'attention générale. Matt leva les yeux en se demandant ce qu'ils prenaient en photo avec un tel enthousiasme. Il se trouvait face au Dakota, l'endroit où John Lennon avait été brutalement abattu par un cinglé qui se prenait pour un fan.

— Oh, Yoko Ono, dit la guide en montrant le bâtiment du doigt.

— Oh, Yoko Ono, répétèrent-ils tous en écho, l'air ravi.

Matt sourit intérieurement. On disait qu'elle vivait toujours là, et les Japonais prirent d'autres photos du lieu.

Matt enfonça ses mains dans ses poches. La vie devait continuer sans John. L'une des plus grandes icônes de la pop était mort et le monde continuait à tourner. Des groupes merdiques faisaient des reprises merdiques de ses chansons, et des journalistes fatigués de la vie écrivaient dans des magazines de rock peu connus des articles plats traitant de son influence sur la vie et la musique des gens, mais rien d'autre n'avait changé. Les chansons quittaient le hit-parade pour laisser la place à d'autres morceaux tout aussi peu originaux, les articles se succédaient dans la corbeille à papier, et les gens qui avaient vraiment connu et aimé John Lennon continuaient à vivre de leur mieux.

Il traversa la rue, zigzaguant entre les voitures qui longeaient Central Park. De la même façon, il y aurait une vie après Josie. Après tout, elle n'était même pas décédée. Elle n'était simplement pas là où il faudrait qu'elle soit. Et il y aurait d'autres Josie. Des blondes, des brunes, des ronchonnes et des gentilles. Certaines l'aimeraient peut-être en retour. Et il ferait probablement plus attention à ne pas les perdre. Elles ne seraient peut-être pas toutes aussi joliment constituées, mais il allait y avoir d'autres femmes dans sa vie et, avec du temps et quelques guides de psychologie, il ne ferait peut-être pas tout foirer comme avec Holly.

Il entra dans Central Park qui s'étendait devant lui, aussi tentant qu'un magnifique tapis vert dans une boutique de bric-à-brac. Un dimanche matin au parc. Les gens promenaient leurs chiens, d'autres faisaient du vélo ou du roller, tous tirant profit de ce petit espace vert qui n'était pas surchargé de monoxyde de carbone. La température était toujours en dessous de zéro et sa respiration laissait des petits nuages de vapeur. Il arriva à Strawberry Fields, le petit jardin planté à flanc de coteau en hommage à John Lennon. Cet endroit était un havre de paix et de solitude, luxe précieux dans une si grande ville. Matt s'arrêta pour remettre ses idées en place.

Il y avait des couples à nez rouge emmitouflés, marchant main dans la main, riant, blaguant, seuls au monde. Ça donnait la nausée. Comment se faisait-il que tout le monde vive deux par deux, nageant dans le bonheur, dans les moments où vous étiez seul ? Pourquoi était-il plus facile à certaines personnes qu'à d'autres d'être en couple ? Comment certaines personnes pouvaient-elles passer sans heurts d'une relation à une autre, se fondant dans la vie de leur nouveau partenaire sans se cogner, et sans avoir de virage dangereux à négocier ? Pourquoi certaines personnes arrivaient-elles à organiser leur vie amoureuse comme un joli petit puzzle, chaque élément s'ajustant harmonieusement jusqu'à obtenir un tableau simple, doux et charmant ? Alors que d'autres (lui, par exemple) retournaient tout dans tous les sens comme un Rubik's Cube insondable jusqu'à perdre toute motivation et abandonner, vaincus et épuisés ? Et pourquoi certaines personnes, convaincues d'avoir trouvé la pièce manquante de leur puzzle, étaient-elles assez stupides pour perdre l'adresse du putain de restaurant où ils avaient rendez-vous ? Cette question était trop cruelle et Matt se dirigea vers le banc le plus proche pour y méditer.

Josie trouva facilement le premier garage de location de vélos. Armée d'une liste de choses à faire et à ne pas faire empreinte d'une parano tout américaine, elle s'élança vers Central Park sur sa bicyclette délabrée, avec le casque obligatoire qu'elle ne porterait pour rien au monde, même pas morte. Cheveux au vent, elle n'avait aucune envie de savoir depuis combien d'années elle n'était pas montée sur un vélo.

Au péril de sa vie, elle traversa Columbus Circle. Vacillante, à cause d'un étrange mélange de manque de pratique et de muscles imbibés d'alcool, elle pénétra dans le parc. Entrer dans cet espace donnait l'impression de passer dans un autre monde. Le tapage de la circulation s'estompait, remplacé par les rires des enfants, le bruit sourd des balles en cuir frappées par des battes, et le bruissement insouciant des rollers. La bousculade de bâtiments dépassait avec convoitise la cime des arbres nus. Ils s'entassaient sur le pourtour pour obtenir une meilleure vue du rectangle de verdure si précieux, et acquérir ainsi plus de valeur marchande. Le vent froid qui lui caressait le visage lui rafraîchissait les idées. Comme ce qui était arrivé hier était horrible ! Pire que tout, la scène de disparition de Martha et Glen, puis Damien surgissant de nulle part lui donnaient l'impression d'avoir assisté à un spectacle de David Copperfield plus qu'à un mariage.

Avec du recul, Josie se sentait mal au sujet de Damien. En admettant qu'il se soit efforcé d'être, à sa façon, sincère. En admettant que la bague ait été une marque d'amour terriblement hors de prix et pas un caillou bon marché. Elle avait peut-être mal réagi ? Damien était peut-être un sale menteur infidèle et coureur de jupons, mais il n'avait pas que des mauvais côtés.

Ses jambes retrouvaient un rythme oublié depuis longtemps. Elle avançait dans le parc, bien décidée à redonner de l'énergie à son corps dévitalisé, bien que se sentant la force d'une mourante, sans le soulagement apporté par le dernier souffle. Elle doubla des touristes assez fainéants pour se faire promener autour du parc dans des attelages colorés tirés par des chevaux las de refaire le même chemin pour la millième fois. La patinoire était bondée de familles en écharpe et mitaines, les enfants chancelants faisaient confiance à leurs parents tout aussi titubants pour les faire tourner en rond sans accident. Josie se sentit très seule. Vivre sans personne et en autarcie était très bien, mais le plus grand bonheur de l'existence n'était-il pas de partager tous ces petits plaisirs avec quelqu'un ? Il allait falloir qu'elle trouve le moyen de faire tomber les murs qui l'entouraient, sinon personne ne pourrait pénétrer sa carapace pour découvrir la vraie Josie qui se cachait derrière. N'était-il pas préférable d'aimer le cœur ouvert et libre, en courant le risque de souffrir plutôt que de passer sa vie sans éprouver ces sentiments en trichant avec elle-même ? Elle admira les arbres autour d'elle. Après la dure nudité de l'hiver, viendrait le début du printemps, l'ouverture, la floraison, le renouveau. C'était dans l'ordre des choses et l'on ne pouvait rien y changer. Mais c'était plus facile à dire qu'à faire.

Mettant ses pensées de côté, Josie continua à pédaler dans le parc. L'exercice physique relançait sa circulation sanguine, la réchauffant de l'intérieur. Elle était heureuse d'être venue. Central Park avait beau être une oasis de calme relatif dans une ville de lutte permanente, les New-Yorkais parvenaient toujours à animer chaque centimètre de pelouse broussailleuse et de rochers mis au jour. Elle descendit le Mall, une petite avenue gardée par des ormes alignés conjointement à des statues d'hommes de lettres célèbres. Elle tourna à gauche, en direction du Sheep Meadow, un endroit où tout ce qui était plus bruyant qu'un pique-nique était formellement interdit.

Elle était radieuse, ses veines regorgeant d'énergie et ses poumons brûlant sous les inhabituels efforts physiques. En temps normal, le dimanche matin, elle restait au lit avec une tasse de thé, des toasts, le journal et ses suppléments du week-end, et Le-chat-anciennement-connu-sous-le-nom-de-Prince. Mais rien de plus ! Elle allait désormais se lever tôt tous les dimanches pour aller faire du vélo. Enfin, presque tous les dimanches.

Josie ralentit pour accorder un peu de répit à ses jambes. Devant elle, il y avait un petit jardin en pente. Elle s'arrêta devant une petite grille dans le but de se reposer quelques minutes avant de poursuivre son exploration du parc. Elle descendit de sa bicyclette et libéra ses cheveux qui retombèrent en cascade sur ses épaules. Elle appuya le vélo contre la grille avant de grimper la petite côte, priant pour que son moyen de locomotion soit toujours là à son retour.

La végétation était clairsemée et les plantes, dans leur costume d'hiver, déployaient leurs branches nues pour se donner de l'ampleur. Le givre scintillait, conférant au lieu une touche magique. Le brave soleil hivernal commençait à réchauffer ses joues fraîches. Josie se détendit peu à peu. Elle aimait bien cet endroit. Elle était heureuse d'être en vie. Elle était heureuse d'être jeune, en forme et en bonne santé. C'était bien de malmener son corps de temps à autre, mais juste pour se souvenir de mieux l'apprécier.

En haut de la colline, une énorme plaque grise et blanche en forme d'étoile était posée au sol, avec le mot « Imagine » inscrit au milieu. Cet endroit avait quelque chose de paisible et elle venait d'en comprendre la raison. Josie se serra dans ses bras en regardant autour d'elle. Il n'y avait personne en vue, en dehors d'un homme seul, mal coiffé et pas rasé, assis sur un banc en face d'elle. Il avait la tête penchée en avant, son menton touchant presque sa poitrine. Il semblait perdu dans ses pensées. Elle se rapprocha de la plaque et l'homme leva la tête.

— Josie ? dit-il.

Josie avança sans en croire ses yeux.

— Matt ?

Il se leva puis vint vers elle d'un pas hésitant.

— Josie.

Le nez de Matt coulait à cause du froid, et les yeux de Josie commencèrent à s'emplir de larmes chaudes. Une envie de rire monta en elle.

— Matt !

Il resta devant elle, stupéfait.

— Je n'arrive pas à croire que tu sois là !

Ils se regardèrent sans parvenir à bouger. Matt secoua la tête.

— J'ai arpenté cette fichue ville dans tous les sens pour te retrouver !

— C'est vrai ?

— J'ai cru que je t'avais perdue !

Josie ravala ses larmes.

— J'ai cru que tu m'avais posé un lapin.

— Tu ne croiras jamais tout ce que j'ai fait pour te retrouver. Je suis allé au mariage de deux Martha, j'ai servi de punching-ball à tous les membres d'un très mauvais groupe de musique ainsi qu'à ton mari...

— Ex-mari, corrigea-t-elle.

Matt rit de soulagement.

— Tu ne peux pas savoir à quel point je suis heureux de t'entendre dire ça.

— Tu as fait tout ça pour me retrouver ? demanda Josie.

— Et tu ne croirais pas la suite... et maintenant tu es là.

— Oui, dit Josie.

Il la prit dans ses bras et la souleva pour la faire tourner dans les airs.

— J'ai cru que je ne comptais pas pour toi, soufflat-elle.

La reposant à terre, il prit son visage entre ses mains.

— Bien sûr que tu comptes pour moi. J'ai fait un aller-retour en enfer, et à Long Island, pour essayer de réparer les dégâts.

Matt serra Josie contre son torse, la faisant disparaître dans les plis de son manteau de journaliste de rock.

— Je ne veux plus te perdre. Plus jamais. J'ai du mal à croire ce que je vais dire. Tu vas peut-être hurler ou me donner des coups de pied dans les tibias ou faire quelque chose de désagréable à mes testicules... je t'aime !

Josie était entre les larmes et le rire.

— Moi aussi, je t'aime.

Ils s'enlacèrent dans la promesse silencieuse de rester unis à partir de ce jour. Pour le meilleur et pour le pire, dans la richesse comme dans la pauvreté, dans la santé comme dans la maladie.

Tout à leur bonheur, ils ne remarquèrent pas le petit canard insignifiant qui traversaient tranquillement Strawberry Field derrière eux. Avec quelques efforts et un grand sentiment de soulagement, il parvint à se débarrasser de quelque chose qui lui donnait mal au ventre depuis des heures. Puis, sur un joyeux coin-coin, il partit en quête de la mare la plus proche, laissant derrière lui une bague en diamant aussi sale que grosse.

Matt prit la main de Josie et, avec un sourire ému, lui dit :

— Tu imagines que c'est ici qu'on se retrouve ?

Josie rit à travers ses larmes et caressa la joue de Matt.

— Imagine, répéta-t-elle.

Et quelque part, là-haut, dans les cieux au-dessus de Central Park, John Lennon se mit à chanter...

Dans la collection
Girls in the City
chez Marabout :

Embrouilles à Manhattan, Meg Cabot

Mes amants, mon psy et moi, Carrie L. Gerlach

Sexe, romance et best-sellers, Nina Killham

Et plus si affinités, Amanda Trimble

Projection très privée à Tribeca, Rachel Pine

Mariage Mania, Darcy Cosper

Mariage en douce à l'italienne, Meg Cabot

Photocomposition Nord Compo

IMPRIMÉ EN FRANCE PAR BRODARD ET TAUPIN
42085 - Usine de La Flèche (Sarthe), le 05-06-2007

pour le compte des
Nouvelles Éditions Marabout
D.L. 90108 - juin 2007
ISBN : 978-2-501-04882-8
40.9815.8
Édition 02